JOGO DURO

Ernesto Rodrigues

JOGO DURO

A história de João Havelange

EDITORA RECORD
RIO DE JANEIRO • SÃO PAULO
2007

CIP-Brasil. Catalogação-na-fonte
Sindicato Nacional dos Editores de Livros, RJ

R612j Rodrigues, Ernesto
Jogo duro: a história de João Havelange / Ernesto Rodrigues. – Rio de Janeiro: Record, 2007.

Anexos
Inclui bibliografia
ISBN 978-85-01-07857-5

1. Havelange, João, 1916- . 2. Dirigentes de futebol – Biografia. 3. Federação Internacional de Futebol Associado. I. Título. II. Título: A história de João Havelange.

CDD 927.96334
07-1221 CDU 929:796.332.071.42

Projeto gráfico de capa: Evelyn Grumach
Foto de capa: Ricardo Chaves/Editora Abril
Projeto gráfico de miolo e encarte: Regina Ferraz

Patrocínio PETROBRAS

Apoio Bradesco

Impresso no Brasil

ISBN 978-85-01-07857-5

PEDIDOS PELO REEMBOLSO POSTAL
Caixa Postal 23.052
Rio de Janeiro, RJ – 20922-970

Para Edite e José Benedito

Sumário

Prefácio

João Havelange foi a primeira pessoa a ler esta biografia.

E não gostou de tudo o que leu.

Não porque este livro sustente mentiras ou calúnias. Em carta de 25 de agosto de 2006, papel timbrado de presidente de honra da Fifa, logo depois de ler os originais, ele me cumprimentou pelo "rigor profissional" na "concepção e execução" do projeto de biografia que fora apresentado a ele quase dois anos antes, em novembro de 2004, durante um encontro no restaurante do Country Club do Rio de Janeiro.

A carta era uma resposta a outra, que eu enviara a João Havelange dias antes, apresentando o texto final do livro, escrito após uma série de encontros com ele, em meados de 2006, também no Rio. Nesses encontros, ele tivera oportunidade de conhecer e comentar o conteúdo final da biografia, fazendo, como fora combinado em 2004, sugestões, observações e comentários.

Também como havia sido combinado em 2004, tive liberdade para decidir se acatava ou não aquelas sugestões, observações e comentários. Acatei algumas, por considerá-las pertinentes. E não acatei outras, relacionadas a manifestações de críticos e adversários de João Havelange ou a fatos públicos de sua vida como dirigente e personalidade mundial, consideradas, por ele, "inconvenientes".

Na mesma carta, porém, Havelange reafirmou que tinha conhecimento do conteúdo do projeto de biografia e que reconhecia nele "critérios necessários" para qualquer obra que tivesse como objetivo resgatar sua trajetória "como esportista, dirigente e cidadão brasileiro".

E foi exatamente para atender a esses critérios que mergulhei fundo, durante um ano e meio, em sua história, procurando fazê-lo com o compromisso mais sincero possível com o equilíbrio e a precisão, a uma distância segura, para mim e para o leitor, dos testemunhos e documentos carimbados pela bajulação subserviente ou pela difamação ressentida. Não sei se consegui ser todo o tempo fiel a este compromisso, ao longo da pesquisa, das entrevistas e do texto final. Mas perguntei e pesquisei tudo que considerei jornalisticamente relevante na trajetória pública de João Havelange.

Relevante, para o projeto deste livro, foi pesquisar e, sempre que possível, checar informações sobre a saga da família de João Havelange, a paixão pelo esporte, a vida de atleta olímpico, o trânsito na elite brasileira — dos anos 1940 à virada do século XXI —, o poder na Viação Cometa, a conquista do poder no futebol brasileiro, o papel que teve nas vitórias e fracassos da seleção, a experiência de governar com Carlos Lacerda, a campanha à presidência da Fifa, o duelo com os dirigentes esportivos europeus, a transformação do futebol em indústria bilionária, as relações que manteve com poderosos de todos os regimes e nações do mundo, o acidentado convívio com os jornalistas, o confronto público com Pelé e outras estrelas, e os frutos — doces e azedos — de seu estilo autocrático e imperial de administrar. E ainda a rede eclética de alianças que ele costurou com habilidade, para comandar por trinta anos e transformar profundamente o esporte mais popular do planeta.

Em busca de perguntas pertinentes, primeiro levantei e cataloguei informações sobre João Havelange contidas em 24 livros, 97 sites da internet e 45 jornais e revistas de 13 países. Destaco, entre as obras e autores consultados, o livro *100 Years of Football – The FIFA Centennial Book*, de Pierre Lanfanchi, Christiane Eisenberg, Tony Mason e Alfred Wahl, e o caderno especial "Era Havelange", escrito pelo jornalista Mário Magalhães e publicado pelo jornal *Folha de S. Paulo* em 8 de junho de 1994.

Com a dedicada e competente colaboração da jornalista Carolina Lauriano, localizei e contatei mais de 170 personagens e fontes do Brasil, Espanha, Argentina, Inglaterra, Escócia, Suíça, México, Estados Unidos, Botsuana, Camarões, Trinidad e Tobago, Suíça, Portugal, Suécia, Alemanha, França, China e Rússia. Desses contatos resultaram 114 entrevistas, nem todas citadas nominalmente no texto, mas a maioria realizada em contatos pessoais ocorridos ao longo de 2005, no Brasil, Inglaterra, Suíça, Alemanha, Espanha e Marrocos, sede do Congresso da Fifa daquele ano.

O conteúdo das entrevistas foi classificado em verbetes que, somados ao material de pesquisa bibliográfica classificado da mesma forma, resultou num banco de dados de 4.780 verbetes a partir dos quais redigi o texto final do livro. Como optei por não usar notas de pé de página na atribuição de fontes, cabe explicar que o uso de aspas indica que o trecho é uma transcrição literal de material de pesquisa ou das entrevistas que fizemos. O uso de travessão é uma indicação de que o texto foi construído a partir da memória de pelo menos um entrevistado ou personagem, sempre em depoimento gravado.

Agradeço de forma especial, entre os entrevistados do livro, a Antonio Carlos de Almeida Braga, Antonio José Carneiro, Iury Kler, Elias Zaccour, Anna Maria Havelange, Glorinha Paranaguá, Mariana Jacob, Peter Pullen, Raphael de Almeida Magalhães, Mario Amato, Paulo Godoy (*in memoriam*), José Bonifácio de Oliveira Sobrinho (Boni), os dirigentes Joseph Blatter, Lennart Johansson, Françoise Zweifel, David Will, Yacheslav Koloskov e Henry Kissinger, os jornalistas Keir Radnedge, Keith Cooper, Telmo Zanini, Paulo Cezar Vasconcellos e Mike Collett, os técnicos Carlos Alberto Parreira, Dunga (Carlos Caetano Bledorn Verri) e Zagallo, e os ex-jogadores Franz Beckenbauer e Pelé.

Agradeço ainda a Rodolfo Landim, Nelson Guitti e Sérgio Bandeira de Mello, pelo patrocínio da BR Distribuidora ao projeto; a Marcelo Salim, por sua atuação no levantamento de uma parte dos recursos para a produção do livro; ao Bradesco, pelo decisivo apoio financeiro ao projeto, aos jornalistas Eduardo Leal, Augusto Correa, Bernardo Tabak e Mariana Barra, pelo trabalho de transcrição; e a Sonia Bridi e Paulo Zero, na China, Mercedez Mendes, na Argentina,

Tâmara Schipper, em Israel, Shinichiro Nakaba, no Japão, Fabiana Bentes, na Colômbia, Michelle Marinho, no Peru, e Gina Marques, na Itália, pela realização de contatos, pesquisas ou entrevistas específicas.

Minha maior gratidão, no entanto, é para João Havelange, prodígio de lucidez e disciplina aos 90 anos de idade, concorde ele ou não com algumas menções que fiz neste livro. As entrevistas que me concedeu ao longo de 2005, seis encontros que resultaram em exatas 24 horas e meia de muita franqueza, alguma contradição e meia dúzia de silêncios irrecorríveis, tudo gravado em áudio e vídeo, tornaram-se 480 verbetes que, juntados ao material de pesquisa e às outras entrevistas, me permitiram traçar não um perfil definitivo, mas, acredito, um retrato instigante e muitas vezes surpreendente que adormecia escondido no protocolo insosso da política esportiva. Ou inexplorado por uma imprensa nem sempre desarmada em relação ao personagem.

Não consegui todas as respostas sobre João Havelange.

Mas creio ter contribuído para o desafio de decifrá-lo, além da lenda e do mito.

Ernesto Rodrigues
Março de 2007

Trato

Victorio Filellini nadava alguns metros à frente de João Havelange, na chamada Reta da Coroa, onde o Tietê, ainda cheirando a rio, cheio de curvas e cercado por chácaras, clubes e colônias de pescadores, cortava o bairro paulistano de Vila Guilherme. Costumava ser ali, a meio caminho da linha de chegada, perto do Clube Espéria, a definição de quem, entre os mais de 2 mil nadadores, venceria a tradicional "Travessia de São Paulo a Nado", maratona anual de 5,5 quilômetros que levou milhares de paulistanos às margens do rio entre 1924 e 1944.

Era domingo, 27 de dezembro de 1942. Havelange, 26 anos, um dos favoritos da prova, vencedor da travessia em 1935 e 1936, estava em segundo lugar. Filellini, 20 anos, astro da natação e do pólo aquático paulista, liderava a prova. Eram grandes amigos. E começavam a perder a vantagem que tinham para o restante dos competidores. Sem parar de nadar, com um leve tapa nas costas do amigo, João avisou:

— Vai embora você.

— Eu vou, mas chegando a Ponte Grande, se for você na frente, eu espero e nós entramos. Se não for você, vou embora.

Os dois tinham um trato. Não queriam apenas vencer a prova. Queriam cruzar a linha de chegada juntos e rigorosamente empatados. Por trás do acordo, conhecido apenas por Arthur Busin, o técnico do Espéria, o clube que defendiam, havia uma mistura de autoconfiança com um mal-estar dos dois amigos com a perspectiva de um derrotar o outro.

Filellini achava que devia muito a Havelange, um veterano da prova que dividira com ele os segredos da travessia e da preparação, tudo cuidadosamente anotado num caderno. Havelange aprendera a treinar de olhos fechados. Sentia, no contato da pele com a água, nas curvas do Tietê, sem levantar a cabeça, onde estava a correnteza, decisiva para a vitória, e onde ficavam os lentos remansos. Filellini, leal aprendiz e grande companheiro dos três meses ininterruptos de treino e braçadas no rio, fora o grande incentivador para que Havelange voltasse a disputar a travessia.

Notórios favoritos, eles tinham quase naufragado já no tiro de canhão da largada. Ao mergulhar com centenas de outros competidores, a partir das chatas estacionadas na altura da ponte de Vila Maria, foram cobertos de empurrões, socos e cotoveladas planejados de véspera pelos nadadores que formavam a chamada "tropa de choque" do Clube Tietê, o rival do Espéria que ficava na outra margem do rio.

Quando os dois conseguiram se desvencilhar da concorrência pesada, mais de cem competidores já estavam à frente deles. E para chegar à Reta da Coroa na liderança, Havelange e Filellini tinham nadado pelo exaustivo caminho dos remansos que eles tanto queriam evitar. A cada braçada, avançavam um metro. Os outros, embalados na correnteza, um metro e meio.

Na altura da Ponte Grande, a algumas centenas de metros da linha de chegada, Havelange pagou caro pelo esforço extra. Como havia combinado, Filellini parou de nadar e virou para trás para ver quem apontava na curva em segundo lugar. Os torcedores do Espéria apinhados na margem não entenderam:

— Vai! Vai! Falta pouco, vai!

Filellini não ligou para o desespero da torcida. Esperou até o momento em que Antenor Ferreira da Silva, o Paraíba, nadador do Corinthians, surgiu na última curva em segundo lugar. Havelange vinha em terceiro, sem ameaçar sua posição.

O primeiro triunfo de Filellini na "Travessia de São Paulo a Nado" teve, então, uma ponta de decepção que só ele, o amigo Havelange e o técnico Busin conheciam. Um ano depois, em 26 de dezembro de 1943, mais uma vez sem que ninguém soubesse, o trato continuaria valendo.

Na largada daquela que seria a penúltima edição da travessia, a truculenta tropa de choque do Clube Tietê teve duas surpresas, já nos primeiros metros do percurso. Uma foi a repentina troca de posição de Filellini e Havelange na hora de mergulhar no rio, segundos antes do tiro de canhão. A outra, o apoio muscular de outra tropa de choque, a dos remadores e jogadores de pólo aquático do Clube Espéria, na hora de abrir caminho para eles, no tapa ou como fosse necessário. Havelange e Filellini largaram na frente, mas não abriram.

— Vai ser na Coroa, João!

Entre uma e outra braçada, lado a lado com Havelange, metros à frente de cerca de 50 nadadores, Filellini repassava a tática de guardar energias para o trecho da Reta da Coroa. Ali a água espraiava, a correnteza se diluía e a experiência de nadar com os olhos fechados fazia a diferença.

— Ali a gente abre e vai embora!

E foram. No meio da reta, o terceiro colocado estava a mais de 50 metros da dupla. E ficando. Nada parecia ameaçar a concretização do empate premeditado.

A não ser os organizadores da prova. Ao perceber que os dois nadadores estavam praticamente juntos, Carlos Joel Nelli, diretor da prova, determinou que a raia em forma de funil que terminava na linha de chegada fosse estreitada.

— Só ganha um! Só ganha um!

Havelange e Filellini não estavam dispostos a desistir. Queriam que seus gorros numerados fossem retirados no mesmo instante e espetados juntos na posição de primeiro lugar da tábua de classificação. A segundos de cruzar o arco sustentado por dois pontões que marcavam a linha de chegada, os dois cruzaram juntos, de lado, no embalo da correnteza. Um dos comissários bateu na cabeça de Havelange, ligeiramente à frente de Filellini, e gritou:

— Primeiro!

Quase ao mesmo tempo, um tapa na cabeça de Filellini e outro grito:

— Segundo!

Tecnicamente, não era um empate. Mas não era este o desejo de João Havelange. Ele não queria vencer sozinho. Seu desejo de honrar o trato com o amigo era mais importante que o triunfo esportivo. Só aceitaria receber a medalha de primeiro se Filellini também recebesse. E Filellini só aceitava ser promovido a campeão se João também fosse.

Uma grande discussão tomou conta das margens do Tietê. Carlos Joel Nelli e os diretores da *Gazeta Esportiva*, jornal que organizava a travessia, não queriam aceitar o empate. Nadadores e dirigentes chegaram a se trancar em uma das salas do Clube Espéria para chegar a um acordo. Foi quando Carlos Joel Nelli insistiu para que Havelange aceitasse, sozinho, a medalha de campeão. Ele recusou mais uma vez e sugeriu remeter a peça para um destino que a *Gazeta Esportiva* jamais ousaria revelar aos seus leitores.

Algum tempo depois, Havelange deixou a sala e, diante de Filellini e de dezenas de pessoas que esperavam do lado de fora, antecipou o que faria o resto da vida em duas frases curtas. Primeiro, o administrador:

— Está resolvido.

Depois, o político:

— Foi empate.

A medalha de campeão só seria entregue a Havelange quinze anos depois, mas a foto que os dois amigos tiraram, nos ombros da torcida do Clube Espéria, se tornou o emblema definitivo do empate espetacular. Mais de sessenta anos depois daquele domingo, Havelange e Filellini diziam apenas que não sentiam a menor satisfação de vencer um ao outro.

O Tietê, com o tempo, deixou de cheirar a rio, espantou para sempre os pescadores e, envenenado por esgoto e um colossal despejo de detritos, virou um imenso caldo grosso, fétido e sem vida, retrato da selvagem transformação de São Paulo no maior centro industrial da América Latina.

Victorio Filellini tornou-se um próspero executivo do grupo têxtil Bunge Y Born e continuou vivendo em São Paulo. Acompanhou a distância a vida de Havelange, às vezes triste por não ter chance de relembrar, com o velho parceiro da natação, como a vida era boa aos 20 anos de idade. Também sentiu não poder dividir com Havelange a dor de momentos difíceis como o da perda do filho Douglas, levado por um enfarte aos 40 anos.

Havelange começou a sentir uma forte dor de cabeça dois dias depois daquele episódio histórico no Tietê, ao visitar a mãe no Rio de Janeiro. Fez exames achando que era tumor no cérebro, mas era tifo, dos violentos. Nos quatro meses que teve de ficar internado, com o tecido intestinal prestes a se romper e sob risco constante de morte por septicemia, perdeu metade dos seus 85 quilos. Sobreviveu ao tifo com uma irreparável falha no cabelo para se tornar o dirigente esportivo mais poderoso do século XX.

Nenhuma de suas vitórias no mundo do esporte teria o sabor daquele empate.

CAPÍTULO 1

Primeiras travessias

Lições de Faustin e Juliette

— Seu pai não passa de amanhã.

Ao ouvir o prognóstico seco do médico sobre o estado de saúde do pai, na porta do quarto que Faustin Joseph dividia com a mulher Juliette na casa que tinham no bairro do Cosme Velho, Rio de Janeiro, na tarde de 7 de novembro de 1934, Jean-Marie Faustin Godefroid Havelange teve um impulso violento. Com 18 anos, mais de 80 quilos, alto, forte e acostumado às disputas viris do water polo, ele quis bater no médico.

Conteve-se porque não tinha mais dúvidas de que o estado do pai era gravíssimo e, principalmente, porque sabia que o derrame cerebral que Faustin sofrera aos 54 anos fora apenas conseqüência do profundo abatimento físico e emocional que ele tivera ao tentar fazer negócios com o Ministério da Guerra do então presidente Getúlio Vargas. Setenta e um anos depois daquela tarde no Cosme Velho, Havelange ainda tinha indignação na voz e no olhar, ao lembrar a lição que marcou sua vida:

"Aprendi a nunca querer emprego ou negócio com o governo. Você vira um infeliz quando se mete com o governo."

Dois anos antes do derrame, em 1932, Faustin Joseph Godefroid Havelange, representante no Brasil da Fábrica Nacional de Armas de Guerra da Bélgica e da Sociedade Francesa de Munição, fabricante de cartuchos, entrara em uma concorrência pública aberta pelo governo Vargas para reequipar o Exército com mosquetões. O principal concorrente de Faustin era a Skoda, indústria controlada pelos alemães.

Aberta a concorrência, o pai de Havelange venceu, mas, pouco tempo depois, o processo foi anulado. Mais alguns meses e, já em 1933, ele venceu a segunda, que também acabou anulada. Aos filhos, Faustin dizia, segundo Havelange, que as anulações eram "políticas". Da terceira vitória anulada, já em 1934, Faustin jamais se recuperaria.

A vida do pai de João Havelange, até aqueles momentos finais, tinha sido uma sucessão incomum de lugares e acasos decisivos. Nas conversas de família que ficaram na memória de Havelange, Faustin gostava de comemorar a sorte que teve em 1912, quando decidiu encerrar dez anos de trabalho em Lima, como comerciante e professor de engenharia da Universidade de São Marcos. Na última ida ao Peru, antes de voltar à Bélgica para se casar com a noiva, Juliette Ludivine Calmeau, filha de um industrial de zinco e cobre de Liège, e tentar vida nova no Brasil, Faustin comprou uma passagem para a viagem inaugural do transatlântico *Titanic*. O plano era ir até Nova York e lá pegar outro navio para Lima, mas ele perdeu o trem em Liège e não teve como atravessar o Canal da Mancha a tempo para o embarque, no porto de Southampton, na Inglaterra.

A viagem perdida garantiu que o noivado de cinco meses de Faustin com Juliette não terminasse em tragédia. Eles se casaram no dia 14 de janeiro de 1913, a Europa à beira da Primeira Guerra Mundial. Faustin, antes de ir para o Peru, tinha conseguido várias representações comerciais no Brasil. Além da Fábrica Nacional de Armas de Guerra da Bélgica e da Sociedade Francesa de Munição, ele venderia aço da United Steel e da Bethlem Steel, além dos tradicionais fios de lã produzidos em Vervier, na Bélgica, em Manchester, na Inglaterra, e em Sidney, na Austrália. A idéia era passar alguns anos e voltar para a Bélgica quando a situação na Europa melhorasse.

Semanas depois do casamento, Faustin e Juliette se hospedaram em uma pensão de luxo situada na rua Pedro Américo, no Catete, para logo depois se mudarem para a casa de número 51 da rua dos Ourives, no centro do Rio de Janeiro, onde se concentravam os principais joalheiros do Rio do início do século XX. O endereço ficava a poucos metros do local onde o segundo filho de Faustin mandaria erguer, cinqüenta anos depois, o edifício-sede da CBD, a Confederação Brasileira de Desportos.

Fluente em francês, espanhol, inglês e alemão, Faustin não demorou a dominar o português e a construir uma sólida rede de amizades com a elite brasileira da época. Um dos primeiros amigos e clientes foi Carlos Martins da Rocha, o Carlito Rocha, industrial da área têxtil que se notabilizaria, nas décadas seguintes, como dirigente do Botafogo. Contra João Havelange. Outro cliente que se tornou amigo de Faustin, neste caso também do filho João, dando-lhe o primeiro emprego da vida, foi Jules Verelst, presidente da Companhia Siderúrgica Belgo Mineira. Os mosquetões e a munição também facilitariam o relacionamento de Faustin com os oficiais militares brasileiros da época. Mas não o suficiente para garantir o resultado daquelas licitações do governo Vargas.

Faustin morreu no dia seguinte à visita do médico à casa do Cosme Velho, confirmando o prognóstico. Pouco antes, num dos três momentos em que recuperou a consciência, fez ao filho João um pedido que seria cumprido com orgulho e determinação menos de um ano depois, nas piscinas de Berlim:

— Gostaria que você fosse um atleta olímpico.

Beijos e castigos

Acontecia toda noite. João, ainda menino, 4 ou 5 anos de idade, já estava deitado na cama quando a mãe se aproximava com uma preocupação em forma de pergunta. A preocupação de Juliette explica, segundo Havelange, a proverbial capacidade que ele desenvolveu ao longo da vida de cumprimentar as pessoas de forma sincera e fraterna, fosse um desconhecido na rua, o rei da Espanha ou o primeiro-ministro de um país tribal esquecido da África. A mãe ajeitava o lençol, fazia uma carícia na fronte do filho e perguntava, em francês, já sabendo que a resposta era afirmativa:

— Já destes um beijo na empregada?

Aquele quarto e a casa da rua Cosme Velho, construída num terreno de 100 metros de frente que dava nas encostas do bairro de Santa Teresa, na parte mais alta da cidade do Rio, foram o cenário da infância de João Havelange. Ele nasceu no segundo andar da primeira casa dos Havelange, na rua dos Ourives, no dia 8 de maio de 1916, onde, um ano antes, também nascera o irmão mais velho Jules, ou Júlio, como seria chamado o resto da vida.

A mudança de endereço aconteceria depois de uma viagem do casal Havelange à Bélgica, em 1918, para uma decisão final sobre o plano de voltar para a Europa. A Primeira Guerra Mundial estava terminando, mas Faustin preferiu continuar no Brasil. E em 20 de junho daquele ano, para comemorar o nascimento da filha Paule, comprou para Juliette a casa do Cosme Velho. Mandou plantar um pomar com todos os tipos de frutas na parte inclinada do terreno e construiu um campo de futebol gramado e uma piscina na parte plana.

A partir daquele momento, por causa dos negócios e do fervoroso catolicismo de Faustin e Juliette, Havelange, ainda menino, conheceria, nos cômodos daquela casa, as pessoas que mandavam no Brasil da época. E até um futuro presidente da República. Faustin era amigo do padre Jean Moureau, conhecido como Padre Chico, que trabalhara na diocese de Montes Claros, norte de Minas Gerais. Entre os fiéis amigos de Padre Chico na cidade e em Diamantina estavam os pais e tios de Juscelino Kubitscheck e José Maria Alckmin.

O padre ajudava os dois nos estudos e, ao ser transferido para o Rio, providenciou para que Juscelino e José Maria tivessem onde ficar quando fossem à cidade, de férias. Havelange tinha 6 e JK tinha 18 anos quando passaram férias, juntos, no Cosme Velho. E ao contrário do que aconteceria em várias ocasiões, trinta, quarenta anos depois, não tiveram muito assunto.

Paule, irmã de Havelange, foi amiga íntima das irmãs Luísa e Leda Collor. Nos finais de tarde, Luísa e Leda costumavam sair do Colégio Sion, do outro lado da rua, direto para um chá na casa dos Havelange. Quase trinta anos depois, Fernando, um dos três filhos que Leda teria com o político alagoano Arnon de Mello, se tornaria um sobrinho afetivo de Paule. De João Havelange, o filho de Leda Collor de Mello receberia, muitas décadas depois daqueles chás no Cosme Velho, um conselho inútil e tardio, no gabinete da presidência, no Palácio do Planalto.

Havelange cumpriu todos os rituais de filho de um típico católico praticante: fez catecismo, foi batizado, crismado, fez primeira comunhão e, durante muitos anos, foi à missa aos domingos. Mas cresceria cada vez mais distante dos bancos de igreja, freqüentando protocolarmente, sem a menor dificuldade, mesquitas, sinagogas, templos budistas e palácios dedicados ao culto de ditadores comunistas:

"O sujeito não precisa estar na missa todo dia para fazer o bem. O radicalismo, tanto de um lado como de outro, chega quando você se apaixona."

Muito mais decisiva que a religião foi, na lembrança de Havelange, a rigorosa disciplina que imperava, sempre no idioma francês, na casa do Cosme Velho. Ele jamais esqueceria um passeio a cavalo na fazenda da família durante o qual Faustin, insatisfeito com o boletim do filho no Liceu Francês, não apenas proibiu João de andar a cavalo como fez valer a punição imediatamente, determinando que ele cumprisse a pé o longo trajeto até a estação onde todos entrariam num trem de volta para o Rio.

No dia seguinte, depois de uma noite mal-dormida, incomodado com o sofrimento que impusera ao filho, Faustin comentou com Juliette a idéia de reduzir a punição, caso Havelange mostrasse uma melhora nas notas do Liceu. Carinhos de mãe à parte, a resposta de Juliette mostrou que o rigor era em dose dupla:

— Se foi castigado, tem que cumprir o castigo.

Paixão secreta

A desobediência mais secreta de João Havelange, pelo menos no início da década de 1930, praticada quase diariamente, começava quando ele pegava o bonde Águas Férreas, que ligava as casas e chácaras do Cosme Velho ao centro da cidade. Havelange saltava na portaria principal da sede do Fluminense e ia direto para uma quadra de tênis que ficava próxima ao ginásio do clube. Ali encontrava os amigos para uma atividade que o pai não queria que ele praticasse nem de brincadeira.

Era tão severa a proibição que um porteiro do clube, amigo da turma, ficava de sobreaviso. Se Faustin chegasse, ele imediatamente avisava um outro cúmplice, o roupeiro, encarregado de dar o alerta na quadra. Havelange tinha então tempo suficiente para correr até a arquibancada da piscina, onde fingia estar esperando pelo pai.

Havelange jogava futebol escondido.

Beque esquerdo.

Na adolescência, o pai não se importara. Havelange tinha até sido campeão carioca juvenil pelo Fluminense, em 1931. Mas o processo de profissionalização do futebol no Brasil e o envolvimento do filho com a bola assustaram Faustin. Mais de setenta anos depois, o filho mostrou que era compreensivo:

"Ele me fez ver que natação era melhor. Não queria que eu me transformasse num profissional de esporte. Estudar era mais importante."

Não que Faustin não gostasse de futebol. Adorava. Além de se envolver com o Fluminense, era sócio-fundador do Standard de Liège, um clube de estudantes e operários belgas que tinham em comum a admiração pelo Standard Paris, um dos melhores times do mundo no final do século XIX, e o eterno objetivo de vencer o FC Liège, a agremiação mais aristocrática da Bélgica. Como qualquer pai da época, no entanto, Faustin queria um futuro menos incerto para o filho.

Ele não viveria para ver como, mais de meio século depois, o filho transformaria aquele esporte, efetivamente, num negócio de futuro.

Além do pai, Havelange, de certo modo, contrariou alguns biógrafos que, muitos anos depois, o definiriam como um ser estranho ao futebol e até ao esporte. Caso do jornalista João Máximo, no livro *João Saldanha: sobre nuvens de fantasia*:

"Havelange, homem de water polo, nunca entendeu muito de futebol. Se chegaria um dia à presidência da Fifa era porque, cartola dos cartolas, poderia alcançar a Lua com suas diplomacias e maquinações. Era um homem político e não um esportista."

Victorio Filellini, parceiro de Havelange em milhares de horas de raias de piscina, partidas de water polo, travessias a nado do rio Tietê e jogos de futebol amador pelo Clube Espéria, sempre achou um absurdo alguém negar a João as características de um esportista. Mario Amato, outro amigo daqueles tempos que se tornaria um dos mais influentes e polêmicos líderes da classe empresarial brasileira nos anos 1980 e 1990, foi outra testemunha ao mesmo tempo do entusiasmo e das limitações técnicas de Havelange, quando se tratava de futebol:

"Como jogador de futebol, o João era apenas mediano, mas tinha umas vantagens: era do water polo, sabia marcar e, acima de tudo, era um atleta."

A questão vocacional se tornou completamente irrelevante no dia 8 de novembro de 1934. Faustin Joseph Godefroid Havelange morreu e, nas palavras ditas pelo filho, setenta e um anos depois, "a receita desapareceu de uma hora para outra".

Hora de arrumar um emprego.

Justa causa

Os bens deixados por Faustin, na lembrança do filho João, resumiam-se a algumas casas que ele comprara no bairro do Méier para alugar. Mas havia outro patrimônio cujo valor ficou evidente quando Juliette, diante das crescentes dificuldades financeiras, aceitou a idéia de os filhos começarem a trabalhar: as amizades que o marido cultivara na elite empresarial do Rio de Janeiro. Uma dessas amizades, a que tornara Faustin padrinho de casamento de Jules Verelst, presidente da poderosa Belgo Mineira, garantiu uma vaga ao jovem Havelange nos escritórios da siderúrgica localizados na Esplanada do Castelo, centro do Rio, em 1937.

Ainda sem qualquer qualificação profissional, no meio do curso de advocacia, Havelange começou ganhando 50 mil-réis por semana. Passou pelo balcão de atendimento ao público, arquivo de documentos, datilografia, correspondência comercial, contato com clientes e setor de exportação e importação. Chegou a passar seis meses nas cidades mineiras de Sabará e Monlevade, onde se localizavam as jazidas da companhia. Queria conhecer a chamada "corrida do aço", o processo industrial de tratamento do minério e do aço. Conheceu. Ambientou-se na empresa. Em 1939, quase três anos depois da primeira batida de ponto, cansou. Pediu as contas.

Jules Verelst não levou a sério. Deixou passarem os trinta dias que Havelange lhe dera para encontrar um substituto. Acreditou que o filho do amigo voltaria atrás na recusa à contraproposta de ser promovido a secretário particular do próprio Jules Verelst. Ao final do prazo, Havelange foi ao gabinete do chefe:

— Senhor Jules, estou aqui para me despedir do senhor.

O presidente da Belgo, na lembrança de Havelange, não acreditou. E reagiu mal:

— Você não vai sair. Vai ficar comigo.

— Não. Nem que o senhor me dê uma pilha de dinheiro, eu fico.

— O senhor é teimoso como o seu pai!

— O senhor me perdoe ter que contestar, mas meu pai era um homem inteligente e culto. Teimosia é sinal de burrice. O que meu pai era é o que eu sou: determinado. Ele sabia o que queria e eu também.

E foi-se.

Quase sete décadas depois daquele diálogo, Havelange reconheceu que Jules Verelst teve todas as razões para ficar irritado:

"Ele era um senhor. A companhia era um poder e eu, um rapazote, falando daquela maneira com o presidente da companhia."

Formado em Direito e decidido a se mudar para São Paulo, seguindo os passos do irmão Júlio, Havelange jamais voltaria à condição clássica de empregado de um único patrão, com hora para chegar e sair, cartão de ponto, salário fixo, férias, plano de carreira e aposentadoria. O que ele queria era algo que uma carteira de trabalho nunca lhe daria.

Poder.

Berlim

"A organização, a atenção ao detalhe, a eficiência, tudo foi grandioso e perfeito. As Olimpíadas de Berlim foram um dos maiores espetáculos que já presenciei na vida. Viajamos em trens excepcionais, de primeira classe e com desconto de 75% para quem era atleta. Todos pareciam felizes. Foi inegavelmente um momento inesquecível e maravilhoso."

Este foi, com pequenas variações de estilo, durante quase setenta anos, o balanço feito por João Havelange sobre o que ele viu e sentiu em Berlim como nadador da equipe brasileira. O pesadelo totalitário do nazismo, o Holocausto, a destruição de grande parte da Europa, a morte de milhões de pessoas e outras conseqüências trágicas da invasão da Polônia pelas tropas de Hitler em setembro de 1939, três anos depois da festa do esporte olímpico na capital alemã, nunca foram motivo para ele mudar uma linha da avaliação.

Muito menos a cobrança posterior, feita por críticos e inimigos, de uma indignação política que ele, grande parte dos 4.066 atletas participantes e a maioria do povo alemão não sentiram na época. Razões familiares até surgiriam, durante a guerra, para uma repulsa aos nazistas, segundo Havelange: Paul, primo de Juliette, seria executado por eles durante a ocupação de uma fábrica da família, na invasão da Bélgica.

Por tudo o que disse ao longo da vida a respeito da experiência em Berlim, Havelange não viu e nem estava à procura do ovo da serpente nazista naquela Olimpíada. Em suas palavras, "era esporte e ponto final". Em janeiro de 2005, em plena vigência do comportamento politicamente correto, ao comentar as críticas que insinuavam uma conexão entre seu cristalino conservadorismo e uma suposta vista grossa para a ameaça e os crimes nazistas, ele desabafou:

"Isso é de um ridículo que não tem tamanho. Naquela época, o jovem não fazia política. Eu me lembrarei sempre que assisti a dois ou três concertos da Filarmônica de Berlim dentro da Vila Olímpica. Isso toca a qualquer um em qualquer regime. Eu era atleta, jovem, 20 anos e não tomava conhecimento de política."

Havelange não estava sozinho em seu deslumbramento. Uma jovem integrante da delegação brasileira, a nadadora Maria Lenk, festejada como símbolo da emancipação e do brilho da mulher brasileira no esporte, registrou emoções semelhantes sobre aqueles dias em Berlim, em seu livro *Braçadas e abraços*:

"A massa concentrada no estádio permanecia numa compenetração quase religiosa, que fazia sentir uma vibração de misteriosa alegria."

Na página 84 de outro livro, *Sonho e conquista*, editado com a chancela do Comitê Olímpico Brasileiro, lê-se o seguinte:

"Com toda a pompa dos espetáculos dirigidos pelo governo de Hitler, Berlim preparou-se com esmero. (...) Na cerimônia de abertura dos XI Jogos Olímpicos, pela primeira vez houve a tocha olímpica. Dez mil integrantes da Juventude Nazista desfilaram para outros 110 mil alemães que se apinhavam na arquibancada do estádio, na presença de Hitler, Rudolph Hess, Joseph Goebbels, Hermann Goering e outros próceres do regime."

Política à parte, havia uma bagunça em curso naquele mundo aparentemente perfeito de Berlim.

Bagunça brasileira.

Por causa de uma disputa política entre a Confederação Brasileira de Desportos (CBD) e o Comitê Olímpico Brasileiro (COB), o Brasil se dera ao luxo inútil de mandar duas delegações à Olimpíada. Havelange era integrante da equipe enviada pelo COB, que, ao desembarcar em Hamburgo sob o comando do presidente da entidade, Arnaldo Guinle, foi recebida oficialmente pelos organizadores alemães. A delegação da CBD, presidida por Luiz Aranha, irmão de Oswaldo Aranha, o ex-ministro da Justiça e então embaixador do governo Vargas em Washington, chegou e ficou na estação de trem da cidade, sentada nas malas, esperando uma recepção que não houve.

Na prática, com a continuação da briga dos dirigentes, quando amanheceu em Berlim o dia 1º de agosto de 1936, abertura oficial dos jogos, Havelange e todos os atletas das duas delegações brasileiras estavam na cidade na condição de turistas. Uma delegação precisava de documentos expedidos pela outra para que o Comitê Olímpico Internacional (COI) aceitasse a participação dos atletas brasileiros.

Na última hora, ainda naquele 1º de agosto, com a intervenção do embaixador brasileiro na Alemanha, Arnaldo Guinle e Luiz Aranha anunciaram uma trégua que permitiu a inscrição de uma equipe unificada. Havelange ainda era apenas um jovem nadador de 20 anos, mas aprendeu muito em Berlim sobre o vespeiro político em que se lançaria de corpo e alma alguns anos depois:

"Aquela crise era, na verdade, o reflexo da divisão que havia no futebol carioca: do lado do COB estavam o Fluminense, o Flamengo e o América. Do lado da CBD, o Vasco da Gama e o Botafogo."

Outra preciosa lição de 1936 para Havelange: quando sobra disputa política, costumam faltar estrutura e preparação no esporte. No caso dos nadadores brasileiros, a decisão dos dirigentes de embarcar a delegação para a Alemanha no *Presidente San Martin*, um navio sem piscina com um itinerário de escalas que o tornara uma espécie de cata-jeca oceânico, foi fatal para qualquer pretensão de grandes resultados.

Maria Lenk, uma das vítimas dos 21 dias sem piscina a bordo do *San Martin*, lembra, em seu livro, que a tripulação do navio teve até boa vontade e montou, no convés, uma tentativa de piscina, com lona, água salgada e um grande caixote de madeira. A idéia do técnico Carlos de Campos Sobrinho de amarrar os nadadores para que eles exercitassem as braçadas naquele tanque improvisado, sem sair do lugar, não foi satisfatória. O navio balançava e a piscina entornava.

Na piscina olímpica de Berlim, os registros oficiais do COI mostram que Havelange, com o tempo de 5m31s5, conseguiu o quarto lugar na segunda eliminatória da prova de 400 metros, nado livre. Nos 1.500 metros, nado livre, ele também chegou à segunda eliminatória e, com o tempo de 22m54s1, ficou em quinto lugar.

Promessa cumprida.

Daquela Olimpíada Havelange guardou uma tristeza que foi sempre menos lembrada que seus derramados elogios à festa dos alemães. Foi quando soube que Adolf Hitler se recusara a cumprimentar o negro americano Jesse Owens, ganhador de quatro medalhas de ouro nas provas de atletismo:

"Fiquei triste. Um atleta excepcional não ser recebido por ser um 'homem de cor' foi uma coisa que nos chocou. No Brasil, nós não tínhamos isso."

O episódio seria desmentido posteriormente pelos historiadores e pelo próprio Owens. Na verdade, depois de saudar pessoalmente alguns medalhistas alemães, Hitler foi advertido pelas autoridades olímpicas de que teria de fazê-lo com todos os vencedores ou com nenhum. O ditador preferiu não cumprimentar mais ninguém e seu gesto acabou se tornando um emblema mundial do racismo.

Trinta e oito anos depois daquele incidente, Havelange conquistaria a presidência da Fifa com os votos decisivos dos homens de cor da África.

Surra

A idéia era disputar os jogos olímpicos e, depois, aproveitar o desconto de 75% que o governo de Berlim oferecera aos atletas que quisessem passear de trem pela Alemanha, de primeira classe. Depois, mais dez dias na Bélgica com a tia, Lambertine, irmã mais nova de Juliette. O retorno ao Brasil seria mais rápido e bem mais confortável do que a ida, no cargueiro *Presidente San Martin* e seu caixote que virou piscina. Na volta da Bélgica, Havelange pegaria um trem até Hamburgo e lá embarcaria no luxuoso transatlântico alemão *Cap Arcona*, um dos mais modernos da época. Em doze dias, metade do tempo do *San Martin*, ele estaria no Rio.

Não foi bem assim. Ao chegar a Hamburgo para o embarque, Havelange ficou sabendo que o *Cap Arcona* partiria com uma semana de atraso. Num primeiro momento, não pareceu má idéia ficar na Europa mais uma semana, mas havia um problema. Ele fez as contas, conferiu as economias que haviam sobrado e concluiu que corria sério risco de passar fome.

Sem amigos ou parentes por perto, Havelange hospedou-se num hotel barato. Nos dois primeiros dias, adotou a tática de comer até a última migalha do pão do café-da-manhã, incluído na diária, e sair batendo perna pela cidade até o mais tarde possível da noite, quando então tomava um prato quente de sopa e desabava na cama, a fome vencida pelo cansaço. Funcionou, em termos, até a fome começar a empatar.

No final do terceiro dia, ele passeava pelas ruas do bairro boêmio de Saint Pauli e entrou num cabaré cuja atração, no centro do salão, era um ringue de boxe no qual um mestre-de-cerimônias promovia lutas a dinheiro entre os freqüentadores. Quem batesse mais no final de três *rounds* levava 1.000 marcos. O perdedor, metade. Havelange fez os cálculos e conferiu quanto precisava para comer e dormir até o dia do embarque. Setenta anos depois daquela noite, ele lembrou a nova conta que fez:

"Eu não era boxeador e perderia a luta. Mas os 500 marcos do perdedor teriam um valor imenso."

E se apresentou para a luta. Do outro lado do ringue surgiu um marinheiro alemão:

"Ele era mais baixo do que eu, mas fortíssimo, vinte e poucos anos, um braço e um antebraço imensos. Meus músculos de nadador, perto dos dele, eram flácidos."

Ao soar o gongo, Havelange fechou os punhos na altura do nariz, recuou para o canto do ringue e, como previsto, apanhou, apanhou muito. Sozinho, no córner, durante o intervalo, tomou outra decisão:

"Eu decidi que tinha de ser nocauteado pra deixar de apanhar."

O segundo round estava pela metade quando um cruzado do marinheiro alemão pôs fim à pancadaria:

"Caí, mas com o pensamento firme de que aquilo ia acabar."

Vaiadíssimo pela platéia do cabaré, tradicionalmente não muito seleta, Havelange se levantou, recebeu os 500 marcos e começou a aproveitar a parte mais agradável daquele plano inusitado:

"Jantei divinamente bem até a saída do *Cap Arcona*, quatro dias depois."

Amigos como o empresário e ex-deputado Fernando Carvalho, a quem Havelange confidenciou esse desfecho nada olímpico da viagem a Berlim, consideraram o episódio um exemplo de uma característica que marcou toda a sua vida de dirigente.

Pragmatismo.

CAPÍTULO 2

São Paulo Ltda.

O escritório

O melhor negócio do setor metalúrgico de São Paulo no início dos anos 1940 estava para ser fechado, a três, na oficina de cromeação do italiano Goerino Petta, no bairro da Luz, centro da cidade. Em torno do balcão estavam o próprio Goerino, o cunhado dele, Emílio Nacarato, administrador do Clube Espéria, e João Havelange, colega de Nacarato no clube, representante comercial recém-instalado na cidade e dono de ótimas relações no Rio de Janeiro, a capital federal. Havelange tinha uma boa notícia:

— Estou fechando negócio para o Exército comprar toda a produção.

O mundo estava em guerra, a segunda mundial. Por causa dela, as importações brasileiras de níquel estavam suspensas e as oficinas de cromeação da cidade praticamente paradas por falta de matéria-prima. Diante do risco de falir, Goerino e Nicolau Nacarato, primo de Emílio que era encarregado da oficina, tinham conseguido uma façanha industrial: usando apenas sulfato de níquel, material muito mais disponível e barato, tinham produzido um composto com alto índice de pureza que poderia substituir o níquel em todas as suas aplicações. O problema era fazer os clientes potenciais acreditarem na novidade. Goerino e Nicolau tinham saído pelo mercado com um cilindro de amostra de 8 quilos. Não convenceram ninguém.

Havelange convenceu. Vendeu a amostra e todos os outros cilindros que Emílio Nacarato fez chegar às suas mãos. Com a parceria informal, os dois ganharam o que Nacarato definiu, sessenta anos depois, como "um bom dinheiro". Mas Havelange tinha planos mais ambiciosos e, num movimento coincidentemente semelhante ao do último negócio da vida do pai, conseguiu, no Rio, que o Exército se interessasse por toda a produção de Petta.

Na hora de bater o martelo, Goerino, surpreendentemente, decidiu que não queria intermediários:

— Quem quiser comprar que venha aqui na minha oficina comprar no balcão.

Negócio desfeito, Havelange, na lembrança de Emílio Nacarato, ficou "muito puto da vida" e teve uma "tremenda discussão" com Petta. Nacarato, que nunca ouviu uma explicação plausível do cunhado para sua atitude, teve de desistir do sonho de "ficar rico enquanto a guerra durasse". O desfecho da operação acabaria azedando seu parentesco com Petta e Nicolau. De bom mesmo, na lembrança do episódio, ficou a amizade com Havelange.

Negócios como o do sulfato de níquel e empreitadas mais bem-sucedidas aconteceram regularmente no escritório de três salas que os irmãos Júlio e João Havelange mantiveram por mais de dez anos num prédio da praça Ramos de Azevedo, perto do Teatro Municipal, no centro de São Paulo, ao longo da década de 1940.

"Um comerciante nato", nas palavras de Nacarato, Havelange levara para São Paulo, além dos bons contatos no Rio, o trunfo de possuir, em estoque, toneladas preciosas de ferro, mercadoria cada vez mais cara naqueles tempos de guerra mundial, e a representação da pasta de dente Odol, produzida pelas indústrias da família Daudt de Oliveira.

O advogado gaúcho Paulo Godoy, que trabalhou para os Daudt de Oliveira nos anos 1940 e que seria assessor da presidência da Fifa nos anos 1970, lembrou, em 2005, aos 97 anos, que o esporte foi decisivo para Havelange naquela fase:

— O João era um jovem de comportamento independente. O pai morreu sem deixar fortuna, mas ele começou a conviver com a melhor gente de São Paulo nas piscinas dos clubes da elite paulistana. E conquistou as pessoas.

Na memória de Paulinho Machado de Carvalho, filho do empresário e dirigente esportivo que faria uma poderosa aliança política com Havelange na CBD, o primeiro encontro com João aconteceu dentro da piscina do Clube Harmonia, o reduto mais fechado dos poderosos da cidade:

"Ele era fino e educado. Um príncipe."

Os negócios e o esporte se misturavam diariamente quando Havelange cumpria de bonde o trajeto entre o escritório e o Clube Espéria, reduto da colônia italiana à beira do rio Tietê que na época, a exemplo do time do Palestra Itália, que virou Associação Esportiva Palmeiras, se rebatizou Clube Estrela, temendo represálias pelo fato de o Brasil estar em guerra com a Itália de Benito Mussolini.

Apesar de ser carioca, Havelange não era apenas um novo sócio do clube. Bicampeão da Travessia de São Paulo a Nado, pertencera à respeitada equipe de natação do Fluminense e, desde o primeiro momento, chamou atenção pelo envolvimento com a vida no Espéria. Victorio Filellini, seu principal parceiro da natação, nunca esqueceu:

"Nós treinávamos de 3 a 5 quilômetros por noite. Quando ia chegando a época da Travessia de São Paulo a Nado, a gente aproveitava os finais de semana para nadar ainda mais forte e ia treinar no rio."

Entre os amigos de clube que fizeram do escritório de Havelange um ponto de encontro estavam José Ermírio de Morais, futuro presidente de um dos maiores conglomerados industriais brasileiros do século XX, o grupo Votorantim; Max Graber, joalheiro especializado em diamantes; os irmãos Russo, donos de uma revenda da General Motors; Douglas Michalany, jogador de water polo que se tornaria professor universitário; e Mario Amato, à época apenas um funcionário da tradicional papelaria Oscar Rudge.

— Você é uma puta francesa. Quer agradar a todo mundo.

Com este exagero proposital, dito de forma fraterna e, acima de tudo, autorizado por uma profunda amizade, Mario Amato, um reconhecido estopim-curto, costumava reagir ao que ele considerava "a extraordinária capacidade de João Havelange de encantar as pessoas, de agradar desde o homem que lavava o vestiário até o presidente da República". Para Amato, foi nos doze anos em que viveu em São Paulo que Havelange desenvolveu a capacidade de "manipulador de vaidades", decisiva na futura conquista do poder no futebol mundial:

"Fazia parte da natureza do João. As pessoas em geral agradam para tirar vantagem. O João, não: ele induzia a pessoa a fazer o que ele queria e, no final, a pessoa fazia o que ele queria, feliz, como se fosse algo importante para ela e não para ele."

Nas lembranças de Emílio Nacarato, outro contemporâneo do Espéria:

"Ele sabia somar as amizades. Quando falava, todo mundo ficava atento. Ele trabalhava com a cabeça terrivelmente em dia, em ordem."

Para Victorio Filellini, o carisma de Havelange ganhou uma imagem doce. Havelange, para ele, "era como açúcar":

"Onde ele estava, as formigas iam em cima. Era fantástico."

Não foi de estranhar que Havelange começasse a se envolver nas questões do clube de tal maneira que um dia, na ausência de Havelange para ajudar na solução de um problema da diretoria, Filellini foi escolhido para dar a palavra final apenas pela grande afinidade que os dois tinham:

"Eles viraram pra mim e disseram: você resolve a encrenca porque é o que mais se parece com o João."

A conseqüência prática de tanta eletricidade pessoal não poderia ser outra. Nas palavras de Mario Amato, "com o comando natural que o João tinha, queriam que ele fosse presidente de tudo".

Havelange gostou da idéia. Elegeu-se diretor de esportes aquáticos do Espéria, depois vice-presidente do clube e ainda presidente da Federação Paulista de Natação, entre 1945 e 1948. Na volta ao Rio, em 1952, seria eleito presidente da Federação Metropolitana de Natação.

E não pararia nunca mais.

Cometa

Os irmãos Júlio e João também atendiam, como advogados, duas das três empresas de ônibus que controlavam o transporte coletivo urbano da cidade: a Auto Viação Jabaquara e a Sociedade Ônibus Braz, que, a partir de 1947, com a estatização do setor para a criação da Companhia Municipal de Transporte Coletivo (CMTC), deixaram as ruas de São Paulo, se uniram e fizeram dinheiro e história nas estradas, com um nome que seria para sempre associado, nas lendas e nos fatos, para o bem e para o mal, a João Havelange: Viação Cometa.

Quem dizia que João Havelange nunca foi dono da Viação Cometa estava tecnicamente certo. Até 2002, quando foi vendida para a *holding* liderada pelo empresário fluminense Jelson da Costa Antunes, no maior negócio da história do transporte rodoviário brasileiro, por uma quantia que as partes dizem ter revelado "só para os anjos", a empresa era controlada, em 91% do capital, pelos herdeiros dos fundadores Tito Mascioli e Arthur Brandi. Havelange, diretor-presidente da empresa, era apenas um entre os vários acionistas residuais que detinham, juntos, os 9% restantes. Palavra de Jelson da Costa Antunes.

Quem dizia que João Havelange foi dono da Viação Cometa também estava certo. A explicação começa em 1943, quando a empresa ainda se chamava Auto Viação Jabaquara S.A. e controlava 40% do transporte coletivo da cidade de São Paulo. Os donos eram os mesmos Tito Mascioli e Arthur Brandi, mas o fato de eles serem italianos, com o agravante de Tito ter sido um major da Força Aérea Italiana, que até passara por São Paulo em 1931, como integrante de uma esquadrilha de hidroaviões Savoia Marchetti, os tornava alvo preferencial da campanha de represálias e retaliações que se seguiu ao afundamento de navios brasileiros por submarinos alemães, estopim da entrada do Brasil na guerra.

Mascioli e Brandi temiam que a empresa fosse desapropriada, como estava acontecendo em vários estados com casas comerciais, indústrias e propriedades pertencentes a imigrantes alemães, italianos e japoneses. A Auto Viação Jabaquara, então, passou a pertencer, para todos os efeitos, a João Havelange, o jovem advogado em quem os dois sócios confiavam totalmente. Quando a guerra terminasse, Mascioli e Brandi poderiam reassumir publicamente a propriedade da empresa.

A gratidão dos dois donos da Cometa foi eternizada em algumas ações da companhia, no cargo vitalício de diretor-presidente, na autorização explícita para Havelange considerar-se dono da empresa e em uma espécie de cheque em branco para gastar por conta. Era o que os *yuppies* brasileiros chamariam no futuro, sem gostar de traduzir, de *fringe benefits*. A gratidão de Havelange seria recíproca:

"Tito Mascioli e Antonio Brandi foram meus mestres. Eram mais velhos que eu. Eu já não tinha meu pai e eles foram pais afetivos que ganhei."

Em janeiro de 2006, Jelson da Costa Antunes, a exemplo do major Tito Mascioli, não demonstrava contrariedade alguma com o fato de muita gente, segundo ele, continuar achando que Havelange era o dono da empresa. Principalmente depois do gesto dele com os italianos, na época da guerra:

"Achei aquilo muito digno. Quando me perguntam, falo de Havelange com respeito e orgulho."

Havelange nunca fez muita questão de confirmar uma ou outra versão sobre a propriedade da Cometa. Trabalhou a vida toda com as duas, dependendo da necessidade ou do humor, sempre com a anuência dos donos.

Tito Mascioli, aliás, não apenas autorizava como incentivava Havelange a não desmentir a versão de que era o proprietário todo-poderoso. Palavra de Ivan Comodaro, funcionário veterano que se tornou o principal executivo da companhia, depois da troca de comando de 2002. Segundo ele, a atitude do "Major Tito" não era só gratidão. Era bom, para a Cometa, pertencer ao homem que mandava, também, no futebol brasileiro e mundial.

O tal do *marketing*.

Foram sessenta e dois anos de ligação com a Cometa. De acordo com Felipe Mascioli, "só pelo que Havelange fez na parte jurídica ele já poderia dizer que era dono da Cometa". Nas palavras de Havelange:

"Você precisava ter amigos dentro do Departamento de Estradas de Rodagem, que fornecia as autorizações de funcionamento das linhas, e em outros órgãos. Eu era uma espécie de celebridade do esporte. Todos me conheciam. E isso facilitava tudo o que a Cometa desejava."

A guerra de Santos

— Vai falir. Melhor fechar.

A previsão e o conselho foram endereçados à Cometa, logo nos primeiros dias de funcionamento, pelo espanhol "Maneco" Diegues, dono da Expresso Brasileiro, a empresa que dominava o transporte de passageiros entre São Paulo e Santos. Prodígio empresarial, Manoel Diegues não tinha nem curso primário. Na chegada ao Brasil, praticamente sem dinheiro, em 1918, comprou um carro de praça. Do táxi passou para um caminhão pequeno e não parou mais, até trocar seus 45 caminhões de carga por ônibus, criando a Expresso Brasileiro.

O conselho de Maneco aos donos da Cometa foi ignorado. E algum tempo depois, já no início dos anos 1950, as duas empresas travariam feroz concorrência na linha São Paulo-Santos. Mauro Diegues, sobrinho de Maneco e ex-chefe de oficina da Expresso Brasileiro, foi testemunha da atuação de Havelange quando a disputa entre as duas empresas saía da estrada e pousava nos tribunais, repartições públicas e gabinetes políticos:

"O Maneco conhecia o Mascioli e o Brandi, mas a briga era com o Havelange."

Uma das disputas parou Santos, no auge da guerra por passageiros entre as duas empresas. Em uma decisão surpreendente, a prefeitura da cidade mudou a mão de trânsito de várias ruas do centro. E os funcionários da Cometa não demoraram a perceber que se tratava de manobra da concorrência para prejudicar o acesso à agência de embarque e desembarque da empresa na cidade. Segundo Felipe Mascioli, a mudança tinha um agravante: os motoristas da Cometa passaram a ser obrigados a dar muitas voltas antes de estacionar na agência.

O prefeito era ligado ao deputado Antonio Feliciano, do PSD, o político mais poderoso da Baixada Santista. E Feliciano era ligadíssimo ao dono da Expresso Brasileiro. Típica encrenca para Havelange:

"Com a mudança das mãos, quando meus ônibus chegavam com os passageiros para saltar em Santos, eu tinha agência do lado direito da calçada. Mudando a mão, eles saltavam no meio da rua."

Havelange ainda tentou ponderar com o prefeito. A resposta, segundo ele, não foi boa:

— A decisão está tomada. As mãos vão ficar como estão.

Do lado da Cometa, nesta disputa, Havelange tinha o chefe da Guarda Civil de Santos, um coronel amigo, ou amigo coronel, conhecido do Rio de Janeiro. Houve então uma nova conversa, desta vez do coronel com o deputado Feliciano, e nada. Na memória de Havelange, o coronel deixou passar alguns dias antes de dar o troco:

"Ele esperou um dia de verão, de muito movimento de turistas e mandou todos os guardas de Santos para São Paulo. Foi uma balbúrdia. Muitos entravam nas ruas no sistema antigo, outros pelo novo. A cidade parou completamente."

O prefeito, segundo Havelange, foi reclamar com o coronel. E teve sua resposta:

— É fácil. Vamos repor a mão do trânsito como ela era antigamente e os guardas retornam.

Mais de cinqüenta anos depois, com uma ponta de satisfação, Havelange saboreou o desfecho. Por essa e por outras, a empresa que acabou falindo foi a Expresso Brasileiro. Mas antes que ela quebrasse, uma outra briga, muito mais séria, levaria os dois, Maneco e Havelange, ao presidente da República, no Palácio do Catete.

Lições da garagem

"O que eu fiz na CBD e na Fifa eu aprendi na Cometa."

A frase, dita em janeiro de 2005, não era mais um dos exageros explícitos com que João Havelange sempre afagou os amigos ao longo da vida. Ele sempre fez questão de enfatizar a influência que a relação profissional de sessenta e dois anos com a Cometa teve em sua vida.

A Cometa dominou, por cinco décadas, as linhas interestaduais nobres nos estados de São Paulo, Rio de Janeiro, Minas Gerais e Paraná. Neste período, a empresa introduziu, no transporte rodoviário brasileiro, novidades como a proibição de os motoristas tocarem nos motores, simuladores de direção, um sistema de comunicação por rádio UHF que nem o governo brasileiro tinha em 1957, o uso obrigatório de uniformes e quepes, a pontualidade européia nas saídas e chegadas e o uso de fiscais nas estradas para punir severamente motoristas que cometessem infrações de trânsito.

Na empresa fundada pelo major Tito Mascioli, segundo Ivan Comodaro, quem entrava fazia carreira e só saía morto ou aposentado, "se não fizesse besteira". Havia, porém, uma exceção na filosofia também rigorosa da empresa de não emprestar ônibus, não entrar no setor de turismo a frete, não alugar a frota e não fazer viagens avulsas.

Era quando Havelange precisava levar muita gente de algum lugar para outro. Aconteceu, por exemplo, quando o International Board da Fifa se reuniu no Brasil, em 1992, e quando o médico e amigo de Havelange, Lídio Toledo, presidiu um congresso de ortopedia no Rio de Janeiro, nos anos 1980.

Havelange, a cara da Cometa, como Tito Mascioli, a cabeça da empresa, tinha lá suas regalias.

Anna Maria

Os depoimentos de vários contemporâneos da passagem de Havelange por São Paulo indicam: mesmo antes de começar o noivado com Anna Maria, a jovem da família Hermanny que ele conheceu na festa de *réveillon* do Country Club do Rio, em 1942, e que passou a namorar de mãos dadas, sob o olhar constante da família dela, Havelange era, no mínimo, muito discreto no que dizia respeito a namoros ou ao que Emílio Nacarato classificou de "farrinhas" da época.

Maria Lenk, tida como um tórrido romance olímpico dele, de acordo com comentários que atravessaram décadas, nas redações brasileiras, negou categoricamente, em 2005, que a história fosse verdadeira. E esclareceu:

"Na verdade, o João teve muita simpatia pela minha irmã, Sieglinde Lenk, também nadadora, campeã sul-americana e muito boa no nado de costas. Houve um flertezinho, mas naquela época era a distância. Eles seguiram outros rumos e não saiu nada dali."

Antes de tomar o rumo do casamento tradicional, Havelange chegou a sair no carro alegórico "Tenentes do Diabo" e na escola de samba Estação Primeira de Mangueira em 1935, quando o carnaval do Rio ainda acontecia na avenida Rio Branco. Nas palavras dele, "era o que se podia fazer naquela época", além de freqüentar o Jockey Club, o Grande Hotel Palace e os chás-dançantes do Fluminense.

A primeira conversa de verdade com Anna Maria, na lembrança dela, foi na fila do telefone do Country Club, onde João e ela, como outros jovens da elite carioca, tentavam desejar feliz 1943 para mães e pais que não estavam na festa. Dias depois, novo encontro, desta vez em outra fila, a do gasogênio, que o esforço de guerra tornara substituto da gasolina nos tanques dos automóveis. Marcaram, então, o primeiro almoço. Nem o mais apaixonado dos namorados poderia imaginar que haveria tantos *bon-apetit*, milhares deles, depois daquele, ao redor do mundo.

O casamento chegou a ser marcado para o final de 1945, no dia do aniversário da mãe de Havelange, 6 de outubro. Mas perto da data ele descobriu que Juliette Ludivine estava gravemente doente, um câncer. E avisou à noiva:

— Só me caso depois que minha mãe morrer. Vou cuidar dela.

Havelange passou quinze dias ao lado da mãe, no hospital. E a exemplo do marido, Juliette fez um pedido:

— Minha irmã ainda está viva e eu gostaria que você fosse vê-la sempre que pudesse.

— Não lhe faltarei.

Da promessa nasceria a tradição de João Havelange passar sempre por Liège, na Bélgica, em suas viagens internacionais. E todo ano, faltando dez dias para o Natal, até deixar a presidência da Fifa em 1998 aos 82 anos, ele ofereceria um almoço para cerca de 60 pessoas da família Havelange no restaurante Chêne Madame, um dos mais antigos da Bélgica, à avenue de la Chevauchée, em Neupré. Parte dos convidados vinha de um vilarejo de menos de 5 mil habitantes chamado Havelange, na província belga de Namur.

Juliette morreu no dia 11 de outubro, aos 57 anos. O filho se casou com Anna Maria em 25 de janeiro de 1946, dia da cidade de São Paulo, porque ele achava que a cidade lhe dava muita sorte. E porque, sendo feriado, os amigos paulistanos poderiam ir à festa no Rio. Eles foram e testemunharam o primeiro dia de um casamento que, em 2006, completou 60 anos.

João e Anna primeiro moraram em uma casa da rua dos Ingleses, perto da avenida Paulista, onde o casal tomou muitos banhos usando uma lata de 20 litros, por causa de um dos medos insolúveis que perseguiriam Havelange em toda a vida: chuveiros elétricos e seus choques. Passaram depois para a casa 52 da rua Lima Barros, no Ibirapuera, e finalmente para um apartamento no centro.

Anna Maria acompanhou de perto e com apreensão, em 1949, a malsucedida tentativa de Havelange de ganhar dinheiro com a construção civil em São Paulo. Ele formou sociedade com um arquiteto cujo nome Anna Maria preferiu preservar e chegou a captar um bom número de clientes.

Tudo ia bem até que, de volta dos Jogos Sul-Americanos de Montevidéu, competição da qual Havelange participara integrando a equipe brasileira de water polo, o casal descobriu que o sócio de João tinha desaparecido da cidade com o dinheiro da firma, deixando para trás obras inacabadas, além de salários, fornecedores e impostos a serem pagos. Para Anna Maria, a experiência foi reveladora:

"Foi naquele momento que eu conheci o homem com quem eu tinha me casado. O João só olhava para o teto e dizia: eu tenho que arranjar esse dinheiro, eu tenho que arranjar esse dinheiro. E arranjou."

A forma como Havelange conseguiu sair daquele sufoco, na lembrança de Anna Maria, foi "quase mágica". Ao cruzar com Roque de Lorenzo, dono de uma casa lotérica e um vizinho a quem cumprimentava educadamente todos os dias, Havelange, no auge da preocupação com os problemas financeiros, foi surpreendido por uma mão no ombro:

— Você nem me viu! Você está muito preocupado. Se for questão de dinheiro, vai lá na caixa, faz um vale e paga quando puder.

O socorro do dono da lotérica foi o início da solução do problema. Aos poucos, com a ajuda de um assistente, Havelange conseguiu retomar as obras. Em 2006, ao lembrar o aperto, Havelange disse que pagou as dívidas deixadas pelo ex-sócio, antes de abandonar de vez o ramo da construção civil.

Tudo conspirou para que o casal se mudasse para o Rio em 1952. A Cometa era um trabalho que não exigia que Havelange morasse em São Paulo. Anna Maria poderia ficar mais próxima da mãe, Maria da Silveira Hermanny. E o crescente envolvimento dele com a política do esporte, toda centralizada na capital federal, também o levava sempre de volta ao Rio.

CAPÍTULO 3

Largada

Turma de amadores

João Havelange foi um dos passageiros dados como desaparecidos na cordilheira dos Andes, junto com um C-47 do Correio Aéreo Nacional que partiu de Lima, no Peru, para o Rio de Janeiro, no início de 1952. O avião transportava a delegação brasileira que fora disputar o Campeonato Sul-Americano de Natação na capital peruana. Na viagem de volta, depois de uma escala em La Paz, na Bolívia, o piloto não fez mais contato.

Só depois de três dias de silêncio no rádio e de muita angústia entre os parentes dos atletas, no Brasil, o sumiço foi esclarecido. Após a decolagem de La Paz, o tempo tinha fechado de tal maneira que era impossível seguir viagem entre os vãos da cordilheira, como faziam os C-47, versão militar do lendário DC-3. Por isso, o comandante brasileiro fizera uma escala preventiva de três dias na cidade de Oruro, no altiplano boliviano.

No desembarque, no Rio, recebido às lágrimas pela família aliviada, foi Havelange quem ficou apreensivo, ao saber que o water polo tinha sido excluído da delegação brasileira aos Jogos Olímpicos de Helsinque. A decisão era decorrente do vexame protagonizado pela equipe brasileira na derrota de 7 a 3 para os alemães, nas Olimpíadas de Los Angeles, em 1932. Sem saber jogar direito e sem conhecer as regras, os brasileiros tinham cometido muitas faltas violentas, agredindo até o juiz húngaro que tentou acabar com a pancadaria. Depois da intervenção da polícia e da desclassificação sumária, o water polo brasileiro cumprira um longo período de suspensão em competições internacionais.

Havelange pegou outro avião no mesmo dia, agora para São Paulo, determinado a tentar, como jogador, capitão do time e presidente da Federação Metropolitana de Natação do Rio de Janeiro, convencer o então presidente do Comitê Olímpico Brasileiro, Ferreira dos Santos, a dar uma nova chance ao water polo. Na conversa com o dirigente, Havelange reconheceu que a fama dos jogadores brasileiros era ruim, mas se comprometeu a impedir que outro vexame acontecesse dentro ou fora da piscina. Para o final da conversa, ele deixou um argumento bem mais poderoso que a promessa de disciplina:

— Se o Brasil não for, a Argentina vai ficar muito à frente de nós.

Convenceu.

E consolidou ainda mais a condição de líder da turma da piscina, fonte original de seu poder no esporte.

A julgar pelo relato de ex-companheiros de piscina como Victorio Filellini, o jogador de water polo João Havelange, "um meio-campista com visão de jogo e voz de comando", foi uma antecipação do estilo do dirigente esportivo. A começar pelo cuidado com a retaguarda:

"Se o João saía para o ataque, eu ficava. Nunca saíamos os dois."

Na hora dos bate-bocas, socos e empurrões do water polo, muitas vezes extensivos ao público das arquibancadas, os dois amigos, segundo Filellini, tinham uma combinação:

"Quando era um jogo que tinha que brigar, o João dizia: 'Hoje você é capitão, tem que brigar.' Quando não tinha que brigar, o capitão era ele."

O que não queria dizer que Havelange não tivesse seus momentos de descontrole na piscina. Um deles, antológico, aconteceu durante um torneio sul-americano que ele disputou ainda nos anos 1940, num jogo contra, logo quem, os argentinos, em Buenos Aires. Em violenta disputa de bola, um adversário de unhas afiadas fez um rasgo na coxa de Havelange.

Indignado, ele começou a protestar contra a não marcação da falta, o que foi motivo de uma colossal vaia no ginásio portenho. Mais indignado ainda, mas sereno, Havelange saiu calmamente da piscina e baixou a sunga por um instante para que a platéia e os árbitros tivessem a real dimensão do motivo do seu pleito.

Quase viram bem mais do que o corte na coxa. Para a perplexidade de Juan Domingo Perón e Evita, presentes na platéia, segundo Anna Maria Hermanny, recém-casada com Havelange e autora de uma repreensão que ele nunca esqueceu:

"Minha mulher disse que eu era um grande cafajeste. E acho que ela tinha toda a razão."

Para Paulo Godoy, era o temperamento, que nem sempre Havelange conseguia manter adormecido sob o pragmatismo político:

"Chegava uma hora que ele virava bicho."

Ou quase santo, como lembrou Mario Amato, referindo-se ao que classificou como "um dos gestos mais bonitos da vida de Havelange". Segundo Amato, quando soube que um dos nadadores do Espéria estava com um câncer gravíssimo, Havelange resolveu dar a ele, para o tratamento, o equivalente à metade das economias que reunira para recomeçar a vida no Rio de Janeiro:

"Nunca vou esquecer. Não era empréstimo. O João sabia que o rapaz ia morrer."

A seleção brasileira de water polo acabou conquistando apenas uma vitória na Olimpíada de Helsinque, o 6 a 2 contra Portugal. Foi derrotada quatro vezes, duas pela Espanha, uma pela Bélgica e outra pela África do Sul, um indigesto 9 a 2. O consolo da delegação aquática brasileira foi Tetsuo Okamoto, imediatamente apelidado de "Peixe Voador" pela conquista da primeira medalha dos desportos aquáticos brasileiros em Olimpíadas, o bronze nos 1.500 metros, nado livre. A glória brasileira na Finlândia foi Adhemar Ferreira da Silva, medalha de ouro no salto triplo.

Havelange faria da fraca campanha em Helsinque um aprendizado. Já como presidente da CBD, em 1959, consciente do atraso técnico do water polo brasileiro, ao saber que o craque Aladar Szabo fugira da Hungria para a Itália após a invasão do país pelas tropas soviéticas, convidou-o para atuar no Brasil. A idéia era que ele fosse técnico, mas Szabo ainda era tão bom na piscina que Havelange providenciou para que ele fosse naturalizado e passasse a jogar pela seleção brasileira.

Com 1,90m de altura, mais de 100 quilos e um "chute" que fez história, Szabo jogou pelo Fluminense e pelo Botafogo, e garantiu os melhores resultados da história da seleção brasileira de water polo em todos os tempos: o título do Pan-Americano em 1963 e os campeonatos sul-americanos de 1961 e de 1965. Depois de parar de jogar, ele ainda treinou equipes no Rio, Brasília e São Paulo, até morrer, em outubro de 1982, aos 50 anos.

Depois de Helsinque, apesar de estar chegando aos 40 anos, Havelange continuaria jogando. Ou, no mínimo, estaria sempre por perto das piscinas do water polo. Já de volta ao Rio, ainda em 1952, ele fez parte do histórico time do Fluminense que permaneceu invicto 104 jogos, entre dezembro de 1951 e fevereiro de 1962. Mas jogou apenas algumas vezes, mais para ser homenageado pelos titulares pelo que fazia pelo esporte. Palavra de Sylvio Kelly, um dos craques do time, fiel aliado de Havelange no Fluminense e na política do esporte.

As bordas do mingau quente

Maracanã, 16 de julho de 1950. Cada brasileiro que teve a infelicidade de viver aquele dia, nas arquibancadas do estádio ou com o ouvido colado nos aparelhos de rádio, guardou para o resto da vida um gesto, uma lágrima ou uma decisão. Alguns morreram do coração. Outros, como o jornalista Carlos Heitor Cony, deixaram de acreditar em Deus. Nelson Rodrigues viu nascer o que chamou de "espírito de vira-latas" do brasileiro. E Pelé, ainda um garoto de 9 anos, ficou tão impressionado com o choro do pai, Dondinho, que prometeu um dia ser campeão mundial.

João Havelange também estava no Maracanã na derrota do Brasil para o Uruguai, na final da Copa de 1950. Cada vez mais envolvido com a política do esporte, ao deixar o estádio a caminho do aeroporto Santos Dumont para pegar um avião da Vasp de volta para São Paulo, onde morava, também fez uma promessa, testemunhada pelo cunhado Hugo Mamede:

— Se um dia eu chegar à CBD eu dou a ela a Copa do Mundo.

A caminhada começou três anos depois daquele trauma. Primeiro, Havelange foi um empenhado cabo eleitoral da chamada "Chapa da Paz", encabeçada pelo amigo Sylvio Pacheco e por João Corrêa da Costa, indicados, respectivamente, pelo América do Rio e pelo Vasco da Gama. Os adversários eram o então eterno presidente da CBD, Rivadávia Correia Mayer e seu candidato, Geraldo Starling, do Atlético Mineiro.

Como a entidade cuidava do futebol e de mais 23 modalidades esportivas, o que significava lutar pelo voto de mais de cem federações, Havelange percorreu praticamente todos os estados brasileiros em campanha. O companheiro desta primeira jornada política se tornaria, nas décadas seguintes, o poderoso braço-direito de Havelange na CBD e na Fifa: o carioca Abílio de Almeida, um ex-diretor de boxe do pequeno Andaraí Sport Clube, então presidente do não menos modesto São Cristóvão Futebol Clube.

Havelange e Abílio sabiam que ainda não dava para enfrentar, em campo aberto, dentro da CBD, os poderosos dirigentes do futebol. O caminho alternativo do fortalecimento eleitoral estava no estatuto da entidade. O voto era por federações afiliadas, mas algumas entidades do Norte e do Nordeste, pelo baixo índice de atividade esportiva amadora, representavam até cinco esportes.

Na prática, enquanto um dirigente do Norte ou Nordeste em geral podia depositar até cinco votos na urna, representando cinco esportes, o presidente da poderosa Federação Paulista de Futebol, por exemplo, só depositava um. Estava lá, no papel. E Havelange, naturalmente, levou o estatuto ao pé da letra na hora de conquistar o apoio de dirigentes poderosos como Rubem Moreira, presidente da Federação Pernambucana de Futebol, e dos irmãos Nunes, do estado do Pará, assim definidos pelo nadador e futuro dirigente Sylvio Kelly:

"A família Nunes, poderosíssima, fazia o governador, fazia o deputado federal e fazia o representante do Pará na capital e nos estados. E é claro que mandava também nos esportes."

Por essas e outras alianças, a chapa de Sylvio Pacheco venceu por seis votos de diferença, o que significava que Havelange, por força do acordo das forças políticas reunidas na chapa, seria diretor de esportes aquáticos. Mas ele ficaria neste cargo só na primeira metade do mandato, 1954 e 1955. Depois, seria eleito vice-presidente para o período de 1956 e 1957, no lugar de João Corrêa da Costa, que deixou o cargo para cuidar dos negócios.

Na expressão popular da época, Havelange estava começando a beber o mingau quente do comando do futebol pelas bordas do esporte amador. Sem queimar a língua.

André Richer, um carioca que por décadas ocupou posições importantes na CBD e no Comitê Olímpico Brasileiro, foi testemunha do carinho com que Havelange cultivou a relação com o chamado esporte amador. E disse não se lembrar de nenhum dirigente brasileiro, além de Havelange, que tenha se disposto a sair de Melbourne, sede dos Jogos Olímpicos de 1956, para acompanhar a participação da equipe brasileira de remo na longínqua cidade de Ballarat:

"Tinha que ir de trem, fazia um frio desgraçado e o Havelange estava lá. Ele já mandava muito no esporte brasileiro na época, mas fez questão de mostrar o carinho que tinha pelos atletas de todas as federações, incluindo as chamadas delegações solitárias como o tiro, o remo e a vela."

A rigor, Havelange nem tinha obrigação de ir a Ballarat, já que fora a Melbourne na condição de chefe da equipe de natação, subordinado de Sylvio Padilha, chefe da delegação brasileira naquela Olimpíada.

Na mesma época, também não faltaram atenções à turma da natação.

Sylvio Kelly participava do Campeonato Sul-Americano, em Viña del Mar, no Chile. Mas estava também inscrito no vestibular da Pontifícia Universidade Católica do Rio, em datas coincidentes. Entre nadar e tentar a faculdade, Sílvio preferiu a PUC, o que levou o chefe da delegação brasileira no Chile a pedir a intervenção de Havelange. Kelly foi chamado à CBD, onde encontrou um Havelange decidido:

— Sylvio, eu quero que você vá ao Sul-Americano. Se você não for, nossa chance de vitória se reduz e eu quero que você vá.

— Não dá, João. Em primeiro lugar, para mim, está o vestibular, a minha vida profissional.

— Olha, eu te prometo: você vai e quando você voltar eu arranjo um lugar pra você.

Sylvio, dezessete anos mais novo que Havelange, não se sentiu em condições de colocar na mesa novos argumentos. Foi para o Chile, resignado com a perda de um ano inteiro na vida estudantil. Uma convicção que aumentou ainda mais quando ele saiu das piscinas de Viña Del Mar sem uma medalha sequer. Na volta ao Brasil, como Kelly já sabia, o vestibular da PUC já tinha acabado.

Menos para João Havelange, que conseguiu para Sylvio uma prova de segunda chamada em Petrópolis, região serrana do estado do Rio, onde havia nove ou dez vagas em disputa da PUC local:

— Olha, Sylvio, você faz lá a prova. Se passar, faz o primeiro ano lá em Petrópolis e no ano que vem eu te trago pro Rio.

Sylvio Kelly foi para Petrópolis, fez a prova e passou. Um ano depois, em novo encontro com Havelange, cobrou:

— Quero voltar para o Rio.

Assim foi feito. Três anos depois, Sylvio se formaria em Direito pela PUC do Rio. E Havelange somou mais alguns favores à conta da gratidão que o esporte amador lhe devia.

Guerra no porto

O recado do Palácio do Catete chegou a Havelange por Rubens Tosi, diretor da sede carioca da Viação Cometa no bairro de Vila Isabel:

— Doutor Havelange, o secretário particular do Juscelino, doutor Penido, disse que o presidente quer conversar com o senhor ainda hoje.

Corria o terceiro ano do mandato de JK, 1958. Havelange imediatamente pegou um carro e foi para o Catete, sendo recebido por Marílio e Oacy, dois recepcionistas da Presidência da República que ele conhecia muito bem. Mais de quarenta anos depois do episódio, com os nomes e diálogos na ponta da língua, Havelange explicou a razão da intimidade:

"Eu ia muito lá no Catete e eram todos do futebol. Pediam entradas e eu não deixava faltar nada. Me tratavam divinamente bem."

Oacy chegou a tentar desencorajar Havelange de subir, por causa do grande assédio ao gabinete de Juscelino naquele dia, mas foi interrompido por Marílio:

— Pega o doutor Havelange e bota ele lá na sala do presidente. Eles são amigos e se entendem.

Era verdade. Paulo Tarso Flecha de Lima, por exemplo, então um jovem secretário do embaixador José Sette Câmara, chefe da Casa Civil de JK, foi testemunha da amizade de Havelange com o presidente e os funcionários do Palácio. Levado ao gabinete, Havelange foi recebido com o abraço afetuoso de sempre e a explicação do chamado:

— Tenho aqui um assunto. Eu queria te mostrar e ler o meu despacho.

O despacho dizia respeito a mais uma batalha da guerra comercial entre a Expresso Brasileiro e a Viação Cometa. Semanas antes, para a surpresa de Havelange e dos donos da Cometa, a Expresso Brasileiro fizera atracar no porto de Santos um navio com uma frota de 23 reluzentes ônibus GMC do tipo Diplomata novos em folha. Eles eram a arma de Maneco Diegues, dono da Expresso, para enfrentar os lendários mas já rodados GMC modelo PD-4104 da Cometa, os famosos "Morubixaba", que haviam inaugurado a linha Rio-São Paulo em 1954, fazendo história pelo *design*, pela suspensão e pelo sistema de ar-condicionado. Ao ser informado sobre a operação do concorrente, Havelange anteviu um desastre:

"Aquilo me quebraria a espinha dorsal que era a linha Rio-São Paulo. Eu não tinha ônibus da mesma qualidade e eles iam me afogar."

O único trunfo da Cometa era a certeza de que a operação de importação dos ônibus da Expresso Brasileiro era irregular. Era época de rigoroso controle aduaneiro, uma selva de cotas limitadas, alíquotas e outros instrumentos de substituição de importações definidos pela Comissão de Desenvolvimento Industrial, a CDI, criada pelo próprio JK, e controlados pela Cacex, a carteira de comércio exterior do Banco do Brasil.

Havelange descobriu que a irregularidade na operação de Maneco Diegues era ter trocado os ônibus americanos por arroz exportado do Rio Grande do Sul. Uma "conjugada" proibida na época. Ele chegou até a falar com o então governador gaúcho, Leonel Brizola. Mas a conversa, segundo Havelange, foi inútil:

— Você vai me prejudicar, Brizola.

— É uma operação do meu governo e eu é que não posso prejudicar o meu governo.

— Está muito bem. Vou ver como me defendo.

E Havelange se defendeu, entrando na Justiça com uma liminar que impedia que os ônibus fossem retirados do porto de Santos. Mauro Diegues, testemunha da disputa, confirmou, em 2005, que a importação realizada pelo tio era mesmo ilegal e que Maneco Diegues, no entanto, usou o dinheiro e o poder político que tinha para derrubar a liminar de Havelange e tirar os 23 ônibus do porto:

"O Maneco se virava. Ele falou com as autoridades e conseguiu tirar os ônibus. Ele tinha o Antonio Feliciano, manda-chuva do PSD. Era muito dinheiro em jogo e ali quem podia mais chorava menos."

O troco de Maneco Diegues foi um acontecimento na cidade. Ele descarregou a nova frota na rua Oswaldo Cruz, uma das principais da cidade. Os ônibus, embarcados nos Estados Unidos desmontados, dentro de grandes caixotes, ocuparam mais de três quadras e foram montados e postos para rodar ali mesmo, um a um, ao longo de três dias e três noites.

Não foram muito longe. Uma nova liminar de Havelange obrigou Maneco a recolher os 23 ônibus ao porto novamente. Àquela altura, a guerra já estava atiçando os ânimos até dos empregados. Na lembrança de Mauro Diegues, alguns motoristas da Expresso Brasileiro se disseram dispostos a passar por cima dos oficiais de justiça que surgissem no caminho para fazer cumprir a lei. Na guerra de liminares, Maneco decidiu então lançar mão das ligações com o deputado Antonio Feliciano, que convocou uma comitiva de pesos-pesados do PSD paulista para ir ao correligionário JK pedir, olho no olho, a validação da importação dos ônibus.

Havelange entendeu o motivo daquela convocação ao Palácio do Catete quando Juscelino leu para ele o despacho em que recomendava ao então ministro da Fazenda, José Maria Alckmin, que atendesse o PSD paulista. E mostrou-se resignado:

— Só tenho uma posição, presidente: respeitar o seu despacho.

Juscelino, surpreendentemente, entregou o despacho a Havelange e deu outro sentido à conversa:

— Você não está entendendo. Isso aqui é seu. É pra você guardar.

Era a senha de que a pressão dos pessedistas de São Paulo não seria suficiente para que aqueles dois ex-hóspedes agora poderosos da casa de Faustin Joseph e Juliette Ludivine, no Cosme Velho, atendessem ao desejo de Maneco Diegues. O despacho seria guardado durante algum tempo por Havelange como um suvenir de uma batalha que ele travou com determinação:

"Era como se você tivesse sapato e eu estivesse descalço. Como eu não podia ter sapato, tirei os seus."

Para Havelange, os 23 Diplomatas da Expresso Brasileiro voltaram para o porto de Santos e lá apodreceram. Mas Mauro Diegues guardou outra lembrança:

"No fim, o dinheiro movimentou tudo. Os ônibus saíram e rodaram."

De acordo com Felipe Mascioli, na época já trabalhando com o pai, os ônibus da Expresso Brasileiro não chegaram a virar sucata no porto de Santos, mas, ao serem retirados por Maneco Diegues, já não representavam mais a ameaça que quebraria a espinha da Viação Cometa na Via Dutra.

E assim seria por décadas. Na década de 1980, por exemplo, depois de audiências com o presidente João Figueiredo e seu poderoso ministro-chefe da Casa Civil, Leitão de Abreu, Havelange conseguiria resgatar, da massa falida da empresa Ciferal, 50 carrocerias fabricadas pela empresa que estavam na garagem da Cometa, ainda para serem montadas em 50 plataformas Scania Vabis. A Cometa aproveitou e incumbiu Havelange de pleitear autorização para passar a fabricar suas próprias carrocerias. Como transportadora, a empresa não poderia atuar como montadora, mas Leitão de Abreu, segundo Havelange, encontrou uma solução intermediária:

— João, eu vou te dar uma condição: você pode fazer os seus chassis, já falei com o presidente. Mas você não pode fazer para vender. Só para sua companhia.

— Feito.

As ótimas relações de Havelange com JK, o estilo de Havelange, definido por Cláudio Bojunga, biógrafo de Juscelino, como "kubitscheckiano", e o deslocamento da máquina federal para o Planalto Central levaram Tito Mascioli a colocar a Viação Cometa na disputa do mercado de passageiros para a nova capital federal.

— Havelange, vamos fazer a linha de Brasília.

Encarregado de preparar a estrutura da empresa na cidade, Havelange visitou os locais para instalação da agência e da garagem. Mas, de uma hora para outra, o dono da Cometa não tocou mais no assunto. Intrigado, Havelange perguntou, algum tempo depois:

— Senhor Tito, e Brasília?

— Olha, João, nós não vamos mais a Brasília. Você já imaginou, nas férias de janeiro, fevereiro e julho? Todos os funcionários públicos são de São Paulo ou do Rio. Todo mundo vai querer viajar com a família. E como nós vamos depender de coisas, você vai ter que dar passagem de graça. Você já viu o que vai acontecer?

Não se falou mais no assunto na Cometa, até a venda da companhia, em 2002.

Peças preciosas

João Havelange não perdia uma na Cexim, a Carteira de Exportação e Importação do Banco do Brasil, antecessora da Cacex, onde iam parar todos os importadores e exportadores brasileiros. Como controladora do fluxo do comércio exterior e por estar sob o comando de um número relativamente pequeno de funcionários, a Cexim era alvo de muitas denúncias de abusos e irregularidades na hora em que exercia o poder de conceder, ou não, as cobiçadas licenças de importação.

Manoel Agápio de Aquino Filho, funcionário de carreira do Banco do Brasil de 1943 a 1976, com passagem pelo Setor de Estudos e Pareceres da Cexim, foi testemunha do cerco ao departamento por atravessadores que, segundo ele, faziam dinheiro com a burocracia, "a real e a inventada por eles". Agápio, que costumava devolver religiosamente brindes inexplicáveis que importadores e exportadores faziam chegar à sua casa, em Ipanema, em aniversários e na época do Natal, disse, em 2005, aos 81 anos, que Havelange entrava na Cexim de um jeito diferente:

"O Havelange chamava atenção pela fineza e pelo comportamento. Algumas vezes ele convidava a turma da Cexim para um almoço, mas não passava disso. Era muito sério na hora dos pedidos de autorização de importação."

Para Anna Maria, Havelange gostava de dizer que não se importava de ficar esperando ser atendido em seus pleitos. Não fazia escândalo nem dava carteiradas. E explicava a razão:

— Quando eu chego num lugar e me deixam esperando, é assim que eu gosto. Porque ou um ou outro se acanha de me deixar esperando tanto sem eu perguntar nada. E acabam me chamando.

Foi com base nesta boa relação que Havelange diz ter conseguido, em 1952, um grande trunfo:

"Como eu tinha amigos na Cacex, consegui uma licença para uma grande importação de peças, coisa de 1 milhão de dólares. Ela nos favoreceu muito na reposição de todo o estoque da Cometa."

Agápio nunca foi ligado a Havelange, mas Carlos Tavares, outra carreira de trinta anos no Banco do Brasil, contador que virou especialista em comércio exterior e China, se tornaria amigo fraterno para o resto da vida e uma das pessoas de confiança que Havelange levaria para o Conselho Fiscal da CBD, em 1958.

Quase cinqüenta anos depois do início da amizade, aos 81 anos, ainda trabalhando como assessor em uma pequena sala da Confederação Nacional do Comércio, no Rio, Carlos Tavares tomou a iniciativa de lembrar o diálogo que teve com Havelange no momento do convite para ser conselheiro da CBD:

— É pra valer?

— É, sim. É pra valer.

— Então eu vou ver as contas mesmo.

Nos nove anos durante os quais fez parte do Conselho Fiscal da CBD, Carlos Tavares confirmou que todos os atos administrativos que passaram por suas mãos, incluindo os empréstimos que Havelange fez para custear a participação do Brasil na Copa da Suécia, foram regulares. E acrescentou, desafiante:

"Se o João está metido em alguma coisa, eu também estou."

Doutor Paulo

Não era preciso entender de futebol, muito menos jogá-lo, para saber, em meados de 1957, que a Confederação Brasileira de Desportos era uma entidade na qual cariocas e paulistas, com seus aliados tradicionais ou ocasionais dos outros estados, trabalhavam como se estivessem num campo de futebol, sim, mas uns contra os outros, em uma interminável guerra pelo poder, ora surda, ora escancarada.

Ao articular sua campanha para suceder o presidente Sylvio Pacheco, o vice João Havelange, mesmo na confortável posição de integrante de uma aliança política considerada imbatível na época, decidiu que não iria à luta sem um entendimento sólido e duradouro com os paulistas. E ele tinha quatro razões para selar este acordo com o empresário e dirigente Paulo Machado de Carvalho. Pela ordem:

Paulo era um homem do futebol.

Era paulista.

Era um poderoso homem da televisão.

Era amigo de Havelange.

Na época, as duas maiores emissoras de televisão do país eram a Record e a Tupi. Havelange queria a CBD de bem com os donos daquela nova e revolucionária modalidade de comunicação, entretenimento e jornalismo. E, no caso de crise, como ele recordaria quarenta e oito anos depois, com serena franqueza, a utilidade era ainda maior:

"Eu estava protegido de ataques. Para me atacar, teriam de atacar o Paulo. E o Paulo também era muito amigo do pessoal da Tupi e eles não atacariam a gente."

O gaúcho Luís Mendes, cronista esportivo e, na época, principal locutor da Rádio Globo, acompanhou os acordos e a campanha da CBD. Daqueles dias ficou a lembrança de um outro rótulo político emprestado ao estilo de Havelange:

"Se dizia na época que, politicamente, ele tinha um espírito getulista, porque o Getúlio chamava o inimigo para o lado dele. Esse era o estilo dele. Havelange chamou São Paulo, que era a grande força opositora, para o lado dele. Essa rivalidade já existia desde os anos 1930. E ele pacificou de forma definitiva o futebol brasileiro."

Do outro lado da disputa, a chapa da oposição, embora capitaneada pelos presidentes de dois importantes clubes cariocas, Carlito Rocha, do Botafogo, e José Alves de Morais, do Flamengo, não tinha muito a fazer do ponto de vista eleitoral a não ser barulho. Carlito, um dirigente folclórico e supersticioso, inaugurou, nesta campanha, a prática preferida dos críticos e inimigos de João Havelange: dizer que ele não entendia nada de futebol. A crítica, que logo se tornou ataque, doeu. E Havelange, num encontro particular que teve com Carlito, reagiu:

— Você tem o direito de pensar o que quiser, mas eu queria te lembrar que meu pai foi muito seu amigo, principalmente quando você esteve em condições delicadas.

Carlito parou de atacar. E também perdeu a eleição, com 19 votos, contra 185 dados a Havelange.

Ao tomar posse como presidente, no dia 14 de janeiro de 1958, o principal acordo que Havelange tinha a cumprir era o que daria a Paulo Machado de Carvalho a chefia da delegação brasileira à Copa do Mundo da Suécia. Quase meio século depois, ele lembrou a plataforma que seria eterna na sua vida de dirigente:

"Procurei não dividir a CBD. Ela tinha o futebol e 23 esportes amadores. Enquanto eu fui presidente este compacto existiu. Mantive os acordos que foram feitos."

A comissão técnica seria composta por Carlos Nascimento, Vicente Feola e José de Almeida. Na lembrança de Paulo Machado de Carvalho Filho, ao contrário da negociação humilhante sugerida, na época e no futuro, por jornalistas que não gostavam de Havelange, foi um acordo fraterno:

"Havia uma política na CBD que fazia com que todos os chefes de delegação fossem cariocas. A aproximação e o convite para que meu pai assumisse a chefia foi uma solução política para esse problema."

Para o jornalista Telmo Zanini, aquele momento foi muito mais que um acerto de contas político momentâneo entre cartolas:

"O Havelange soube passar por cima de uma divisão regional e bairrista que minava o futebol e que foi de certo modo responsável pela derrota de 1950 e outras. Ele transformou a seleção realmente em resultado concreto de uma verdadeira confederação."

Qualquer que seja o balanço que se faça do tempo durante o qual Havelange foi presidente da CBD, ele só deixaria o cargo dezesseis anos depois, durante a ditadura militar, quando os planos de seus adversários na entidade se misturaram com a guerra surda travada, nos bastidores do regime, entre os liderados dos generais Emílio Garrastazu Médici e Ernesto Geisel.

Chinelos nunca mais

— Estou cheio, doutor.

As mudanças que Havelange queria para a seleção brasileira tinham inspiração antiga. Às vésperas de uma partida do Brasil contra a Argentina pela Copa Roca, nos anos 1920, levado pela mão do pai, Havelange, ainda menino, estivera com os jogadores brasileiros logo depois de um almoço, na sede do Vasco da Gama. Um apaixonado por futebol, Faustin Joseph, na conversa com os jogadores, perguntara se eles tinham comido bem.

Havelange não esqueceu jamais a reação de consternação do pai à resposta do jogador, que não tinha dentes e comera uma mistura de arroz, farinha e caldo de feijão, entre um e outro gole de uma caneca de água. Não esqueceu também dos comentários do pai sobre a conseqüência, em campo, daquele tipo de alimentação:

"Os jogadores estavam cheios, mas não alimentados. Jogavam bem no primeiro tempo e abriam vantagem de 1 a 0. No segundo tempo, o argentino, que comia carne, ganhava de 5 a 1."

Havelange estava decidido:

"Meus jogadores iam ter tudo do bom e do melhor."

Não eram apenas dentadura e filé mignon. Havelange queria mudar uma mentalidade e uma fama que os jogadores brasileiros tinham construído dentro e fora do país, e que foi sintetizada exemplarmente, na época de sua eleição, num artigo da revista *France Football.* Primeiro, com um sopro:

"O futebol brasileiro tem insuperável técnica individual, sentido de improvisação, inteligência, vivacidade, imaginação, reflexos, elegância e malícia."

Depois, a mordida:

"Sendo um artista, e não um atleta, o jogador brasileiro apaixona-se de tal forma por sua arte que se deixa dominar por ela. Tem nervos sensíveis, é um temperamental, um imaturo, um soldado psicologicamente despreparado para a guerra."

Não era necessário ser carioca ou paulista para concordar com a revista francesa. Em setembro de 1957, já se preparando para assumir a presidência da CBD, Havelange se reuniu com Paulo Machado de Carvalho no escritório da TV Record, em São Paulo, e deu início à histórica mudança de rumos da seleção brasileira, dentro e fora do campo:

— Preciso de uma seleção vitoriosa, de um time campeão. Você tem carta branca para fazer o que for necessário.

Paulo Machado de Carvalho fez. Encomendou a três experientes jornalistas de São Paulo, Ary Silva, Flávio Iazzetti e Paulo Planet Buarque, um plano de trabalho que, embora criticado pelo excesso de detalhes, seria o embrião do profissionalismo que, aos poucos, transformaria para sempre o perfil da seleção brasileira.

Além do corpo técnico tradicional formado por um médico, um preparador físico, um massagista, um roupeiro e o técnico, o plano previa a convocação de outros profissionais, entre eles um dentista e um psicólogo. Havelange aprovaria praticamente sem ressalvas. Até porque, mais uma vez, o planejamento da seleção, para ele, parecia ter sido escrito na garagem da Viação Cometa:

“Um ônibus, para sair, precisa ter um mecânico de motor, um mecânico de chassis, um limpador, o encarregado do pneu, o encarregado do almoxarifado e o motorista. Assim foi com a delegação.”

No dia 14 de março de 1958, quando assumiu a presidência da CBD, Havelange já tinha feito passar de mão em mão, discretamente, entre os chefes e diretores da entidade, um relatório que não teria a fama do plano de Paulo Machado, mas que, para ele, Havelange, foi bem mais decisivo. Encomendado por ele mesmo ao então comandante da Escola de Educação Física do Exército, coronel Antonio Pereira Lima, o relatório não citava fatos ou nomes, mas alertava para a necessidade urgente de se enfrentar, de forma mais efetiva e profissional, os problemas psicológicos e comportamentais decorrentes da origem humilde e do contexto de preconceito racial no qual tinha nascido e crescido a maioria dos jogadores da seleção.

Uma das conclusões do relatório, citando opiniões de médicos, endossava uma tese que já era motivo de muita polêmica no balcão dos botequins e nas páginas da imprensa brasileira e européia. O maior problema do jogador brasileiro, segundo o relatório, era seu temperamento e sua instabilidade emocional na hora das decisões. Décadas depois, em uma entrevista que foi reproduzida no livro *Pelé: His Life and Times*, de Harry Harris, Havelange justificaria a gravidade dos termos do relatório:

“Muitos daqueles jovens jogadores vinham de lares miseráveis, das favelas, com um passado de grandes privações. Tiveram, por isso, de fazer tremendas adaptações, muitas vezes num espaço muito curto de tempo. Eles tinham que aprender a canalizar aquela violência natural, a entender e aceitar a disciplina. Antes de mim, ninguém tinha pensado nesses problemas. E nós não poderíamos ir para a Suécia da mesma maneira.”

Antecedentes não faltavam. Menos de quatro anos antes, nas quartas-de-final da Copa de 1954, num jogo que entrou para a história como a “Batalha de Berna”, a seleção brasileira tinha dado o que muitos consideram seu maior vexame em competições internacionais. Ainda não refeitos do trauma da final da Copa de 1950 no Maracanã, incendiados por discursos beligerantes de jornalistas brasileiros e até do então presidente Getúlio Vargas, e, acima de tudo, com muito medo de enfrentar a poderosa Hungria de Puskas, os jogadores brasileiros sucumbiram espetacularmente ao nervosismo e ao descontrole. Perderam gols, distribuíram pontapés e foram derrotados por 4 a 2. O relatório de Havelange não deixava dúvidas:

"Quem não se ajustasse ao programa que fizemos com a ajuda de médicos e psicólogos seria cortado da seleção. Só iria para a Copa da Suécia quem estivesse mentalmente preparado."

A imprensa carioca, incomodada com a paternidade paulista do plano de Paulo Machado de Carvalho e insatisfeita com o fato de Vicente Feola ter sido escolhido para técnico no lugar do poderoso Flávio Costa, ironizou. E um deboche, em especial, tendo como alvo a introdução de testes psicotécnicos na seleção, incomodou Havelange. O autor da ironia, Ary Barroso, radialista e compositor que ele admirava muito, exibiu na TV um quadro em branco. Para ridicularizar os desenhos que eram encomendados aos jogadores nos testes, jogou no quadro um tinteiro e, às gargalhadas, desafiou o psicólogo da seleção a decifrar o significado da mancha, emendando:

— Assim é o futebol do futuro, com João Havelange.

Quase cinqüenta anos depois da piada, com a psicologia plenamente estabelecida no esporte, Havelange cobrou:

"Todo o mundo queria ridicularizar porque ninguém tinha tido a idéia. Hoje em dia, a psicologia é base do trabalho em todo lugar."

E para quem duvidava da necessidade de assistência odontológica, o dentista Mario Trigo fez, meio século depois de sua estréia como guardião da saúde bucal dos jogadores, um balanço contundente. Foram mais de cem dentes extraídos e uma certeza:

"Nós mostramos que o jogador brasileiro, bem-cuidado, é o melhor do mundo."

Mané Garrincha, no entanto, seria o exemplo de que nem tudo que se pensou no chamado Plano Paulo Machado de Carvalho transcorreu como estava detalhadamente previsto no papel. Seu QI baixo, seus desenhos e suas respostas ao teste psicotécnico, a maioria impregnada da obsessão do jogador por sexo, além de divertir o resto do time, levaram o sisudo psicólogo da seleção, João Carvalhaes, à conclusão de que ele não estava apto para disputar a Copa do Mundo. De acordo com Zagallo, um dos jogadores convocados para a Copa de 1958, o psicólogo chegou a listar quatro nomes para serem cortados da delegação com base em seus critérios. Foram todos para a Suécia. Os jogadores da lista e o psicólogo.

Pelé, na primeira das muitas vezes em que seu destino cruzaria o de João Havelange, na alegria e na tristeza, esteve no centro de outra polêmica levantada por setores da imprensa e dirigentes contrariados com a nova comissão técnica da seleção. Na lembrança de Paulinho Machado de Carvalho, assim como no livro *Pelé: His Life and Times*, Havelange e Paulo Machado de Carvalho resistiram, juntos, aos que diziam que Pelé era jovem demais para disputar uma Copa do Mundo. Entre eles, como lembrou Pelé em 2006, estava o próprio João Carvalhaes.

Para Pelé, o momento de maior dúvida sobre sua ida à Suécia foi o que se seguiu a uma contusão que sofreu durante um jogo-treino contra o Corinthians, dias antes do embarque. Pelé ainda era o que ele próprio descreveu como "um garoto que tinha vergonha até de olhar para os mais velhos", mas não se esqueceu do que Havelange disse ao massagista Mário Américo quando o encontrou cuidando do então jovem fenômeno do futebol brasileiro:

— O menino vai. Se não tiver condições lá na Suécia, a gente manda de volta.

Para Havelange, era o início de uma difícil relação com boa parte da imprensa brasileira:

"Eles queriam motivo para me atacar. O Pelé tinha 17 anos e a imprensa dizia que eu estava colocando um menino no time para ser crucificado. Pois bem, o Pelé foi e se tornou o maior jogador do mundo naquela Copa."

O bom e o melhor que Havelange queria incluiriam, além de preparo psicológico, alimentação de primeira e tratamento dentário, um intenso e amplo programa de acompanhamento médico da equipe, a cargo do professor Mariano de Andrade, da Santa Casa de Misericórdia do Rio de Janeiro. E ainda a entrega de dois ternos bem cortados para cada jogador que fosse convocado para a seleção. Com os ternos, eles receberiam o recado implícito de que o uso de chinelos de dedo ficaria restrito às áreas de atividade física e esportiva das concentrações onde a seleção estivesse. Zagallo, então um jovem ponta-esquerda, gostou:

"Você não pode representar um país sem todo mundo estar dignamente com um terno e uma gravata, mostrando que existe organização. Isso é um princípio básico de tudo na vida."

Chinelo no saguão, definitivamente, não pegaria bem na administração Havelange.

Longe da bola

Os escudos da CBD tinham sido cuidadosamente costurados nos uniformes da seleção por Maria Luiza Machado de Carvalho, mulher do chefe da delegação. E o dinheiro *cash* que ele levava na pasta, na tarde de 24 de maio de 1958, dia do embarque dos brasileiros para a disputa da Copa do Mundo, era suficiente apenas para chegar à Itália, onde o time faria amistosos remunerados contra o Fiorentina e o Inter de Milão. Na lembrança do goleiro Gilmar, só com os dólares dos clubes italianos a seleção teria como chegar à Suécia.

Em terra, no Rio de Janeiro, Havelange tinha diante de si uma tarefa inimaginável para seu futuro ex-genro Ricardo Teixeira, quarenta anos depois, no mesmo cargo, à frente dos contratos milionários de publicidade da Confederação Brasileira de Futebol: conseguir dinheiro suficiente para custear uma permanência maior da delegação na

Suécia, caso ela seguisse classificada na competição. Havelange definiu sua decisão de ficar no Brasil como um "gesto de responsabilidade":

"Não existia patrocínio na época. Eu tinha de ir aos bancos assinar os papagaios, as promissórias, para nada faltar. Era dinheiro vivo. E o governo não dava nada."

Não dava, mas podia emprestar. Num encontro com o presidente Juscelino Kubitscheck, Havelange conseguiu um empréstimo. Depois de acertado o apoio financeiro, JK, de acordo com o livro *O marechal da vitória*, de Tom Cardoso e Roberto Rockmann, ligaria para Paulo Machado de Carvalho já na Suécia, pedindo uma vitória contra a União Soviética, no terceiro jogo das oitavas-de-final, para "melhorar a auto-estima dos brasileiros" e mostrar que o Brasil era "um país em amplo desenvolvimento".

Os críticos de Havelange, na época e no futuro, interpretaram sua permanência no Brasil ou como uma manobra preventiva contra o desgaste de uma derrota da seleção ou sintoma de fraqueza política diante de Paulo Machado de Carvalho. O filho de Paulo desautorizou as duas interpretações:

"Não é verdade. Se o Havelange pensou em ir, ele não foi exatamente para não desautorizar o comando que tinha delegado ao meu pai."

Havelange acompanhou os acontecimentos da Copa da Suécia por meio de telefonemas para Paulo Machado de Carvalho, a cada dois dias. Como havia combinado, interferiu pouco no cotidiano da seleção:

"Eu não queria ficar pondo em dúvida a capacidade do Paulo, que era imensa. Eu era um homem educado e o Paulo também. Muitos não queriam, mas fomos amigos a vida toda."

Houve uma iniciativa, porém, que até os críticos não negam a Havelange. Quando ficou definido que o Brasil jogaria a final da Copa contra a Suécia, ele ligou do Rio para o comitê organizador, pedindo garantias de que a arbitragem fosse imparcial e que não sofresse pressões da torcida sueca. A resposta do comitê, uma série de restrições explícitas ao comportamento da torcida, saiu melhor que a encomenda. Os suecos, já deslumbrados com o futebol de Pelé, Garrincha, Didi e Nilton Santos, quase torceriam para o Brasil na final.

Outra preocupação de Havelange foi com um item que nunca estivera entre as prioridades das delegações anteriores: a qualidade, o conforto e a tranqüilidade da concentração brasileira. Para isso, o médico Hilton Gosling e o psicólogo João Carvalhaes foram antes para a Suécia e passaram dias avaliando locais de treinamento e cidades, até escolherem o Hotel Hindas, em Estocolmo, e um campo de futebol próximo à cidade de Gotemburgo.

A farra política e jornalística que acontecera no trágico "já ganhamos" da concentração de São Januário, em 1950, horas antes da derrota brasileira para os uruguaios no Maracanã, e as manchetes vingativas que deixaram os nervos do time em frangalhos antes e durante a derrota para os húngaros, em 1954, na Suíça, não tinham sido esquecidas por Havelange. Ao sentir a hostilidade da maioria dos jornalistas a ele, a Paulo Machado de Carvalho e a Vicente Feola, Havelange escalou, para o cargo de supervisor da delegação na Suécia, Carlos Nascimento, um homem de sua absoluta confiança. A atuação de Nascimento, na lembrança de Zagallo, seria decisiva:

"Carlos Nascimento era o homem que batia de frente com a imprensa, não tinha receio de nada. Ele queria uma proteção à seleção e conseguiu."

Havelange inaugurou, naquela Copa, uma distância presidencial em relação aos jogadores e às concentrações da seleção que só não seria mantida na Inglaterra, em 1966. As interpretações desta distância seriam proporcionais ao grau de simpatia ou antipatia que ele despertou ao longo dos anos, principalmente entre os jornalistas. Para Havelange, tratou-se de profissionalismo e exemplo:

"Quando eles chegavam, convocados, eu ia visitá-los, almoçava ou jantava com eles para demonstrar todo o meu respeito e depois ia fazer o meu trabalho."

Para Sylvio Kelly, discípulo e aliado nas lutas políticas do esporte amador e do Fluminense, a postura de Havelange também tinha um toque de sabedoria política:

"Não ser chefe da delegação era um segredo. Ele era a última palavra, o presidente. Tinha lá o chefe da delegação para as primeiras conversas. Se tivesse algum problema sério, recorreriam a ele e ele não estaria desgastado."

Qualquer que fosse a dosagem das motivações, quase meio século depois da convocação para a Copa da Suécia, Havelange ainda se lembrava, com orgulho, de nunca ter se dado a um papel que sempre detestou: o do dirigente pegajoso e oportunista que se pendura no ombro dos craques da vez, dentro ou fora dos estádios, campos de treinamento e vestiários:

"Eu não ia a vestiário. Não escalava, não queria ver homem pelado, não tinha o que fazer lá. Quem quisesse me ver que fosse à tribuna ou ao meu escritório."

Para os jornalistas que viam nessa distância apenas mais uma evidência de seu suposto desinteresse pelo esporte ou de uma alegada falta de conhecimento do futebol, Havelange sempre disparou uma resposta em forma de provocação:

"Não é assistindo a jogo que você faz dinheiro. O jornalista assiste porque tem quem lhe pague ou lhe garanta um lugar de graça na tribuna. Quem pagava o meu time, o hotel, o bicho, as viagens e os prêmios?"

Do gol assustador de Liedholm, logo no início do primeiro tempo, ao gol de Pelé que fechou espetacularmente a histórica goleada de 5 a 2 do Brasil contra os suecos no estádio de Rasunda, em Estocolmo, no dia 29 de junho, a final da Copa de 1958 foi acompanhada nervosamente por Havelange do outro lado do Atlântico, pelo rádio, entre amigos reunidos em seu apartamento, no bairro carioca do Leblon.

No futuro, Havelange atribuiria às emoções daquele sofrimento, à distância e ao estresse do trabalho na retaguarda o desmaio comatoso que sofreu dias depois da final da Copa e que lhe rendeu, além de uma internação de quinze dias no Hospital Silvestre, duas visitas do presidente Juscelino Kubitscheck. A permanência no Brasil e o trabalho de retaguarda durante a Copa da Suécia, no entanto, jamais impediram Havelange de associar o início da era gloriosa do futebol brasileiro ao seu primeiro mandato de presidente da CBD:

"Em qualquer lugar do mundo, você encontra alguém com uma camisa amarela da seleção. É impressionante a paixão que a seleção transmite. Tudo isso foi resultado de comportamentos, resultados, valores, técnicas e de uma forma de apresentação. Isso tudo, me perdoe, começou em 1958."

Entre os quase 52 mil espectadores da final no estádio de Rasunda estava o jovem dirigente esportivo sueco Lennart Johansson. Aos 29 anos, o futuro adversário de Havelange na Fifa se encantou para jamais esquecer com o time brasileiro:

"Fizeram a volta olímpica com a bandeira sueca e o rei foi ao gramado para cumprimentá-los. Eu fiquei impressionado com a alegria dos brasileiros. Daquele dia em diante, comecei a entender como eles eram bons."

Fora das quatro linhas, o reconhecimento custaria mais caro.

Deputado

Daquela vez, o chamado ao Palácio do Catete não era assunto da Viação Cometa. Era uma convocação política de JK:

— Havelange, a capital vai mudar, vamos ter um novo estado e preciso ter amigos nele. Eu queria que você fosse deputado, federal ou estadual.

— Mas presidente, eu não faço política, não quero fazer. Não é a minha finalidade.

Juscelino se referia à transformação do então Distrito Federal no estado da Guanabara. Insistiu no convite, mas Havelange continuou resistindo. Em outra convocação, dias depois, novo pedido de JK. Nada. No terceiro encontro, Havelange não teve mais como dizer não e aceitou ser candidato a deputado constituinte pelo PSD de Juscelino.

Havelange nunca fizera questão de ser popular, no sentido eleitoral da palavra. Já naquela época, muito pelo contrário, antecipava a postura pública que teria como presidente da Fifa. Quando fosse aos estádios, geralmente acompanhando reis, presidentes e outras altas autoridades, estaria sempre no lugar mais nobre da tribuna, mas sempre da forma mais discreta possível e fiel a uma máxima que o jornalista Telmo Zanini conheceu anos depois nos corredores da CBD:

"A máxima do Havelange era de que dirigente que vai a estádio de futebol para aparecer acaba sempre vaiado e tomando um coro de filho-da-puta."

O próprio JK fora beneficiário, em duas ocasiões, do cuidado extremo de Havelange com a exposição pública. Na primeira, um jogo da seleção no Maracanã, antes da Copa de 1958, Juscelino queria entrar na tribuna de honra antes dos times, mas Havelange não deixou e o reteve na área onde era servido um lanche:

— O senhor não vai. Fique aqui no serviço de lanche. O senhor pode ser vaiado e nunca mais vai me esquecer. O senhor entrará quando os dois times entrarem. Se vaiarem ou aplaudirem, o senhor não saberá se é para o senhor ou não.

No outro jogo, mais um amistoso da seleção, Juscelino chegara a aceitar um convite para hastear a bandeira do Brasil no meio do campo. Havelange, mais uma vez, não deixou, relatando ao presidente o dia em que, ao aceitar convite semelhante em um jogo em Belém do Pará, fora atingido em cheio por uma laranja podre.

Além de ser amigo de Havelange, JK já era atento à capacidade mobilizadora e ao poder do futebol. Ele promovera uma delicada troca de ministros durante a Copa da Suécia e a imprensa, enfeitiçada pela cobertura da competição, não dera muita atenção ao que poderia ter se tornado uma crise política. Do episódio nasceu um famoso comentário de Juscelino para Havelange:

"Havelange, quando é que vai ter outra Copa? Eu tenho que fazer umas mudanças, mas preciso de tranqüilidade e pouca repercussão."

Na avaliação de Raphael de Almeida Magalhães, então um poderoso e influente secretário do governo Carlos Lacerda, Havelange não precisava temer laranjas podres ou derrota naquela campanha para deputado da Guanabara. Seu nome estava associado à conquista da Copa e à recuperação da auto-estima brasileira:

"Era uma hora em que o Brasil estava com muita confiança em si mesmo, havia um desenvolvimentismo pleno. Tudo isso se encaixou muito no que o Havelange fez. O Rio era a cidade do futebol, ele tinha tido uma trajetória de muito sucesso e ninguém achou que ele poderia perder."

Pois perdeu.

Havelange fez campanha na região do centro do Rio, entre a área portuária e o bairro do Santo Cristo. Teve pouco mais de 6 mil votos, mas sempre achou que teve muito mais:

"A contagem era a lápis. Apagaram meu número na cédula e botaram o nome de outro candidato. Cheguei a ser avisado de que meus votos estavam desaparecendo, mas o partido não colocou uma equipe de fiscais para trabalhar para mim."

Raphael de Almeida Magalhães teve outra explicação para o insucesso de Havelange nas urnas:

"Havelange concorreu por um partido que não era forte no Rio. Por isso, foi vítima da polarização política entre PTB e UDN no estado. Se ele fosse candidato por um dos dois, seria certamente eleito."

Para o amigo Carlos Tavares, o revés eleitoral se deveu ao fato de Havelange não ter se dedicado integralmente à campanha e também à imagem de "paulista" que ele tinha:

"O João era um paulista aqui no Rio. Toda a carreira dele foi feita em São Paulo. Como ele contemporizava com o Paulo Machado de Carvalho, o Feola, os jogadores de São Paulo e o próprio Pelé, os cariocas achavam que o João era de lá."

Em qualquer hipótese, a rara experiência de derrota, além de fazer aumentar ainda mais a ojeriza do ex-futuro deputado à política partidária, salvou Havelange de uma série de problemas:

"Se eu fosse eleito, com a revolução que veio depois, faria um discurso a favor do Juscelino e você já viu pra onde é que eu ia. Deus botou a mão. Assim, não me meti nessa."

Só nessa.

CAPÍTULO 4

Esquerda, direita

Braga

— Vou me demitir.

A decisão do amigo Antonio Carlos de Almeida Braga, então presidente do recém-fundado Banco do Estado da Guanabara, o BEG, surpreendeu Havelange, num encontro que os dois amigos tiveram no Rio, no início de 1961:

— Mas o que foi, Braga?

— Tem um processo na mesa do Jango para homologar um aumento de capital do banco. Ele não homologa de maneira nenhuma. Já está assinado por todo mundo, menos por ele.

Havelange apenas ouviu e não fez nenhum comentário. Por trás do encalhe do processo do BEG na gaveta do presidente da República, travava-se a guerra política, administrativa e ideológica que desaguaria no golpe militar de 1964. De um lado, o presidente João Goulart. Do outro, seu mais ferino e brilhante inimigo, Carlos Lacerda, governador da Guanabara e chefe de Braga.

Havelange já exercitava, na época, o que para a maioria de seus amigos foi a mais extraordinária de suas habilidades: transitar com desenvoltura e suavidade pelos corredores do poder, independentemente do partido, do regime, do rei ou do ditador da vez. Sem que Braga soubesse, ele comprou uma passagem para Brasília e pediu uma audiência com João Goulart. Ao ser recebido no Palácio do Planalto, quando ensaiava uma introdução do assunto, o presidente tirou da gaveta uma pasta e sentenciou:

— Eu sei o que é. Mas para aquele filho-da-puta eu não assino.

Ao lembrar os detalhes do encontro, mais de quatro décadas depois da reação agressiva de Goulart a Carlos Lacerda, Havelange disse que reagiu com um protesto:

— João, quando estou com Carlos, nunca permito que ele se dirija assim à sua pessoa. Eu te pediria para ficarmos dentro do nosso conceito.

Jango se acalmou. E Havelange perguntou:

— Me diz uma coisa: hoje em dia, quando você sai de Brasília, pra onde é que tu vais com a Maria Tereza, o Joãozinho e a Denise?

— Lógico que eu vou para o Rio.

— E é assim que tu gostas da cidade que te acolhe e que te trata tão bem?

A abordagem afetiva da questão acabaria amolecendo o presidente. Em poucos minutos, quando Goulart já estava assinando a homologação do BEG, houve mais um pedido: que ele liberasse o processo assinado ali mesmo, para que Havelange tivesse tempo de levar pessoalmente a papelada à Imprensa Oficial. Era preciso estar tudo publicado no *Diário Oficial* da União. E Havelange, por conta dos ingressos de cortesia que costumava distribuir nas repartições públicas em semanas de jogos importantes no Maracanã, tinha ótimas relações com os diretores da Imprensa Oficial:

"Me adoravam lá."

Ele chegou em cima da hora do fechamento do *Diário Oficial*, mas garantiu a publicação do decreto de homologação. No dia seguinte, por volta das 9h, os amigos da Imprensa Oficial entregaram a Havelange seis exemplares do *Diário Oficial*, a tempo para que ele embarcasse de volta para o Rio no vôo das 11h e fizesse ao amigo Braga uma surpresa que ele jamais esqueceria.

Almeida Braga se tornaria, nas décadas seguintes, um dos mais poderosos banqueiros brasileiros. Seria também um dos amigos empresários que não faltariam, quando Havelange precisasse de ajuda financeira ou de facilidades, para empinar os "papagaios" da CBD ou para enfrentar o dinheiro da Adidas e o inglês Stanley Rous, na disputa pela presidência da Fifa, em 1974. Em dezembro de 2005, ao lembrar o início da amizade e o gesto de Havelange na crise do BEG, Almeida Braga deu uma pista para quem quisesse decifrar a mística de poder que se criou em torno do amigo:

"O João sempre foi muito prestativo. E, volta e meia, também precisava de ajuda na hora dos eventos, instalações, passagens aéreas e outras facilidades. Mas eram sempre coisas muito corretas, nada de irregular ou ilegal. O resultado era que muita gente achava que era o João ou a CBD quem pagava. Mas eram os amigos que ele sempre teve."

Bolas e sapos

O exemplo mais cristalino da facilidade com que Havelange transitava de um lado a outro do conturbado espectro político e partidário do Brasil do início dos anos 1960 foi o convite que ele recebeu, logo depois de ser derrotado como candidato de Juscelino à Assembléia Constituinte da Guanabara. O governador Carlos Lacerda, adversário de JK, convidou Havelange para ser secretário estadual de Esportes e, inicialmente, também recebeu um não. Ao chegar em casa, no Leblon, no final de um dia normal de trabalho na CBD, Anna Maria tinha um recado de Olga, a mãe de Lacerda.

Com a intimidade de famílias que eram amigas desde o tempo em que Carlos e João freqüentavam o mesmo colégio, o Liceu Francês, Olga insistiu, a pedido de Lacerda, para que Havelange aceitasse o convite. A resposta também foi íntima:

— Não quero. Teu filho tem um gênio de cão e nós vamos nos atracar.

A família Lacerda não desistiu. No dia seguinte, foi a vez de Letícia, a mulher do governador. Havelange, balançado, resolveu então marcar um encontro com Lacerda e aceitou o convite sob condições:

— Eu fico contigo, mas não sou essa gente que anda aí à tua volta. Não quero nada com política. Nem carro oficial. Você me deixa em paz que eu vou fazer.

Para o então secretário de Governo Raphael de Almeida Magalhães, fazia muito sentido o estado da Guanabara ter uma Secretaria de Esportes, assim como fazia sentido mobilizar "um personagem vitorioso do esporte como Havelange". A primeira intervenção do novo secretário, no entanto, na lembrança de Raphael, foi "extremamente dura". Um inquérito administrativo, a cargo do engenheiro Emílio Ibrahim, presidente da Adeg, o órgão administrativo que cuidava do Maracanã, para acabar com desvios, desperdícios e má gestão:

"O Ibrahim fez um inquérito muito forte, muito pesado, demitiu muita gente. Não pegou gente baixa, mas cargos importantes."

Uma vez por mês, o secretariado de Carlos Lacerda se reunia num bairro da cidade para audiências públicas. E quem fazia um sucesso "espantoso", na lembrança de Raphael de Almeida Magalhães, era o secretário Havelange:

"Ele aparecia lá com um mar de bolas. Bola de voleibol, bola de futebol e de tênis. Ele juntava uma molecada e distribuía."

Havelange acabava sendo seguido por uma pequena multidão de crianças aos gritos de "tio, tio". E se emocionava com a reação delas:

— Raphael, olha a felicidade desses meninos!

A enorme quantidade de material esportivo que Havelange distribuía, segundo Raphael, não era paga com dinheiro público. Vinha de doadores privados de bolas, camisas e chuteiras. Comerciantes cuja generosidade era despertada quase compulsoriamente pela dupla condição de Havelange de secretário estadual e presidente da CBD. E multiplicada pelo fato de a equipe de Havelange na secretaria ser a mesma da CBD.

Quem não daria bola para os meninos?

Foi na gestão de Havelange como secretário que o Maracanã recebeu um grande programa de recuperação estrutural, tido por muitos como a efetiva conclusão da obra entregue ao público em 1950. E foi também durante essa experiência de secretário que Havelange caminhou sobre os fios desencapados da polêmica da remoção das favelas. Sua idéia era construir centros de esportes nas áreas que já estavam sendo ocupadas por barracos. Em 2005, a lembrança da batalha perdida continha uma referência irônica à interminável guerra de traficantes nas favelas cariocas:

"Eu procurava terrenos de 100 por 150 metros para fazer campos, quadras e piscinas. Não consegui convencer ninguém, não consegui as verbas e a idéia morreu. Se eu tivesse feito, muitas coisas que estão acontecendo hoje no Rio poderiam ter sido evitadas."

Rebu

Um tumulto histórico na tribuna de honra do Maracanã, provocado premeditadamente por Havelange, marcou o início do fim de sua experiência de governo. Em setembro de 1963, num jogo do Brasil contra Portugal, com a presença de Carlos Lacerda, Havelange mandou imprimir um lote inteiro de convites para lugares já ocupados na tribuna, quando se deu conta de que seu maior patrimônio, os convites para o futebol, estava começando a ser chamuscado na fogueira da política.

Emílio Ibrahim, levado à presidência da Adeg por Havelange, criara luz própria com o banho de eficiência, profissionalismo e moralidade que tinha sido dado no Maracanã. Nas palavras de Raphael de Almeida Magalhães, que ficou do lado de Emílio no episódio, "Ibrahim tinha feito uma espécie de blindagem, de que era intocável na administração do Maracanã, como se o estádio fosse dele e não do Havelange".

Havelange vinha até aceitando que Ibrahim capitalizasse politicamente os feitos da nova administração do Maracanã, o pioneirismo da criação da Fundação de Apoio ao Atleta Profissional, a Fugap, experiência inédita de previdência para os jogadores de futebol brasileiros, e outras realizações da Secretaria de Esportes. Mas, nos dias que antecederam o jogo contra Portugal, a luz amarela acendeu quando Havelange pediu os convites da tribuna e Emílio Ibrahim se recusou a entregá-los, dizendo que estavam todos com Raphael de Almeida

Magalhães, o secretário que, nas palavras do jornalista Hélio Fernandes, era o "dono do governo Lacerda".

— Quer ir ao jogo?

Com esta pergunta, feita a cada felizardo que surgiu à sua frente na véspera do jogo, Havelange distribuiu rapidamente os 57 convites a mais que mandou imprimir. Na hora da partida, havia no Maracanã um público pagante de mais de 100 mil pessoas e, na tribuna de honra, 114 convidados para 57 cadeiras.

Lacerda não gostava de futebol, mas resolvera comparecer, num gesto de simpatia com a colônia portuguesa no Rio de Janeiro. Havelange ficou no sexto andar, quase escondido, só para saborear a chegada do governador à tribuna. Conhecia o humor do amigo. E viu quando Lacerda, já irritado com o trânsito caótico que o obrigara a abandonar o carro e chegar a pé no estádio, deparou-se com um homem ocupando seu lugar na tribuna, com os pés apoiados no parapeito.

Lacerda deu meia-volta e foi embora.

No dia seguinte, às 8h, Havelange entrou no gabinete do governador e provocou:

— Gostastes do jogo?

— Aquilo é maneira de organizar uma tribuna?

A pergunta levou Havelange a lembrar o acordo que tinha feito com Lacerda sobre os convites da tribuna:

— A tribuna é minha, nós tínhamos um acordo e me fizeram isso.

Lacerda, de acordo com Havelange, chamou Raphael ao Palácio Guanabara e, na frente de Havelange, reclamou:

— Você nunca mais se meta em coisas minhas e do João.

Inútil. Havelange estava já decidido a ir embora:

"Depois daquilo, eu pensei: o Raphael vai fazer de novo e isso eu não quero."

Quarenta e dois anos depois, Raphael disse que a bronca do Palácio não foi com ele, mas com Sebastião Lacerda, irmão e chefe de gabinete do governador. Mas confirmou todo o episódio:

"O Carlos Lacerda ficou absolutamente enfurecido, sentiu-se humilhado. Tinha convidados que ficaram sem lugar. E o Brasil perdeu de 1 a 0 contra Portugal. Aí acho que começou a estremecer a relação dele com o Havelange."

O tapa de luva de Havelange à desfeita patrocinada por Raphael e Ibrahim aconteceria em abril de 1964, quando Lacerda, já sem espaço político no regime militar que ajudara a instalar no país, pediu e teve o apoio de um grupo de deputados estaduais muito ligados a Havelange para fazer Raphael de Almeida Magalhães seu sucessor indireto no governo da Guanabara. Em maio de 1964, já no lugar de Lacerda, Raphael chamou Havelange ao Palácio.

— João, eu queria que você me dissesse o que quer pela gentileza que fez.

— Não quero nada.

Raphael insistiu e Havelange, pensando na tal blindagem que havia sido erguida contra ele e a CBD no Maracanã, reconsiderou:

— Eu tenho uma bola e ela está na marca do pênalti.

— Quem é a bola?

— Você chuta e depois eu te digo quem é.

Raphael insistiu muito, até Havelange levantar a dita:

— É o Emílio Ibrahim. Eu tenho um convênio da CBD com o Maracanã e ele não quer assinar. Você pede pra ele assinar. Se não assinar, você demite.

Emílio Ibrahim não assinou. E foi demitido, para surpresa de boa parte da imprensa esportiva do Rio, sua aliada no desafio ao então secretário Havelange. Armando Nogueira, histórico crítico de Havelange, escreveu no *Jornal do Brasil* do dia 28 de maio de 1964:

"Nunca me ocupo de política e é certamente por isso que não consigo entender jogadas como essa que afastou da presidência do Maracanã o engenheiro Emílio Ibrahim."

Sete anos depois daquela derrota do Brasil para Portugal no Maracanã, as divergências com Havelange ainda pesavam no currículo de Emílio Ibrahim, pelo menos nos bastidores da política da Guanabara. Logo depois de ser eleito indiretamente governador da Guanabara pelo MDB, em 1970, Antonio de Pádua Chagas Freitas ligou para o presidente da CBD. Segundo Havelange, o diálogo foi o seguinte:

— Doutor Havelange, eu queria nomear o Emílio Ibrahim secretário de Obras, mas soube que o senhor teve um problema com ele. Se o senhor não me der sinal verde, eu não nomeio.

— Governador, não tenho nada com isso. Não sou político.

— Mas é a minha decisão.

— O que eu posso lhe dizer é que ele é um grande técnico, um administrador formidável.

— Mas eu quero seu sinal verde.

— Está bom, o senhor tem o meu sinal verde.

— O senhor iria à posse dele?

Havelange não foi à posse. Ficou de fazer "uma visita".

Procurado em 2005, Emílio Ibrahim, já retirado da vida pública, não quis dar entrevista.

Surtos

No intervalo de quase quatro anos entre a festa de Estocolmo e os meses decisivos de preparação para a Copa de 1962, no Chile, Havelange fez de tudo para continuar em uma posição de equilíbrio entre a confiança não muito entusiasmada dos paulistas e a contrafeita resignação dos cariocas com a perda da antiga hegemonia no futebol.

Apesar de preocupado em não provocar curtos-circuitos irreversíveis com Paulo Machado de Carvalho, reconduzido ao cargo de chefe da delegação brasileira, Havelange chegou a viajar para a Itália, onde se empenhou e conseguiu que o atacante Amarildo, vendido pelo Botafogo ao Milan e convocado para a seleção brasileira, fosse liberado pelo time italiano.

A poderosa apólice de seguros que os italianos exigiram para todas as possibilidades de risco com Amarildo no Chile não foi problema. A Cometa era um dos bons clientes que a gigante italiana do setor, a Generalli, tinha no Brasil. Outra iniciativa internacional de Havelange, no entanto, não deu certo. Ele foi a Buenos Aires propor ao presidente da Associação de Futebol Argentina (AFA) um jogo amistoso que fosse um bom treino para as duas seleções, antes da Copa. O argumento de Havelange:

— Se você ganhar, é porque você está bom e eu tenho que prestar atenção no meu time. Se eu ganhar, o mesmo acontece com você.

Na hora de responder, o colega argentino cometeu o pecado:

— Espere um instante que eu vou chamar o meu técnico e você fala com ele.

Antes de se retirar da sala e tomar o rumo do aeroporto, Havelange mostrou a dimensão da importância que a hierarquia sempre teve em sua vida:

— Deve estar havendo um engano. Para falar com seu técnico, meu técnico vem do Brasil.

E foi-se. Ao lembrar o episódio em 2005, Havelange perguntou e respondeu:

"O que aconteceu? Fui campeão e ele não foi."

No cenário interno da véspera da Copa, Havelange antecipava, em uma polêmica que se tornou pública nas páginas do jornal *O Estado de S. Paulo,* outra de suas marcas registradas: a de negociador tinhoso que tentava fazer o máximo de dinheiro possível com o futebol. Do outro lado da polêmica estava o aliado Paulo Machado de Carvalho, na desconfortável condição de chefe da delegação brasileira e empresário detentor dos direitos de transmissão para o Brasil da Copa do Chile.

Havelange e seu então fiel superintendente Mozart Di Giorgio reclamavam, na entrevista a *O Estado de S. Paulo*, da "quantia irrisória" que a emissora de Paulo, a TV Record, a TV Tupi e o grupo mexicano Televisa, parceiros de transmissão e contrato, estavam pagando à CBD. A resposta de Paulo Machado foi curiosa: enquanto estivesse à frente da seleção, não falaria como empresário.

Outra rusga entre os dois aliados da chamada "pacificação do futebol" era banal apenas na aparência, já que revelava o apreço sistemático de Havelange pelo exercício de suas prerrogativas de presidente da CBD e pela vigência dos estatutos do futebol. O incidente, registrado no livro *O marechal da vitória*, começou quando a Federação Paulista de Futebol, para fazer um agrado ao duque de Edimburgo, fã de Pelé, marcou uma partida entre Santos e Palmeiras para o dia 18 de março, véspera da decisão do Torneio Rio-São Paulo, entre o mesmo Palmeiras e o Botafogo do Rio.

Havelange não perguntou. Advertiu que o Palmeiras seria punido com suspensão de 60 dias se desrespeitasse o regulamento, que previa um intervalo mínimo de 72 horas entre duas partidas. Paulo Machado, decidido a manter o amistoso, sugeriu um adiamento de alguns dias na decisão do Torneio Rio-São Paulo. Havelange não concordou, argumentando que a própria convocação dos jogadores para a Copa do Chile seria feita dois dias depois da decisão.

Paulo Machado, que o filho Paulinho sempre considerou um homem "também" de estilo autoritário e temperamento forte, fechou o tempo na outra ponta da Via Dutra: se a punição fosse mantida, Palmeiras e Santos não cederiam seus convocados para a seleção que iria à Copa do Chile, entre eles Pelé.

A corda entre os dois pacificadores do futebol brasileiro estava perto de se romper quando o presidente João Goulart e o presidente do Conselho Nacional de Desportos, João Menezes, entraram em cena com um pedido para que Havelange aceitasse reduzir a pena imposta ao Palmeiras de 60 para 30 dias. Havelange aceitou e a nação, o presidente da República e o duque de Edimburgo torceram à vontade.

Contemporâneos e testemunhas dessa e de outras saias-justas, entre eles o médico Lídio Toledo e os jornalistas Luís Mendes, Sílvio Luiz, Hans Henningsen, o "Marinheiro Sueco", e Carlos Lemos, manifestaram, quatro décadas depois, a mesma impressão: Havelange e Paulo Machado de Carvalho não gostavam de brigar um com o outro. Jogavam muito mais água do que gasolina na fogueira de rivalidades, interesses e ressentimentos que paulistas e cariocas mantinham apenas adormecidos nos corredores da CBD e da Federação Paulista de Futebol.

A brigalhada que eles tentavam administrar só diminuía mesmo, como sempre, de quatro em quatro anos, quando chegava a Copa do Mundo.

Tancredo

— Compre esse lugar e depois da Copa a gente vende.

A reação de Havelange foi imediata quando, do Chile, às vésperas do início da Copa de 1962, Paulo Machado de Carvalho avisou que o Brasil corria o risco de ter que dividir a concentração de Viña del Mar com a seleção uruguaia. A idéia de Havelange era vender o imóvel depois da Copa, perdendo no preço um valor equivalente ao que pagaria por um aluguel. A operação, no entanto, acabou não sendo necessária. O comando da delegação brasileira conseguiu a exclusividade das instalações de uma espécie de clube do Banco do Chile, a uma distância tranqüila de Viña del Mar.

Quem ouvisse a pronta determinação de Havelange para que um hotel fosse comprado no Chile e concluísse que a CBD nadava em dinheiro naquela época estava errando feio. Meses antes, num encontro dele com Tancredo Neves, eleito primeiro-ministro em setembro de 1961 em meio à crise que se seguiu à renúncia do presidente Jânio Quadros, a falta de recursos ameaçava mais uma vez a própria participação brasileira na Copa. Quarenta e três anos depois, o jornalista e publicitário Mauro Salles, à época assessor de Tancredo e autodenominado "coringa" do encontro realizado no apartamento de Tancredo na avenida Atlântica, em Copacabana, lembrou que a situação era difícil:

"A CBD estava sem caixa e o Havelange precisava de dinheiro para preparar a seleção brasileira para ir à Copa."

Tancredo, de acordo com Mauro, fez algo que não costumava fazer. Ao receber Havelange, que estava acompanhado de Abílio de Almeida e de um amigo advogado, Tancredo prometeu.

— Eu vou conseguir. O senhor pode ficar tranqüilo que eu vou conseguir.

E conseguiu, acionando o então ministro da Fazenda, o banqueiro Walter Moreira Salles.

Mais de dez anos depois, Havelange seria chamado por Tancredo ao solar da família Neves em São João Del Rey, Minas Gerais, para ser convidado a suceder Chagas Freitas, pela sigla do MDB, na eleição indireta para governador do estado do Rio. Declinou, mas se tornou um fraterno admirador de Tancredo. O sentimento seria transferido ao neto Aécio Neves, que, em viagens ao Rio, ficava num apartamento do mesmo prédio de Ipanema onde Havelange passou a morar, a partir de 1994.

Chile

Foi mais uma vez em torno de um rádio de válvulas, junto com a família e alguns amigos mais chegados, no apartamento do Leblon, que Havelange acompanhou a conquista do bicampeonato na Copa do Chile, uma competição marcada pela hostilidade entre as torcidas européias e sul-americanas e por muita violência em campo. No caso do Brasil, que estreou com nove jogadores do time campeão de 1958 e sob o comando de Aymoré Moreyra, chamado para técnico depois que Vicente Feola adoeceu, os dramas foram a contusão de Pelé logo no segundo jogo, contra a Checoslováquia, e a expulsão de Garrincha ao revidar uma agressão de Rojas, na semifinal contra os chilenos.

Para a contusão de Pelé não houve jeito, a não ser mandar para campo Amarildo, seu brilhante substituto. Já para a suspensão automática de Garrincha na partida final contra os checos havia uma solução, desde que a súmula do jogo Brasil e Chile não contivesse o registro oficial da expulsão do atacante brasileiro. A operação posta em curso para evitar a menção do episódio na súmula se tornaria uma das mais festejadas cartolagens da história do futebol brasileiro.

"Essa foi o velho."

Paulo Machado de Carvalho Filho confirmou com um sorriso, em 2005, que a ação de bastidores foi comandada por seu pai, fiel ao lema segundo o qual "tirar segundo lugar é o mesmo que perder". Lemas à parte, houve declarações consternadas até dos checos diante da possibilidade de Garrincha, o grande craque brasileiro no Chile, ser excluído da final. Até o primeiro-ministro Tancredo Neves, benfeitor da CBD no governo, enviou carta ao comitê organizador da Copa, pedindo garantias de que "todas as estrelas brasileiras estivessem em campo contra a Checoslováquia", em especial Garrincha, "um extraordinário atleta", cuja disciplina era reconhecida por todos. A distância, Havelange também achava que Garrincha não merecia ser punido:

"Não havia por que suspender o jogador que estava se tornando, como se tornou, indiscutivelmente, o maior jogador daquela Copa. E Garrincha tinha um comportamento excepcional e disciplinado."

A operação para garantir Garrincha na final contou com a decisiva participação do árbitro João Etzel Filho, húngaro naturalizado e representante brasileiro naquela Copa. Conhecido pela maneira flexível com que interpretava o conceito de imparcialidade em campo, João Etzel convenceu o bandeirinha uruguaio Esteban Marino a não registrar oficialmente a expulsão de Garrincha.

Mais de uma dezena de fontes jornalísticas e bibliográficas indicam que Esteban não foi convencido apenas pelo poder de persuasão de João Etzel Filho. Qualquer que tenha sido o motivo, o fato é que grande parte dos jornalistas brasileiros aprovou a nebulosa absolvição possibilitada pela ausência de Esteban Marino. Um deles, Luís Mendes, lembrou, em 2005, que o revide de Garrincha se seguiu a uma humilhante cusparada de Rojas que o árbitro da partida, o peruano Arturo Yamasaki, não viu. E testemunhou:

"A crônica aprovou plenamente, porque o Garrincha tinha agido normalmente. Por que o cara que cuspiu nele não saiu de campo? Eles queriam tirar nosso melhor jogador, que estava desequilibrando a favor do Brasil. Eu próprio apoiei. E não vejo nenhuma desonestidade nessa aprovação."

Zagallo também não teve queixas:

"Eu sei que deram um sumiço no bandeirinha, para ele não assinar a súmula. Para nós, foi ótimo, porque a intranqüilidade passou para o adversário, com o Garrincha em campo."

Os checos não sabiam, mas Garrincha entraria em campo para o jogo final, do dia 17 de junho, no Estádio Nacional de Santiago, diante de 71 mil torcedores, com 39 graus de febre. Mesmo debilitado, durante 90 minutos, alugou a marcação de três jogadores adversários com gingas de corpo e ensaios de arrancadas. E abriu caminho para Amarildo e Vavá marcarem os gols do 3 a 1 do bicampeonato.

— Doutor Havelange, campeão ou vice-campeão, o presidente da República quer receber o time.

O pedido do assessor de João Goulart continha um desafio à habilidade política de Havelange — então acumulando o cargo de presidente da CBD com o de secretário de Esportes do governo Lacerda —, e um pepino aeronáutico para o comandante Guilherme Bungner, encarregado de pilotar o DC-8 prefixo PP-PDH da Panair do Brasil que levaria a seleção de volta para casa. Para resumir o tamanho da saia-justa entre o compromisso de levar os bicampeões para a recepção preparada por Lacerda no Palácio Guanabara, no Rio, e também à festa que o inimigo Jango preparava em Brasília, Havelange chegou a brincar com Raphael de Almeida Magalhães:

— Era melhor ter perdido a Copa.

Para o comandante Bungner, ex-nadador do Flamengo, adversário nas piscinas, mas amigo de Havelange fora delas, não era a saia que era justa. Era a pista do recém-inaugurado aeroporto de Brasília, ainda inacabada e pequena demais para o pesado quadrimotor da Panair. Pelo telefone, Havelange consultou Bungner ainda em Santiago:

— Dá, Bungner?

— Deixa comigo, Havelange. Em vez de deixar deslizar, eu jogo o avião na pista e freio bastante. Vou dar um susto no Jango, mas não se preocupe.

Deu tudo certo. Às 3h30 da tarde do dia 18 de junho, os portões do Palácio da Alvorada se abriram, pela primeira vez na história de Brasília, para uma multidão calculada em 8 mil pessoas, entre homens, mulheres, crianças, candangos e políticos. Jango, de acordo com Havelange, não estava com a menor pressa. E os bicampeões acabaram chegando ao Palácio Guanabara para encontrar suas famílias e os convidados de Lacerda só depois de 22h, após outra festa demorada nas ruas do Rio de Janeiro. Na sacada interna do palácio, Lacerda esperou Havelange ficar mais próximo para dar uma bronca disfarçada de sorriso:

— Porra, João! Agora?

— O que você quer que eu faça, Carlos? Presidente é presidente.

Havelange viu Jango e Lacerda repetirem JK, que seria repetido por todos os futuros presidentes da República civis e militares que tiveram a sorte de festejar, no poder, de forma sincera ou nem tanto, as conquistas do futebol brasileiro. Havelange também foi testemunha de que os bicampeões recebidos em festa repetiam o perfil médio socioeconômico e cultural do time de 1958, e que, com poucas variações, seria repetido nas seleções futuras, de Pelé a Ronaldo Nazário.

O abismo social descrito no relatório sigiloso que Havelange fizera circular na CBD, ao assumir a presidência da entidade, quatro anos antes, continuava. Para alguns, o relatório, ao não fazer muita distinção entre cor da pele e miséria, era um diagnóstico e também um tratamento elitista e conservador dos reflexos das contradições sociais brasileiras no futebol. Negar os problemas apontados por ele, no entanto, era como esconder o termômetro para acabar com a febre.

O cenário de contrastes entre os que jogavam e os que dirigiam o futebol ficou mais evidente do que nunca nos primeiros meses de funcionamento da Fundação de Garantia do Atleta Profissional, a Fugap, instituição pioneira de previdência, criada por Carlos Lacerda com a participação de Havelange. Os recursos da Fugap vinham de uma porcentagem de 8% do preço dos ingressos cobrados nos estádios administrados pelo governo da Guanabara.

Além de garantir uma aposentadoria, a Fugap tinha como missão preparar os jogadores para novas profissões. Um dos primeiros cursos, com alto índice de procura e feito praticamente às escondidas, era o de alfabetização. Entre as profissões escolhidas para o futuro, as mais comuns eram a de técnico de futebol e motorista de táxi.

Existe, desde 1959, no cemitério de São João Batista, na Zona Sul do Rio, o que Havelange chama de "o túmulo da CBD", comprado em sua gestão e desde então sepultura de alguns atletas, jornalistas e amigos que não tiveram quem lhes pagasse a última despesa. A idéia do mausoléu surgiu durante o Pan de Chicago, em 1959, quando um atleta da delegação brasileira, remador, apareceu morto na vila olímpica. Foi Havelange quem tomou todas as providências para que o atleta fosse sepultado no Brasil. Em 2005, ao explicar o orgulho pela criação do mausoléu, ele ensinou:

"A isso eu chamo, também, administrar."

O parque da discórdia

Sem querer, por causa da fenomenal elasticidade de seu círculo de relações pessoais, Havelange articulou um encontro que seria o primeiro capítulo de uma das mais ferozes inimizades da elite brasileira dos anos 1960. Atendendo a um pedido de Roberto Marinho, Havelange, então secretário de Esportes, levou o proprietário do jornal *O Globo* ao gabinete de Carlos Lacerda, no Palácio Guanabara.

Roberto Marinho, em sociedade com o senador Arnon de Mello, pai do futuro presidente Fernando Collor de Mello e amigo de Havelange, pretendia construir um condomínio de luxo em uma área que fora propriedade de Henrique Lage, uma vasta porção preservada de mata atlântica na rua Jardim Botânico, Zona Sul do Rio.

Lacerda não concordou com o projeto. Roberto Marinho não gostou e, meses depois, não apoiou o projeto de Carlos Lacerda: ser presidente da República. No início do segundo semestre de 1964, já quando a possibilidade de candidatura se evaporava de vez, asfixiada pelo endurecimento do regime militar, Lacerda resolveu dar o troco: em junho de 1965, por meio da imprensa, denunciou como ilegais as relações entre a TV Globo e o grupo Time-Life. Depois, em 20 de setembro de 1965, desapropriou a área que pertencia a Roberto Marinho e a Arnon de Mello, dando a ela o nome de Parque Lage.

Lacerda passou a chamar Roberto Marinho de "Al Capone da imprensa". Roberto Marinho, em troca, chegou a escrever um texto para ser transmitido pela TV Globo, citando um laudo psiquiátrico que diagnosticava uma suposta psicose maníaco-depressiva de Carlos Lacerda. Desistiu na última hora. O clima quente levou Arnon de Mello a deixar a sociedade com Roberto Marinho, o que foi considerado uma traição que retardaria o apoio do dono da TV Globo à candidatura presidencial de Fernando, vinte e cinco anos depois.

No auge da guerra, Roberto Marinho chegou a partir armado para a casa de Lacerda. Entrou no prédio do desafeto e tocou a campainha com o revólver em punho. Lacerda, alertado a tempo, tinha acabado de sair.

Quatro décadas depois do incêndio, Havelange ainda não gostava de falar muito no assunto.

Castelo

"A gente não vai deixar de jogar a Copa do Mundo porque mudou o governo. Governo é governo. Paciência."

Assim Havelange disse ter reagido, entre os íntimos, aos acontecimentos que culminaram na deposição de João Goulart pelos militares, em março de 1964. Ele morava no Leblon e disse que acompanhou a crise política "pacificamente", em casa, sem se envolver. Garantiu também, rindo, pelo absurdo, que não estava entre os seguidores de Carlos Lacerda que chegaram a esboçar a formação de uma milícia para defender o Palácio Guanabara de um possível cerco das tropas leais a Jango.

Não demorou muito, porém, para que os novos tempos da política batessem à sua porta. No caso, na forma de uma convocação para comparecer à sede da Caixa Econômica Federal, no Rio, para prestar esclarecimentos sobre o financiamento do apartamento em que morava, na avenida Visconde de Albuquerque. O contrato do financiamento, segundo Havelange, levava a assinatura do presidente Juscelino Kubitscheck, e um coronel do Exército queria saber a razão.

Havelange foi à sede da Caixa, mas levou junto com ele, à paisana, o general Edgar do Amaral, um de seus amigos no Exército. No encontro, Havelange disse que o coronel, cujo nome não guardou, leu trechos do contrato e perguntou por que o documento estava assinado pelo presidente JK. A resposta e o desfecho, segundo Havelange, foram rápidos:

"Eu disse que era uma determinação da época. O coronel quis fazer mais uma crítica. Eu disse que não tinha atrasado as prestações do empréstimo um dia sequer e que, por isso, não sabia por que estava lá. Ele não gostou. Aproveitei então para apresentar quem me acompanhava."

O assunto foi dado por encerrado quando, na lembrança de Havelange, o coronel "ficou sem saber o que fazer" depois de ser apresentado ao general.

Em junho de 1965, houve um momento em que foi Havelange quem bateu à porta do regime militar, por um motivo que não tinha qualquer relação com as questões da CBD e do Conselho Nacional de

Desportos. Aconteceu logo depois de José Ermírio de Morais Filho, o amigo dos tempos de São Paulo, ligar às lágrimas para ele, na sede da CBD da rua da Alfândega:

— João, eu estou com um problema delicado de família. Querem cassar meu pai, usando como pretexto os votos que ele recebeu dos comunistas de Pernambuco.

José Ermírio de Morais, o pai, fundador do grupo industrial que se tornaria o maior conglomerado do país, começara na política em outubro de 1962, elegendo-se senador por Pernambuco na legenda do Partido Trabalhista Brasileiro, o PTB, e financiando a aliança de forças nacionalistas e de esquerda que levara Miguel Arraes ao governo daquele estado. Chegara a ser ministro da Agricultura do governo João Goulart, encaminhando, nessa época, a aprovação pelo Congresso do Estatuto do Trabalhador Rural, que regulava os contratos e as relações de trabalho entre empregadores e empregados rurais. Após o golpe militar de março de 1964, já de volta ao Senado, José Ermírio se tornara presidente nacional do PTB.

Era um tempo em que o general Castelo Branco despachava também no Palácio das Laranjeiras, no Parque Guinle, Zona Sul do Rio. Havelange foi direto ao palácio. Quarenta anos depois, ele se lembrou que Castelo Branco o recebeu de forma fraterna, mãos cruzadas nas costas:

— Doutor Havelange, o que o traz aqui?

— Presidente, é o doutor José Ermírio de Morais, pai de um grande amigo meu. Parece que a Revolução vai cassá-lo por causa do voto dos comunistas. Eu pediria ao senhor que não fizesse isso com o maior industrial do país, um homem que emprega milhares de pessoas e que tem uma responsabilidade imensa. Não seria bom para a imagem do nosso país.

Castelo pediu que Havelange voltasse a procurá-lo num prazo de três semanas. Na data marcada, mais uma vez no Palácio das Laranjeiras, ao ser recebido pelo general no gabinete, Havelange disse que se antecipou:

— Presidente, antes de mais nada, eu queria dizer ao senhor que respeito qualquer decisão sua, porque eu nem tinha o direito de vir aqui fazer um pedido dessa natureza porque não sou nada.

Castelo foi à sua mesa de trabalho, localizou a pasta, pegou o processo, o exibiu para Havelange se certificar de que se tratava dos papéis da cassação de José Ermírio de Morais, e os rasgou, comentando:

— Esta é a minha decisão, doutor Havelange.

José Ermírio de Morais ainda permaneceu no cargo de presidente do PTB até outubro de 1965, quando todos os partidos foram extintos.

Conselhos no exílio

De volta dos Jogos Olímpicos de Tóquio, no final de outubro de 1964, Havelange e Anna Maria fizeram escala em Paris. Na cidade, ele convidou Juscelino e Sara para jantar. JK aceitou na hora e chamou Havelange para uma escala em seu apartamento, para um *drink* e uma conversa. Ao chegar no apartamento, Havelange encontrou um JK decidido a voltar para o Brasil:

— Tenho recebido cartas de amigos e correligionários me dizendo que isso vai acabar e eu vou voltar.

"Isso" era a situação política imposta pelo golpe militar, responsável pela saída humilhante de JK do país, cassado, em 14 de junho daquele ano. Preocupado e mais pragmático do que nostálgico, Havelange arriscou uma sugestão:

— Presidente, acho que não. Acho que a situação está um pouco diferente.

Juscelino insistiu em que havia um clima político favorável. Havelange apelou então para as estatísticas:

— Presidente, quantos brasileiros o senhor acha que estão em Paris neste momento?

— Deve ter uns 15 mil.

— E quem veio te ver aqui neste apartamento?

— Você e a Anna Maria.

Juscelino entendeu o recado, mas mudou de assunto. Na mesma época, em conversa com Osvaldo Orico, escritor e diplomata, JK dissera que preferiria "estar preso num quartel no Brasil do que longe da pátria". O exílio, no entanto, duraria 976 dias, interrompidos por duas voltas ao Brasil, uma delas para depor nos inquéritos policiais militares produzidos contra ele pela ditadura. Foi quando, consternado com os humilhantes interrogatórios a que JK estava sendo submetido, um oficial do Exército amigo de Havelange o procurou com um pedido:

— Doutor Havelange, não tocaram no Juscelino, mas deixaram ele em pé o dia todo. Está com as pernas inchadas, problema de circulação, e isso é um perigo. O que nós podemos fazer?

Havelange era amigo do general Syzeno Sarmento, comandante do 1º Exército. E foi uma das pessoas que intercederam para que JK fosse poupado daquele sofrimento físico e moral, "num quarto infecto, um cubículo com privada sem tampa e goteiras pingando dia e noite" — nas palavras do médico de Juscelino, Aloysio Salles —, e fosse liberado pelos militares para voltar a Paris.

Ainda durante os inquéritos, num encontro casual com um cabisbaixo JK, no centro do Rio, Havelange ouviu um lamento do amigo.

— João, todo mundo agora diz que meu governo era de ladrões.

— Deixa eu te perguntar uma coisa: à parte os ministros e os auxiliares diretos, o senhor tinha quantas pessoas nomeadas trabalhando no seu governo?

— Umas 20 mil...

— Se alguém nomeado por essas pessoas faz algo de errado, o senhor não tem nada a ver com isso. Esqueça isso ou o senhor vai ficar maluco.

No dia 22 de agosto de 1976, Havelange sofreria um baque duplo ao desembarcar na Guiana Inglesa, já como presidente da Fifa. À sua espera, o secretário da embaixada brasileira:

— Doutor Havelange, o presidente Juscelino morreu num desastre na estrada. Um ônibus pegou o carro dele.

Ônibus da Viação Cometa.

Havelange ficou arrasado. E o resto da vida indignado com a teoria segundo a qual o ônibus da Cometa foi parte de um atentado contra Juscelino.

De João Goulart, Havelange guardou, como última imagem, num encontro que tiveram em 1965, a amargura do exílio. Na viagem que fez ao Uruguai para acompanhar, como presidente da CBD, o Campeonato Sul-Americano de Remo, Havelange decolou do Rio num jatinho e pousou em Montevidéu. Na capital uruguaia, acompanhado de Maurício Alencar, outro amigo do presidente exilado, entrou num carro que o levou até a estância de Jango.

"Eu queria saber como ele estava."

Não fora a política que os fizera amigos fraternos, mas, como sempre, a bola. A tal ponto que, às vésperas da Copa de 1962, ambos tinham se permitido uma conversa de botequim em torno da seleção ideal para conquistar o bicampeonato. Havelange assistia à final do Campeonato Brasileiro de Futebol de Salão no Maracanãzinho, quando um funcionário do ginásio disse que o presidente o chamava ao telefone. Ele atendeu, achando que era trote de amigo, às 15h:

— Alô, aqui é Havelange. Quem é que está falando? O que você quer pra me aporrinhar a essa hora?

— Havelange, quem está falando é o presidente João Goulart.

À surpresa da revelação seguiu-se um constrangido pedido de desculpas, recebido fraternalmente por Goulart:

— Eu queria que você viesse ao Palácio. Estou aqui no Laranjeiras.

Havelange encontrou Jango na varanda reservada do Palácio, com o pé sobre uma mesa, devido ao seu "joelho duro".

— Havelange, tu sabes que eu fui jogador?

— Eu sei que tu jogastes no Internacional. E parece que jogavas bem.

— Eu tenho uma idéia. Vou te dar a seleção.

Havelange percebeu que ia começar uma sessão de palpites presidenciais e interrompeu, provocador:

— Eu vou fazer o seguinte: tiro o Carlos Nascimento da comissão técnica, boto você e tu escalas o time.

Goulart deu uma gargalhada e insistiu:

— É só uma idéia...

— Eu sei que você entende. Eu vou te ouvir mas não vou mexer.

A conversa prosseguiu por mais algum tempo, prazerosamente inútil. Quarenta anos depois, ao lembrar com carinho o relacionamento fraterno com o ex-presidente, Havelange não fez qualquer menção aos atos e decisões políticas com as quais Jango ajudou a empurrar o país para a polarização política e o golpe:

"Eu gostava muito do Jango. Uma intimidade e um bem-querer imenso que você não pode imaginar."

Os planos de Yolanda

Havelange nunca tinha estado com o presidente Costa e Silva até ser chamado ao Palácio do Planalto para tratar de um assunto que só conheceu na hora do encontro:

— Doutor Havelange, eu queria fazer a Loteria Esportiva. Minha senhora vai ter uma instituição e uma porcentagem vai ser dada a esta instituição. Eu precisava conhecer todos os estudos e documentos, e tive conhecimento de que o senhor tem todos eles.

Havelange tinha conhecimento dos estudos, feitos por Cláudio Rocha, advogado do próprio Havelange e do Comitê Olímpico Brasileiro, sobre os aspectos jurídicos de uma loteria vinculada ao futebol. Mas não lhe agradava envolver a instituição da CBD naquela iniciativa de governo. Era exatamente o que pretendia o general, mas Havelange resistiu:

— Presidente, eu estou afastado disso. Eu lhe pediria que me deixasse fora disso.

Costa e Silva repetiu o pedido. Havelange continuou resistindo, argumentando que não queria envolver a CBD em nada que se referisse a jogos de azar. Costa e Silva, então, mudou o tom da conversa:

— Doutor Havelange, o presidente da República lhe determina que traga, em até 48 horas, toda a documentação.

Críticos de Havelange como João Máximo, Juca Kfouri, Brian Glanville e Andrew Jennings, acompanhados de uma parte das redações esportivas do Brasil, sempre chamaram atenção para o que classificaram de grande afinidade entre ele e os governos militares. Como se toda vez que a democracia saísse por uma porta, nos gabinetes do poder, Havelange entrasse pela outra. E vice-versa.

Ao discordar, Havelange citou o "ótimo relacionamento" que teve com Juscelino Kubitscheck, João Goulart, Tancredo Neves, Carlos Lacerda, Emílio Médici, João Figueiredo, José Sarney e Fernando Collor, para ficar apenas nos presidentes e governadores com os quais ele teve contato mais estreito, e cujos governos foram inequivocamente diferentes, no que diz respeito ao nível de democracia.

A chave, tanto para abrir os gabinetes presidenciais, como para entender o desafiador leque de convivência política e ideológica que Havelange costurou ao longo de décadas, foi sempre, segundo ele, o poder do futebol e as amizades que ele sempre cultivou na elite brasileira. Ou estes dois fatores providencialmente combinados.

Naquele mesmo governo Costa e Silva, as boas relações do então presidente da CBD com o banqueiro e então ministro das Relações Exteriores, José de Magalhães Pinto, um dos líderes civis do golpe militar, fora decisiva para a transferência de um diplomata amigo de Havelange, Aluízio Napoleão, da embaixada brasileira em Teerã – notório castigo do Itamaraty – para a aprazível Estocolmo, a menos de duas horas de Paris. O mesmo Aluízio Napoleão que, alguns anos depois, faria o impossível, como embaixador brasileiro em Pequim, para facilitar a vida de Havelange, já presidente da Fifa, na complicada negociação com o governo da China comunista.

Luiza e o Tartaruga

Luiza Konder era só indignação diante do oficial do Exército que a interrogava, de camiseta, calça camuflada e coturno desamarrado. Era início de 1969 e ela estava em uma das salas do Batalhão de Polícia do Exército, na rua Barão de Mesquita, bairro da Tijuca, Zona Norte do Rio, cenário de jornadas de terror e morte para muitos militantes de esquerda no final dos anos 1960. O oficial bebera um gole de um copo de água que estava na mesa vazia. Luiza aproveitou para protestar:

— O senhor me dê pelo menos um copo d'água!

Filha do médico e dirigente comunista Valerio Konder, Luiza, então namorada do banqueiro Almeida Braga, que se separara de Vivi Nabuco, já tinha sido levada uma vez, cerca de dois anos antes, ainda no governo Costa e Silva, a uma sala de interrogatório do Exército. Nessa primeira detenção, era sócia da famosa butique Barbarella e tinha encomendado ao artista Daniel Azulay um lote de camisetas com as fotos de Ernesto Che Guevara e de dom Hélder Câmara. O que fora motivo para que dois caminhões do Exército estacionassem na porta da loja, apreendessem a mercadoria e a levassem.

Ao saber da detenção, Almeida Braga ligara imediatamente para Havelange, que foi até o 1º Exército para uma conversa com o comandante, general Syzeno Sarmento. Conhecido entre os amigos como "Tartaruga" por sua origem amazonense, Syzeno tinha uma dívida de gratidão com Havelange desde 1965, quando comandara a força de paz da ONU enviada ao Canal de Suez para garantir o cessar-fogo entre o Egito e Israel. Um avião da FAB, cheio de material esportivo, bolas, camisas, chuteiras e calções providenciados por Havelange e por conta da CBD, fora um remédio milagroso para o preocupante tédio dos milhares de soldados de capacete azul, estacionados na zona do conflito entre árabes e israelenses. No encontro com o general, Havelange foi direto ao assunto:

— Syzeno, a noiva do Braga foi presa.

— João, pode voltar tranqüilo. Quando você chegar ao escritório, a moça já estará em casa.

Dois anos depois da primeira detenção, Luiza percebeu que a experiência no quartel da Barão de Mesquita seria diferente quando o oficial que a interrogava respondeu ao protesto jogando o que restava de água no copo em seu rosto.

Daquela vez, ela fora detida porque Paulo, um ex-namorado fotógrafo e militante de esquerda, registrara a passagem dos dois pela cidade de Sófia, com flagrantes de Luiza portando uma bandeira brasileira durante uma manifestação da juventude comunista da Bulgária. Com a prisão de Paulo, os órgãos de segurança tinham feito a identificação das fotos e resolveram deter Luiza, sem aviso prévio, na butique que ela tinha, agora em Ipanema.

Perplexa e assustada com a agressividade do oficial e com o isolamento, ela já começava a se desesperar quando, depois de cerca de três horas de interrogatório, o militar foi chamado fora da sala em que estavam.

Era mais uma conversa de Havelange com o general Syzeno Sarmento, no comando do 1º Exército, a pedido de Almeida Braga. Quando Braga e Havelange chegaram ao batalhão, Luiza já tinha sido solta e estava a caminho de Ipanema, dentro de um táxi.

Mais de trinta anos depois, permanecia na lembrança de Luiza o privilégio que muitos militantes de esquerda levados para aquele lugar jamais tiveram: testemunhar a radical mudança de comportamento do interrogador, logo após receber as ordens superiores:

"A senhora queria um copo d'água?"

CAPÍTULO 5

De Liverpool a Guadalajara

O marechal

Na lembrança de Gerson, o "Canhotinha de Ouro", o número chegou a 66, o equivalente a seis times completos de futebol. Mas a maioria dos relatos jornalísticos indica que a quantidade de jogadores formalmente convocados para a seleção brasileira que disputaria a Copa do Mundo de 1966, na Inglaterra, parou em 47, ou quatro times e três reservas, antes que os 22 permitidos pelo regulamento da Fifa fossem formalmente inscritos na competição, no início de junho daquele ano.

A delegação que chegou à Inglaterra era composta por oito veteranos das Copas de 1958 e 1962, incluindo Pelé e Garrincha, e 12 estreantes, entre eles Jairzinho e Tostão. Vistos a distância, a caminho da concentração de Lymm, perto de Liverpool, os brasileiros não davam a impressão de que eram a crise vestida em ternos com o escudo da CBD na lapela. Mas eram. E a presença de João Havelange, chefiando pessoalmente, pela primeira vez, a delegação brasileira, era um dos sinais desta crise.

A sólida aliança com Paulo Machado de Carvalho, já então chamado pela imprensa paulista de "Marechal da Vitória", tinha se evaporado. Depois da festa do bicampeonato de 1962, Paulo e Havelange tinham estado em lados opostos em novos episódios. Num deles, a polêmica em torno de um projeto de lei de 1965, que regulamentava as transmissões de futebol pela TV e um pagamento quase simbólico de direitos aos clubes, Havelange, ao lado dos clubes, foi contra. Paulo Machado, ao lado das emissoras, foi a favor.

Não muito tempo depois, os dois tinham voltado a se desentender, agora em torno de uma questão que o futebol brasileiro jamais conseguiria resolver completamente: quando, e em que circunstâncias, um clube, no caso o Santos de Pelé, deveria liberar seus jogadores para a seleção? Na mesma época, quando ainda era tido como virtual chefe da delegação à Copa da Inglaterra, Paulo defendera a formação de duas seleções brasileiras, uma paulista e outra carioca, para amenizar os efeitos da movimentada agenda de amistosos internacionais dos bicampeões mundiais e fazer caixa para a CBD. Havelange fora contra, dizendo que a medida acirraria ainda mais a rivalidade entre Rio e São Paulo.

Havelange ficou sozinho politicamente a partir de janeiro de 1966, quando não aceitou a exigência de Paulo Machado de Carvalho de que seu protegido Aymoré Moreira, desgastado por uma desastrosa temporada de amistosos da seleção pela Europa, dividisse o comando do time brasileiro com Vicente Feola, o técnico de 1958 que fora reconduzido ao cargo pela CBD, no lugar de Aymoré. Nas atitudes que teve e nas entrevistas que deu na época, no entanto, Havelange deixou claro que não queria briga com Paulo e com os paulistas.

Primeiro, fez uma contraproposta de um comando triplo da seleção, formado por Vicente Feola, Aymoré Moreira e o preparador físico Paulo Amaral. Paulo Machado não quis conversa. Depois, Havelange afastou-se oficialmente por dez dias da presidência da CBD, para que, durante esse período, houvesse uma solução negociada para o comando da delegação. Paulo não quis saber. Abriu mão do comando da delegação e não reconsiderou a decisão nem quando lhe apresentaram um abaixo-assinado de uma centena de deputados federais que pediam sua permanência:

"Não sou de botar azeitona na empada dos outros. Irei a Londres, mas como turista. Desliguei-me da seleção, porém isso não significa briga com Havelange. Continuamos grandes amigos e amigos têm o direito de divergir."

Havelange não desistiu. Ainda durante seu período de afastamento voluntário da presidência da CBD, pediu ao então presidente do Banco Nacional de Minas Gerais, José Luís de Magalhães Lins, amigo de jornalistas como Armando Nogueira, Otto Lara Resende e Evandro Carlos de Andrade, que convencesse Paulo a voltar à chefia da delegação brasileira. Nada.

Ao saber, por José Luís de Magalhães Lins, que Paulo não queria mesmo conversa, Havelange convidou o próprio mediador para o comando da delegação. Nada. A ligação de Havelange com outro banqueiro, Walter Moreira Salles, responsável por um empréstimo que equilibrou o caixa da CBD às vésperas da Copa, o levou fazer o convite a ele, num jantar ocorrido na mansão de Moreira Salles, no bairro da Gávea. Nada. Dias depois, Havelange convidou o general Antonio Pires de Castro. Outro não, muito obrigado.

Em 8 de março, finalmente, a CBD anunciava que, diante das desistências de Paulo Machado de Carvalho, José Luís de Magalhães Lins e Antonio Pires de Castro, entre outros, João Havelange aceitaria comandar a seleção na Copa da Inglaterra. Em janeiro de 2006, quarenta anos depois da crise, Havelange ainda insistia:

"Acabei tendo de viajar para a Inglaterra. Eu não desejava, pois era presidente e acho que o presidente não devia ocupar esta posição."

Carlos Tavares, um dos amigos de Havelange que acompanharam a crise de perto, confirmou:

"O João foi a contragosto. Não tinha ninguém para chefiar a seleção."

Não adianta. Para a maioria dos autores e jornalistas brasileiros que escreveram sobre a saída do "Marechal da vitória", era tudo cena para tentar disfarçar o desejo incontrolável do presidente da CBD de chefiar a delegação. O único vaidoso na história, para eles, era João Havelange. Para outros, era apenas sobrevivência política. Ele estava indo para a Inglaterra para garantir o mandato e a reeleição na CBD.

Principalmente se o Brasil perdesse.

— João, vão querer me usar pra te derrubar.

— Rudolf, eu só quero saber se você é ou não capaz de fazer a preparação física da seleção.

— Acho que sou.

— Então vai em frente e não esquenta.

Manter Rudolf Hermanny, sobrinho de Anna Maria, na função de preparador físico da seleção foi apenas um dos problemas de Havelange durante a tumultuada preparação do time para a Copa da Inglaterra. A presença de Rudolf, jornalista especializado em judô e professor respeitado nas academias e escolas de educação física cariocas, foi tratada por dirigentes e jornalistas do Rio e de São Paulo como evidência de nepotismo, prova irrefutável da falta de intimidade de Havelange com o futebol e, entre os mais exaltados, grave negligência do presidente da CBD com os destinos do escrete canarinho.

Na lembrança de Rudolf, quatro décadas depois, sua presença, na verdade, foi uma tentativa de Havelange de montar uma comissão técnica que tivesse o maior número possível de profissionais independentes, que não levassem para a concentração os venenos e rasteiras da intensa luta política que era travada entre os dirigentes do futebol brasileiro:

"Eles queriam uma pessoa que não fosse ligada a clube porque tinham um problema dentro da seleção."

O problema da seleção era a preocupante indecisão que foi cercando a preparação do time, à medida que a aliança entre Paulo Machado de Carvalho e Havelange se desfazia. De acordo com a maioria dos registros jornalísticos sobre o período que precedeu a Copa, o técnico Feola, um homem cordato e dócil por natureza, depois da saída de Paulo Machado de Carvalho, ficou mais vulnerável a palpites de paulistas, cariocas e mineiros.

Feola convocou, além de Amarildo, ainda jogando na Itália, 45 jogadores dos principais clubes da época. E botou os quatro times para jogarem entre si, multiplicando rivalidades, contusões, dúvidas e especulações, em uma série de jogos de exibição em cidades de veraneio como Lambari e Caxambu, em Minas Gerais.

Time titular? Nem pensar.

E Havelange?

"Tinha realmente um plantel imenso. Era preciso tirar 22 dos 44. Chegamos a 32. Tirar os restantes foi mais demorado e isso nos preocupou bastante."

A lista dos 22 convocados só foi fechada, e de forma traumática, de acordo com Pelé, depois que o time já estava na Inglaterra. Uma dezena de jogadores embarcou de volta para o Brasil antes do início da Copa. Alguns deles passariam décadas tentando entender a razão dos cortes. O lateral Carlos Alberto Torres, que não chegou a viajar e se tornaria capitão do tricampeonato quatro anos depois, foi um dos que nunca tiveram qualquer explicação. Em 2005, aos 61 anos, ele continuava perplexo:

"Acabaram indo o Djalma Santos e o Fidélis. Eu era o titular da seleção, mas no final acabei não indo. Não souberam me explicar, até hoje ninguém falou."

Gerson, outro escalado que viajou, confirmou o caos, mas isentou Havelange de responsabilidade:

"Ele era o presidente, mas tinha uma comissão técnica que foi culpada daquilo tudo, de convocar aquele mundaréu de gente e não chegar a conclusão nenhuma."

Em solo inglês não havia ninguém disposto a ajudar a seleção bicampeã do mundo a resolver seus problemas internos. Pelo contrário. Na chegada a Southampton, o ônibus que levaria a delegação ao hotel em Lymm, uma pequena cidade entre Manchester e Liverpool, demorou duas horas para chegar ao aeroporto. O hotel, escolhido previamente pela comissão técnica, era, na avaliação de Havelange, muito bom e exclusivo para os brasileiros. Mas o campo de treinamento estava fechado a chave e não havia como localizar o responsável.

Aberto o campo, os brasileiros se deram conta de que nenhuma providência prometida pelos organizadores ingleses tinha sido tomada. A grama tinha quase 1 metro de altura. Era um pasto. E, durante uma semana, os bicampeões tiveram de treinar no campo de um colégio de Lymm.

Peter Pullen, carioca de Laranjeiras, neto de ingleses e funcionário da embaixada brasileira em Londres indicado para dar assistência à seleção brasileira, foi encarregado por Havelange de fazer um protesto aos organizadores. Pior que o pasto, no entanto, segundo Pullen, foi o ofício surpreendente da Comissão Médica da Fifa que chegou ao conhecimento da comissão técnica brasileira a três dias do jogo de abertura da Copa. O ofício proibia que os jogadores tomassem café antes dos jogos ou no intervalo das partidas, sob a alegação de que a cafeína era estimulante.

A reação imediata do médico Hilton Gosling, com o apoio de Havelange, foi a de exigir, em outro ofício, que os jogadores ingleses fossem proibidos de tomar chá antes dos jogos ou nos intervalos, já que esta bebida contém tanino, substância ainda mais estimulante do que a cafeína. A Fifa, na lembrança de Pullen, acabou desistindo da proibição.

Bebidas à parte, a Fifa não teve o menor pudor de escalar, para apitar ou para atuar como bandeirinhas dos jogos do grupo do Brasil, um time de árbitros que tinha um peruano, Arturo Yamasaki, um alemão, Kurt Tschenscher, e nada menos do que cinco britânicos: George Mc Cabe, Leo Callaghan, Ken Dagnall, Kevin Howley e John Taylor. Resultado: Tschenscher apitou Brasil e Bulgária, Dagnall apitou Brasil e Hungria, e Mc Cabe foi o árbitro de Brasil e Portugal.

Para Havelange, apesar da crise que comprometia a qualidade do futebol da seleção, não se poderia nunca analisar corretamente o desempenho do Brasil na Copa de 1966 sem considerar aquela desproporção na representação geográfica da arbitragem. Uma desproporção escandalosa para os padrões da Fifa, que ele presidiria anos depois:

"Havia um desejo muito grande de que o Brasil não fosse tricampeão, essa que é a verdade. A arbitragem não foi condizente. E o futebol foi violento."

Falta de aviso, ainda que em forma de brincadeira, segundo o jornalista Carlos Leonam, não foi. Leonam disse ter sido testemunha de um diálogo entre Havelange e o jornalista João Saldanha, durante um passeio despretensioso de brasileiros pelo Museu Britânico, em Londres, às vésperas da Copa da Inglaterra. Em meio às relíquias arqueológicas e históricas de outros continentes e civilizações, Saldanha provocou:

— Havelange, você acha que a Inglaterra vai perder essa Copa do Mundo? Aqui?

— Por quê?

— Eles pilharam o mundo inteiro, roubaram o mundo inteiro, inventaram a pirataria, e você acha que eles vão perder em casa a Copa do Mundo?

A postura controversa de muitos árbitros daquela Copa, tolerantes com a violência e especialmente rigorosos com brasileiros, uruguaios, argentinos e chilenos, obrigaria o então presidente da entidade, o inglês Stanley Rous, a promover uma série de mudanças na arbitragem nos anos seguintes, para recompor a relação do comando da entidade com as federações sul-americanas. Seu sucessor, João Havelange, modificaria completamente o sistema, dando a cada país participante da Copa o direito de levar um árbitro.

Mas antes dessas providências, o árbitro inglês George Mc Cabe assistiria, mudo e inerte, ao massacre de Pelé no estádio Goodison Park.

Encontro de reis

A crise na seleção era tão profunda que árbitro suspeito foi o de menos. O técnico Feola e o supervisor Carlos Nascimento não se entendiam. Jogadores mandavam cartas para Paulo Machado de Carvalho pedindo que ele voltasse. O clima de tensão era tanto que, na lembrança de Pelé, um encontro histórico deixou de acontecer na concentração de Lymm.

"A gente ficou sabendo que o empresário dos Beatles tinha entrado em contato com a concentração, dizendo que eles queriam tocar para o Pelé e a seleção."

A perspectiva de John Lennon, Paul McCartney, George Harrison e Ringo Starr, os quatro rapazes de Liverpool, ali pertinho de Lymm, darem uma canja para os bicampeões mundiais do futebol poderia até não influir no resultado do desempenho da seleção brasileira, mas as imagens e sons do encontro certamente entrariam para a história daquela Copa. Tudo acabou, no entanto, de acordo com Pelé, na marcação cerrada do supervisor Carlos Nascimento:

"O Nascimento disse que aqueles quatro cabeludos iam atrapalhar a preparação do time. Quando eu fui confirmar a história com o Havelange, ele não sabia do pedido do empresário dos Beatles e foi conversar com o Carlos Nascimento. Mas já era tarde. Ele tinha dito não."

A presença de Havelange na delegação impunha a todos um tipo de comportamento que marcou a lembrança do então repórter Carlos Lemos, do *Jornal do Brasil.* Ele e Havelange conversavam no saguão do hotel, perto dos elevadores, quando a porta de um deles se abriu. Era Pelé, fugindo para a noite. O dedo indicador junto aos lábios foi a senha do craque para que Lemos não chamasse a atenção de Havelange.

Para Pelé, o estilo sério e mais distante de Havelange não agradava muito à maioria dos jornalistas brasileiros, acostumados com o temperamento extrovertido e brincalhão de Paulo Machado de Carvalho. O que não queria dizer, de acordo com o mesmo Pelé, que Havelange estivesse ausente dos problemas da seleção:

"O Havelange tinha um comportamento mais de pai com a gente. Principalmente com os mais jovens. Perguntava se estava tudo bem, se a gente tinha notícias da família, se estava cuidando da saúde."

Em campo, as seleções do Brasil, Bulgária, Hungria e Portugal formavam um dos grupos reconhecidamente mais fortes daquela Copa. Com Amarildo cortado por causa de uma distensão sofrida num dos amistosos preparatórios realizados em Estocolmo, Fidélis e Zito machucados, Pelé com dores musculares, e o joelho direito de Garrincha definitivamente comprometido por uma artrose, o Brasil passou pela Bulgária num 2 a 0 que não convenceu, mas perdeu de 3 a 1 para a Hungria no segundo jogo.

Poupado no jogo contra os húngaros, Pelé esteve próximo de Havelange o suficiente, no estádio, para sentir que, mesmo depois da derrota, ele foi um dos últimos a perder a esperança de que o Brasil passaria por Portugal:

"O Havelange procurava tranqüilizar a gente dizendo: Nós vamos ganhar! Nós vamos ganhar."

— Acho que o Tostão tem de jogar.

O palpite foi dado pelo preparador físico Rudolf Hermanny, um dos participantes da reunião convocada por Havelange na concentração de Lymm, na véspera do jogo decisivo contra Portugal. Participavam, além de Havelange e Rudolf, o supervisor Carlos Nascimento, o técnico e preparador físico Paulo Amaral, o médico Hilton Gosling, o dentista Mario Trigo e o professor Ernesto Santos, observador da seleção desde 1958. À mesa, a idéia de uma intervenção radical no comando técnico da seleção: afastar Feola.

Ninguém respondeu ao palpite de Rudolf sobre Tostão. Mas Havelange deu ao sobrinho a impressão de que estava prestes a acatar a sugestão de substituir Feola por Paulo Amaral. Quando o dia 19 de julho de 1966 amanheceu, no entanto, quem foi para o estádio de Goodison Park, em Liverpool, à frente da seleção, com a obrigação de vencer Portugal para manter o Brasil na Copa, foi Feola.

Perdeu.

A derrota de 3 a 1 entrou para a história das Copas pela ferocidade com que o zagueiro português Morais perseguiu e chutou Pelé.

Uma violência que, na falta de um árbitro, acabou sendo repreendida, em campo, por Eusébio, o colega de Morais que seria consagrado depois como artilheiro e melhor jogador daquela Copa.

Dentro de campo, Pelé apanhou. Fora, Havelange foi tão xingado que, no final do jogo, quando torcedores brasileiros se concentraram perto do local onde a seleção seguia para o vestiário, cabisbaixa, e começaram a hostilizá-lo, foi o jornalista e humorista Sérgio Porto, o Stanislaw Ponte Preta, quem partiu em defesa dele. Deu nos compatriotas o que o jornalista Carlos Leonam, testemunha da cena, chamou de "um grande esporro". E Havelange ficou surpreso:

— Por que você está me defendendo? Você vive me gozando na sua coluna, me enchendo o saco.

— Havelange, são duas coisas inteiramente diferentes: eu ficar gozando, mexendo com você é uma coisa. Agora, fazerem essa violência e quererem agredir você é outra coisa inteiramente diferente.

O gesto civilizado de Sérgio Porto seria exceção. Uma torcida enfurecida e uma conspiração estavam à espera de Havelange no Brasil. Para enfrentar a torcida, ele contou, mais uma vez, momentos antes do embarque no aeroporto de Heathrow, em Londres, com a amizade do comandante Guilherme Bungner, o mesmo que havia pilotado o DC-8 da Panair na volta vitoriosa da seleção, em 1962. Bungner revelou o problema e a solução:

— João, eu soube que a torcida vai te esperar no aeroporto. Vamos sair mais tarde para chegar com tranqüilidade.

Antes da viagem de volta, Havelange fizera questão de reunir a delegação brasileira, ainda no hotel de Lymm, para agradecer o trabalho de todos e distribuir dois presentes para cada um: uma carteira de couro de crocodilo e um chaveiro dourado. Todos foram às lágrimas. Gerson, um dos jogadores que se emocionaram, não esqueceu o gesto:

"O Havelange sempre foi do esporte e sabe o que é uma vitória e o que é uma derrota, principalmente em competição mundial. E ele deu o alento a todo o mundo."

Outra providência de Havelange foi pedir que Feola, cuja casa tinha sido apedrejada em São Paulo, ficasse por uma semana em Londres por conta da CBD, sob os cuidados de Peter Pullen, até a situação se acalmar.

Assim foi feito.

Pedras e vidraças

Sem citar nomes, "em respeito aos que já morreram", Havelange confirmou, em 2006, que, antes mesmo do embarque para a Inglaterra, já havia uma articulação política para lançar um candidato à sua sucessão na eleição de 1967, e transferir a sede da CBD para São Paulo, caso a seleção voltasse derrotada da Copa. De acordo com amigos mais próximos de Havelange, entre eles Peter Pullen, participaram da articulação Paulo Machado de Carvalho, o presidente da Federação Paulista, Mendonça Falcão, o médico Hilton Gosling, Pelé e Mozart Di Giorgio, este último uma perda política e pessoal muito sentida.

Por obra do comandante Bungner, ao desembarcar no Brasil, Havelange e os jogadores praticamente só encontraram jornalistas e não tiveram de enfrentar a hostilidade de torcedores. Mas, nos dias que se seguiram, ele foi criticado tanto por se envolver quanto por supostamente não intervir na crise da seleção.

De acordo com o jogador Bellini, Havelange nunca aparecia na concentração e "ficou o tempo todo em Londres, cuidando da sua candidatura para a presidência da Fifa". Já o ex-aliado Paulo Machado de Carvalho, segundo entrevista dada ao *Jornal da Tarde* e reproduzida no livro *O marechal da vitória*, atacou Havelange exatamente por ele tentar ser, de fato, um chefe de delegação:

"Nesta vida, nós somos o que somos. Por isso, Havelange, como general de campo, é um fracasso. Ele se desmoralizou quando foi ao campo bater bola com os jogadores e ouvir piadas nas rodinhas. Ele tinha de ficar só na retaguarda, sentado numa escrivaninha com secretária."

Para completar, Havelange perdeu para os paulistas um grande aliado: Mozart Di Giorgio. Na lembrança de Lídio Toledo, por trás do rompimento estava, mais uma vez, a guerra entre paulistas e cariocas:

"O Mozart Di Giorgio era muito amigo do Havelange, uma espécie de gerente da CBD. Depois do Havelange, quem mandava era ele. Aí o Mozart acabou apoiando o pessoal de São Paulo, contra o Havelange. Virou praticamente um inimigo."

Com sua "monumental capacidade de engolir sapos", segundo o amigo Paulo Godoy, Havelange respondeu ao ataque de Paulo Machado em tom cordial. Reconheceu o erro de ter assumido a chefia da comissão técnica, mas dividiu com o ex-aliado a responsabilidade pela falta de planejamento da seleção na campanha de 1966. A cobrança, no entanto, era tão intensa que Havelange pediu ao jornalista Oduvaldo Cozzi participação num programa da TV Tupi. E ofereceu a face:

"Se houve um erro, o erro foi da chefia da delegação, no caso, a minha pessoa."

Em outra manifestação pública, uma entrevista à *Folha de S. Paulo*, Havelange beirou a humilhação, ao reconhecer que tinha errado ao acumular a presidência da CBD com a chefia da delegação:

"Estou disposto até a rever meu ponto de vista para voltar, junto com o senhor Paulo Machado de Carvalho, ao caminho certo."

O Brasil tinha perdido a Copa e Havelange tinha estado próximo o suficiente do estrago para que os adversários lhe vestissem a carapuça. Era tudo de que os dirigentes paulistas liderados por Mendonça Falcão e apoiados naquele momento por Paulo Machado de Carvalho precisavam para consolidar uma candidatura à sucessão de Havelange na presidência da CBD. Ou, como já se falava na época, a desvinculação entre o futebol e a CBD.

A articulação oposicionista não contava com três fatores: o poder que os dirigentes cariocas ainda tinham no futebol e no esporte em geral, a determinação de Havelange de não queimar as pontes que construíra ao longo de tantos anos com Paulo Machado de Carvalho, e a histórica capacidade que os dirigentes paulistas tinham de brigar entre si e se desunir.

Aos poucos, Havelange começou a se reaproximar de Paulo Machado, abrindo espaço para que ele preparasse um novo plano de reformulação da seleção, com Aymoré Moreira no lugar do técnico Vicente Feola, e Oswaldo Brandão como substituto de Carlos Nascimento no cargo de supervisor. Ao mesmo tempo, determinado a não perder de vista os movimentos dos adversários e a participar pessoalmente da preparação para a Copa do México, Havelange designou diretor de futebol o presidente da federação carioca, Antonio do Passo, e ainda convocou os técnicos Zagallo e Evaristo Macedo para serem auxiliares técnicos da seleção.

E o mais significativo: conhecido por sua atlética disposição de pegar um avião, mesmo com muito medo de voar, Havelange praticamente não viajaria durante quatro anos, entre 1966 e 1970. Cometeria até um crime, considerando seus padrões de assiduidade e pontualidade como dirigente esportivo: faltar a uma reunião do Comitê Olímpico Internacional. Aconteceu em maio de 1970. A única reunião do COI que ele perdeu na vida.

No lado paulista, Paulo Machado de Carvalho, então atuando e decidindo na CBD como virtual chefe da delegação brasileira que disputaria a Copa de 1970, começou a ficar também perigosamente próximo do estrago. Entre 1967 e 1968, a seleção dirigida por Aymoré Moreira e Oswaldo Brandão sofreria várias derrotas, a mais humilhante delas um surpreendente 2 a 1 para o México, em pleno Maracanã. Jornais e dirigentes paulistas e cariocas começaram a disputar adjetivos para criticar o trabalho do "Marechal da vitória".

Desgastado com a imprensa e com os dirigentes do Rio e de São Paulo, entre eles o general Elói de Menezes, presidente do Conselho Nacional de Desportos, Paulo Machado de Carvalho tornou pública uma carta de demissão enviada a Havelange e deixou a seleção em fevereiro de 1969. Os biógrafos de Paulo, Tom Cardoso e Roberto

Rockmann, registraram no livro *O marechal da vitória* que Havelange tentou convencer "o velho amigo" a desistir da renúncia. Mas duvidaram:

"Todos já sabiam, inclusive Paulo Machado, que Havelange queria vê-lo longe da seleção tanto quanto Antonio do Passo e Sylvio Pacheco."

Três décadas e meia depois da saída do "Marechal da vitória", Havelange disse estar perplexo com as interpretações que sempre deram aos gestos que teve e às declarações conciliatórias sobre Paulo Machado de Carvalho, mesmo quando a recíproca do dirigente paulista não foi verdadeira. Considerou uma "estupidez sem tamanho" que muitos jornalistas e analistas do esporte não entendessem que era mais do que razoável e legítimo, para um presidente carioca da CBD como ele, buscar no futebol paulista uma aliança que fosse poderosa, prestigiada, competente, duradoura e, principalmente, leal:

"Foi o que procurei e foi o que consegui."

Para o amigo paulista e também ex-dirigente esportivo Mario Amato, Havelange, propositalmente, deixou Paulo Machado de Carvalho brilhar porque sabia que essa era a maneira de apaziguar os ânimos entre cariocas e paulistas. Ânimos que, segundo Elias Zaccour, empresário esportivo e amigo de Havelange, "foram sempre alimentados por uma certa inveja que São Paulo tinha do Rio". Um sentimento que Paulo e Havelange, segundo Paulinho Machado de Carvalho, nunca deixaram contaminar de forma irreversível a amizade que tinham. Para o jornalista Carlos Lemos, Havelange merece, como nenhum outro dirigente, o título de pacificador:

"A rivalidade sempre existiu. O Havelange é que foi um costurador."

Por mais de doze anos, Havelange cultivou a aliança que pacificou o futebol brasileiro, mesmo quando Paulo Machado quis desistir dela. Por quase quarenta anos, a maioria dos que registraram ou analisaram esse período, em livros e outras publicações, achou que Havelange, movido por incontrolável vaidade, sempre quis destruir a aliança. Restou um trocadilho involuntário e resignado de Havelange, quatro décadas depois:

"Paciência, ora bolas."

Um banqueiro no banco

— E aí? Aceitas?

Havelange tinha convidado muitas vezes o amigo banqueiro Almeida Braga para ser diretor de futebol da CBD. Braga sempre declinara, convicto de que a vida de dirigente não era para ele. Naquela noite de 1968, em uma mesa do restaurante Nino, em Copacabana, ambos tinham o compromisso de que seria a última vez que o assunto seria tratado. Almeida Braga tinha passado o dia inteiro afiando argumentos para justificar o seu último "não" ao eterno convite do amigo Havelange.

Durante o jantar, Havelange, depois de renovar seus argumentos, entre eles a confiança absoluta que tinha em Braga e a ligação intensa que o amigo tinha com o esporte, insistiu:

— E aí? Aceitas?

— Aceito...

Trinta e sete anos depois, Almeida Braga ainda não sabia explicar como aquela resposta brotou de sua boca antes dos argumentos que preparara. Mas tinha certeza de que a decisão teve a ver com sua intensa paixão pelo futebol. Já nos primeiros compromissos como diretor de futebol da CBD, no entanto, viu que não ia durar muito. Braga fazia questão de pagar todas as suas despesas:

— Se eu for, eu quero pagar tudo porque não preciso disso.

Havelange concordou, mas, de acordo com Almeida Braga, não adiantou:

"Quando eu comecei a pagar, começou também um mal-estar entre outros que poderiam fazer o mesmo e não faziam."

A experiência durou oito meses e as melhores recordações foram da excursão que começou com um jogo contra a Alemanha em

Stuttgart. Braga se divertiu pagando uma gratificação por fora para cada gol que Rivelino, canhoto histórico, fizesse chutando de direita. Na Checoslováquia, o problema foi explicar à imprensa a substituição de vários titulares sem revelar que o motivo não era panturrilha, mas gonorréia.

Em Portugal, escala para um amistoso em Angola, o rei da Itália no exílio, Humberto II, se apaixonou, no sentido carnal, por vários jogadores. E no Peru, a grata surpresa foi uma virada espetacular de um jogo que a seleção perdia por 3 a 1: um memorável 4 a 3 que nasceu dos pés de Paulo Borges, substituto sugerido no desespero por Admildo Chirol ao técnico Aymoré Moreira.

Na volta ao Brasil, ao saber que o repórter Juarez Soares fizera uma reportagem dizendo que ele tinha ficado bebendo vodca e dançando no salão do hotel em Varsóvia, Almeida Braga perdeu a paciência e partiu para a briga com o jornalista, quando ambos passavam pelo Peru. Braga não bebia vodca, não dançava e estava casado com Vivi Nabuco.

A carreira de dirigente acabou no aeroporto, em rápida conversa com Havelange, que, resignado, não insistiu mais. Mas a ligação de Almeida Braga com o esporte só aumentaria. Com o passar dos anos, ele se tornaria amigo, anfitrião e eventual patrocinador de dezenas de esportistas brasileiros, entre eles Emerson Fittipaldi, Ayrton Senna, Gustavo Kuerten, atletas olímpicos, seleções e times de vôlei. Além disso, não perderia nenhuma das Copas do Mundo e Jogos Olímpicos da segunda metade do século XX.

Almeida Braga chegaria a ser incentivado por Havelange, já como presidente da Fifa, a se tornar sócio da Adidas ou da Puma, as duas gigantes concorrentes da indústria de material esportivo. Mas, de Havelange, Almeida Braga só esperava lugares confortáveis e bem localizados nos estádios para ele e seus amigos.

Sempre teria.

O outro João

O gesto de Pelé surpreendeu a todos, jogadores e comissão técnica reunidos em uma das salas da concentração do Retiro dos Padres, em São Conrado, Zona Sul do Rio de Janeiro, na segunda semana de março de 1970. Pelé foi até o quadro-negro onde João Saldanha traçara o esquema tático do time, pegou um apagador e, solenemente, fez desaparecer tudo o que o técnico da seleção brasileira tinha prescrito para um amistoso que seria disputado contra a Argentina:

— Olha, Saldanha, eu acho que isso aqui está errado.

Até os amigos de João Saldanha perceberam: depois de comandar a seleção na fulminante campanha das eliminatórias em 1969 para a Copa do México, com seis vitórias em seis partidas, 25 gols marcados contra dois sofridos, o jornalista transformado em técnico, depois da saída de Aymoré Moreira, por sugestão de Antonio do Passo e decisão de João Havelange, estava perdendo o controle do time e dos nervos. E a um simples gole de bebida alcoólica, o descontrole aumentava ainda mais, como lembraram, constrangidos, trinta e cinco anos depois, jornalistas como Luís Mendes e Hans Henningsen.

Pouco mais de um ano antes, Saldanha, militante histórico do Partido Comunista Brasileiro e um dos mais brilhantes jornalistas esportivos brasileiros de todos os tempos, ainda escrevia artigos que tinham, na alça de mira, os dirigentes do futebol brasileiro. Num deles, conclamava:

"Que os homens responsáveis pelo nosso futebol tomem juízo, deixem a prepotência de todo, sejam mais humildes e tratem de arregaçar as mangas. Temos que trabalhar com a cabeça a fim de fazer o futebol brasileiro ressurgir das cinzas, de Liverpool."

Em 5 de fevereiro de 1969, era o próprio Saldanha quem aceitava o surpreendente convite do diretor de futebol da CBD, Antonio do Passo. Nas palavras de Luís Mendes, "Havelange estava sendo muito combatido pela imprensa e aí botou a imprensa no poder". Para o então lateral direito Carlos Alberto Torres, foi uma "jogada de mestre" de Havelange para "calar os críticos de todos os lados":

"Ele teve ao mesmo tempo o apoio da imprensa e do povo, que gostava muito do Saldanha. Foi uma jogada de mestre. Ele acalmou tudo."

Havelange dispensava, em 2005, a honra ou o mérito da autoria do dito golpe de mestre. Ao lembrar o início da era Saldanha na CBD, preferiu recordar o diálogo que teve com Antonio do Passo sobre a idéia de convidar o jornalista:

— Existe uma pressão e temos de resolver. Quem você quer como técnico?

— O Saldanha.

— Gosto muito do João, mas ele vai te dar dor de cabeça. A responsabilidade é sua. Você é o diretor de futebol.

Pelo lado da família Saldanha, por mais surpreendente que fosse conceber a presença de um comunista declarado no comando da seleção, exatamente no período mais intolerante e violento da ditadura militar instalada no país em março de 1964, a aceitação do convite era justificada por ele com humor, segundo a mulher, Thereza Boulhões:

"Ele não teve problema porque dizia pra mim que era um defunto caro e que não podiam pegar ele como não pegaram o Chico Buarque."

E era o próprio Saldanha, segundo o livro *Futebol, uma paixão nacional*, de Rubim Santo Leão de Aquino, quem não dava importância a um eventual uso político do futebol para a manutenção dos militares no poder:

"O que segura governo não é futebol. São os tanques."

Aparentemente, pelo menos, foi entre os colegas da imprensa que a escolha de Saldanha causou reações mais contundentes. Depois da primeira entrevista como técnico, quando ele puxou do bolso um papel e anunciou, de primeira, os nomes dos titulares e reservas de sua seleção, o *Jornal da Tarde* deu, na primeira página do dia seguinte, a medida da satisfação das redações paulistanas:

"Perdemos a seleção!"

A reação não foi muito diferente em alguns jornais cariocas. Na biografia *João Saldanha: sobre nuvens de fantasia,* João Máximo registra que a escolha feita por Havelange foi definida por Oldemário Touguinhó, do *Jornal do Brasil,* como uma "palhaçada".

Passado o *show* das eliminatórias, Saldanha, apelidado de "João sem Medo" pela facilidade com que aceitava, processava e devolvia, quase sempre em pérolas antológicas, as provocações que lhe faziam, começou a deixar o cerco e a vaidade contaminarem suas decisões. Nas palavras de Thereza Boulhões:

"Tinha jornalistas que eram traidores da pátria. Eram pessoas que provocaram muito o João, sabendo que ele tinha pavio curto."

Quando Havelange foi chamado a Brasília pelo então ministro da Educação Jarbas Passarinho, em 11 de março de 1970, a seleção fervia. Saldanha entrara publicamente em rota de colisão com Antonio do Passo, com o médico Lídio Toledo e com o preparador Admildo Chrirol, estes dois últimos muito ligados a Zagallo, candidato declarado ao cargo de técnico. Com um revólver na cintura, Saldanha tentara entrar na concentração do Flamengo para responder às críticas que o técnico Yustrich lhe fizera por meio da imprensa. Às escondidas, alguns jogadores começaram a dizer a jornalistas, entre eles Hans Henningsen, que Saldanha "estava ficando maluco".

"Chegou uma hora em que tinha vaia do Norte ao extremo Sul toda vez que a seleção aparecia em público."

Assim Jarbas Passarinho descreveu, em 2005, o momento que precedeu ao seu encontro com Havelange em Brasília. Passarinho desautorizou, porém, as interpretações segundo as quais passou um "pito" em Havelange em nome do general Emílio Médici, recém-empossado na Presidência da República, em substituição ao general Costa e Silva:

"Tínhamos confiança absoluta no Havelange."

Havelange, ao lembrar o encontro, também desmentiu que tivesse recebido qualquer ordem ou imposição do ministro ou do general:

"O Jarbas Passarinho era o ministro que cuidava dos esportes, que estavam subordinados ao Ministério da Educação. Fiz apenas um relato sobre a situação da seleção."

Não é absurdo pensar que o general Médici não estivesse com muito tempo para a crise na seleção. Naqueles dias, de acordo com o livro *A ditadura escancarada*, de Elio Gaspari, os militares brasileiros estavam envolvidos em uma anárquica luta interna. Tentavam, também, administrar o impacto dos relatos de tortura de presos políticos levados ao papa Paulo VI pelo cardeal dom Hélder Câmara e o inesperado editorial "Opressão no Brasil", no qual o jornal *Washington Post* condenava a tortura nos porões brasileiros.

— Como é, a sua tática não funcionou hoje?

A pergunta irônica feita por Saldanha a Pelé, no final de um embaraçoso empate de 1 a 1 da seleção, no jogo-treino contra o time do Bangu, em Moça Bonita, Rio de Janeiro, no dia 14 de março, era um troco para o gesto de rebeldia de Pelé diante do quadro-negro da concentração do Retiro dos Padres. De acordo com o livro de João Máximo, Saldanha não tinha dado qualquer orientação ao time para o jogo contra o Bangu.

Àquela altura, o técnico já vivia o desgaste de sua maior derrapada: ter dito, depois do amistoso contra a Argentina, em Porto Alegre, que Pelé não estava enxergando direito. Carlos Lemos foi um dos que ouviram e se espantaram:

"O Saldanha estava fazendo as maiores loucuras, embora soubesse ver futebol muito bem. No auge da crise, eu estava em uma mesa do restaurante Antonino quando entraram ele, o Walter Clark e o Armando Nogueira. E o Saldanha disse: 'O Pelé está cego de um olho.'"

À saída do estádio de Moça Bonita, Havelange puxou Antonio do Passo para um canto e pediu uma reunião imediata da comissão técnica no Retiro dos Padres:

"Eu disse ao Antonio do Passo que o time não estava caminhando. E havia restrições entre João Saldanha e Pelé, o que era delicado porque, indiscutivelmente, o Pelé era a estrela número um do nosso plantel."

A reunião daquela noite foi tão decisiva quanto desconcertante. Saldanha, segundo Havelange, parecia não querer conversar sobre a situação do time, preferindo falar da chegada do material da Adidas que o time ia usar. Havelange insistiu:

— João, eu conheço o material da Adidas. Se ele está aqui é porque é de boa qualidade. Senão não teria sido escolhido pela CBD.

Saldanha insistiu no assunto. Retirou-se da sala onde os dois conversavam para se vestir e voltou, minutos depois, completamente uniformizado.

— Veja que perfeição!

— João, não é disso que quero falar com você.

Havelange não conseguiu fazer com que Saldanha parasse e se compenetrasse. Foram dias durante os quais, de acordo com Luís Mendes, Hans Henningsen e outros jornalistas que acompanhavam a seleção, o técnico alternava momentos de excitação e sonolência, provocados por uma súbita e desproporcional sensibilidade à bebida. Na terça-feira, 17 de março, após mais um treino, Saldanha escalou o time para um amistoso com o Chile sem Pelé.

O caldo ia entornar.

Em nova reunião, desta vez na sede da CBD, no centro do Rio, na presença do vice-presidente da entidade, Sylvio Pacheco, e de Abílio de Almeida, Havelange pediu que Antonio do Passo fizesse, na frente de Saldanha, sem omitir nada, um relato sobre os problemas da seleção. Ao final da exposição, Havelange quis saber se Saldanha confirmava:

— Alguma coisa a mais ou a menos?

— Não. É tudo verdade.

— Então eu vou dissolver a comissão técnica. Doutor Antonio do Passo até as 5 horas da tarde, o senhor me apresente uma nova comissão.

Na lembrança de Havelange, Saldanha se levantou, foi para o corredor da CBD em direção aos elevadores e começou a falar alto com os jornalistas presentes. Havelange foi até a porta e advertiu:

— O senhor me perdoe, mas o senhor ainda está sob contrato da CBD. Se o senhor tem alguma crítica a fazer, desça e faça lá embaixo, na rua.

Saldanha desceu e fez. Além de criticar Havelange e a CBD, deu uma explicação para sua saída que se tornaria tão famosa quanto sem confirmação: a de que Havelange, supostamente vergado sob a pressão do general Emílio Médici, exigira a escalação do centroavante Dario, o "Dadá Maravilha", então no Atlético Mineiro, no ataque da seleção. E que Saldanha, ao se negar a atender à ordem presidencial, teria mandado dizer ao general que cuidasse da escalação dos ministros e que deixasse o comando do time com ele.

Roberto Médici, o filho engenheiro que foi secretário particular do general no Palácio do Planalto, negou, em 2005, qualquer fundamento à história. E disse acreditar que ela nasceu da "paixão doentia" que Médici tinha pelo Flamengo e de um encontro do pai com dirigentes do time carioca, no Palácio das Laranjeiras, no Rio, na época da Copa do México. Nesse encontro, que Roberto disse ter presenciado, o general fez, sim, um pedido:

— Vocês têm de contratar o Dario. Ele é o fazedor de gol.

Também ao contrário da dita animosidade entre o presidente de direita e o jornalista do PCB, o gaúcho Médici, segundo o filho, considerava o gaúcho João Alves Saldanha, nascido em Alegrete, Rio Grande do Sul, em 1917, e morto em 12 de julho de 1990, durante a Copa da Itália, um homem "inteligente e corajoso". O sentimento era uma extensão da admiração que o general tinha pelo pai de Saldanha, o fazendeiro e deputado socialista Gaspar Saldanha, que resistira física e corajosamente a uma tentativa de adversários políticos de empastelarem o jornal que tinha em Bagé, décadas antes.

Havelange, por sua vez, passaria décadas negando e rindo das perguntas sobre o dedo do general Médici na demissão de Saldanha:

"O presidente Médici era torcedor de futebol. Ele gostava de futebol, mas nunca interferiu nem fez qualquer pedido. A história do Dario é conversa."

Outro que passou décadas negando e rindo da história, em entrevistas e palestras, foi Zagallo, o substituto de Saldanha:

"O Dario já tinha sido jogador meu, quando eu era técnico no Flamengo. Foi artilheiro em todos os times em que jogou. Foi por isso que eu convoquei o Dario. Na Copa, eu coloquei o Tostão como centroavante e até achava que não ia dar certo. Mas a coisa caminhou de uma tal maneira que eu fui deixando."

Para os que continuavam acreditando na tese de uma conspiração de militares e cartolas, Zagallo sempre ofereceu um raciocínio lógico, à luz de dois fatos incontestáveis. Um era a evidência de Dario nunca ter sido chamado nem para o banco de reservas da seleção brasileira, nos sete jogos disputados pelo time na Copa do México. O outro era a certeza de que o general Médici não pedia. Mandava. Para Zagallo, um fato não combinava com o outro.

"Se houvesse uma imposição do presidente Médici, o Dario não seria apenas convocado, mas escalado pra jogar. Ou não?"

Houve quem confirmasse, com todas as letras, a explicação que Saldanha deu para sua queda. O próprio Dario, frasista histórico do futebol brasileiro, em entrevista à revista *IstoÉ* em março de 1997, exercendo sua extraordinária e hilariante vocação para o auto-elogio:

"O Dadá estava arrebentando no Atlético Mineiro e a imprensa não se cansava de pedir minha convocação. Eu era o melhor jogador do Brasil na época."

Folclore à parte, Tostão, um tricampeão que se tornou cronista esportivo, contestou, em 2005, uma entrevista de Dario ao programa Esporte Espetacular na qual ele afirmava ter sido mal-recebido pelos colegas por causa do boato de que fora convocado por Médici. Tostão escreveu:

"O ditador-presidente apenas elogiou o jogador. Zagallo convocou Dario porque ele era um artilheiro, e ninguém deu a mínima importância para o boato."

Saldanha caiu atirando. Redigiu na revista *Placar* uma "Carta aberta ao futebol brasileiro". Em cinco páginas, fez um balanço de seus treze meses como técnico, acusou Havelange de má-gestão e de irregularidades administrativas, pediu ao ministro Jarbas Passarinho que interviesse no futebol e fez, nas palavras do jornalista João Máximo, "agrados" a Médici. No artigo "A fala do ministro", publicado em *O Globo* no dia 20 de março, ao reagir a um pronunciamento de Jarbas Passarinho sobre a crise na seleção, Saldanha, mais conciliador, declarou seu apoio ao ministro de Médici:

"O pronunciamento do senhor ministro é mais importante quando chama a atenção para que o exagero, a calúnia, a intriga, a ofensa sejam abolidos. Isso deve tranqüilizar o Zagallo e dar-lhe condições para trabalhar."

Em outro trecho do mesmo artigo, Saldanha elogia as medidas de controle financeiro das despesas e das rendas dos jogos da CBD defendidas por Passarinho, acrescentando, como se estivesse conversando com o ministro:

"Nesse particular posso garantir que não há desonestidade. Talvez um pouco de excesso de liberalismo."

Saldanha terminou o artigo pedindo um tempo na agenda de Passarinho. Pedido aceito imediatamente, a chegada do já ex-técnico da seleção a Brasília foi acompanhada com excitação pela imprensa. Depois de entrevistas formais, Passarinho teve uma reunião reservada com Saldanha e, como lembrou em 2005, começou botando as cartas na mesa:

— Nós nos conhecemos. Você tem a minha ficha e eu tenho a sua. Somos patriotas, mas temos convicções diferentes.

Feito o preâmbulo, Passarinho disse que pediu a Saldanha que colocasse, por escrito, tudo o que ele sabia e que vinha insinuando em seus artigos na imprensa. Pediu também que Saldanha lacrasse a carta e que parasse com as críticas à seleção, agora sob o comando de Zagallo. Em contrapartida, Passarinho assumiu o compromisso de abrir a carta e investigar todas as denúncias, qualquer que fosse o resultado. Depois da final da Copa. Saldanha, segundo Passarinho, aceitou, foi embora e cumpriu o acordo.

Passarinho garantiu que, terminada a Copa, a carta foi aberta: havia denúncias sobre a situação financeira precária da CBD, mas, para ele, nada de concreto ou grave foi apurado contra Havelange pelo brigadeiro Jerônimo Bastos, encarregado da sindicância e também chefe da delegação brasileira à Copa do México. De concreto mesmo, lembrou Passarinho, só se confirmou, nas denúncias de Saldanha, um episódio de homossexualismo.

Na seleção brasileira de basquete.

As feras, as formiguinhas e a tigrada

A exemplo do que fizera em 1958 e 1962, Havelange ficou no Brasil. Convidado pelo presidente do México, ele participaria apenas da cerimônia e do jogo da abertura, voltando logo para o Rio de Janeiro. Na eterna costura do apoio dos dirigentes paulistas, tinha convidado Laudo Natel, empresário e então presidente do São Paulo Futebol Clube, e o amigo José Ermírio de Morais para a chefia da delegação. Com a recusa dos dois e a crise provocada pela saída de João Saldanha, o ministro Jarbas Passarinho, cada vez mais interessado nos destinos da seleção, indicou, e Havelange diz ter aceitado com satisfação, o nome do brigadeiro Jerônimo Bastos.

Roberto Médici disse que o brigadeiro foi a única indicação que o general Médici fez para a seleção, acrescentando que ela foi feita de maneira "fraterna". Passarinho, no entanto, reivindica para si uma "atuação decisiva" e a indicação ao presidente Médici de Jerônimo Bastos, amigo e conterrâneo do Pará. A tal ponto Passarinho se envolveu com a seleção que, na lembrança de Roberto Médici, o ministro teria aproveitado a reunião de mais de duas horas que teve com Havelange, em Brasília, no dia 19 de março, logo após a demissão de Saldanha, para propor que a Presidência da República assumisse o comando da seleção.

O general Médici, de acordo com o filho, teria recusado a oferta, dizendo que não queria ser "um novo Alvarado", referindo-se a Juan Velasco Alvarado, o general-presidente que comandava, na época, uma onda estatizante que incluía até os esportes nacionais do Peru. Trinta e cinco anos depois da crise, Passarinho negou com veemência que tenha solicitado a audiência para entregar o comando da seleção brasileira à Presidência da República. Atribuiu a história aos ressentimentos de Roberto Médici com os militares que se afastaram do pai nos anos que se seguiram ao governo Médici, entre os quais o general-presidente João Figueiredo.

Havelange também negou que a idéia de entregar a seleção ao presidente tenha sido sequer cogitada. Mas o notório dedo de Passarinho, a entrega da chefia da delegação ao brigadeiro Jerônimo Bastos, a presença de Médici nos estádios com radinho de pilha colado ao ouvido, a reconstrução livre e politizada que Saldanha fez de sua saída nas conversas, entrevistas e artigos que produziu depois da demissão e, principalmente, a alta taxa de desinformação decorrente da censura imposta à imprensa na época formaram a base de um conceito que atravessaria décadas: o da militarização da seleção que foi à Copa do México.

Três décadas e meia depois do tricampeonato, os militares remanescentes da delegação para a Copa de 1970 ainda pagavam o preço de ver seu histórico trabalho de preparação física praticamente desaparecer sob a interpretação consumada de que eles foram meros enviados da "tigrada" da ditadura para controlar todos os movimentos dos jogadores, com a cumplicidade e o aplauso de Havelange.

Carlos Alberto Parreira, um dos que tiveram o currículo esportivo atingido pela tese, passou as mesmas três décadas tentando mostrar que, além da patente de capitão, teve méritos. Ele e outros, como o professor Lamartine Pereira da Costa, responsável pela adaptação do time à altitude do México:

"Em 1970, o Brasil tinha praticamente os mesmos jogadores da Copa de 1966. O que houve foi um trabalho científico de preparação física, feito pela primeira vez no Brasil e de forma individualizada. Cada jogador tinha sua carga específica de trabalho. Por isso havia cinco preparadores físicos."

O desgaste e as lições da Copa de 1966 tinham ensinado a Havelange e ao resto da torcida bicampeã que o chamado futebol-força que os brasileiros costumavam esnobar, do alto do talento com que haviam vencido as Copas de 1958 e 1962, continuava feio, mas se tornara extremamente eficiente. O sistema de marcação homem a homem, aliado ao chamado "treinamento de circuito", adotado pelas seleções da Inglaterra, Alemanha, Portugal e Polônia, não por acaso as primeiras colocadas daquela Copa, eram o sinal de que os tempos eram outros.

Havelange queria evitar outro desastre. Em 2005, ao lembrar a decisão de modernizar os métodos de preparação do time, disse que não deu a menor importância ao fato de a maioria dos centros de excelência da educação física do Brasil, na época, funcionar em locais onde havia guaritas e se batia continência. Não foi por outro motivo que ele deu ao capitão Cláudio Coutinho, formado pela Escola de Educação Física do Exército e integrante da comissão técnica da seleção, a missão de passar uma temporada nos Estados Unidos e aprender tudo sobre o então festejado método desenvolvido pelo professor Keneth Cooper.

O jornalista Carlos Lemos, testemunha da chamada fase científica do treinamento da seleção, percebeu a diferença:

"Os militares da comissão técnica da Copa de 1970 tinham capacidade. Cláudio Coutinho era um técnico extraordinário e altamente competente."

Para Havelange, houve três grandes equívocos dos adeptos da tese da militarização da seleção, no que diz respeito ao brigadeiro Jerônimo Bastos: o de que o brigadeiro foi imposto à CBD pelos militares, o de que ele mandava e desmandava na comissão técnica e o de que ele não tinha nada a ver com o esporte:

"Nunca recebi na CBD interferência da Revolução. Na Copa de 1970, quem chefiou a comissão técnica foi o Antonio do Passo. Na parte da delegação em si, foi o brigadeiro Jerônimo Bastos, mas ele era um homem de esportes da Aeronáutica, diretor da CBD e militar reformado na ocasião."

Os ex-jogadores Pelé, Carlos Alberto e Gerson, o médico Lídio Toledo, os técnicos Carlos Alberto Parreira e Zagallo, e os jornalistas Luís Mendes e Sérgio Noronha, ao lembrarem o clima que imperava na seleção na época, deram depoimentos semelhantes ao de Havelange.

O próprio João Saldanha, no artigo "A subida da montanha", publicado em *O Globo* no dia 25 de junho de 1970, reconheceria:

"Pela primeira vez na história do futebol brasileiro, foi feita tal preparação. A princípio foi difícil. Houve muita resistência quando uma equipe de especialistas foi convocada para cuidar do preparo físico. Houve mesmo um combate feroz quando Admildo Chirol pediu ajuda de técnicos especializados. Mas como fazer o teste Cooper sem Coutinho, que fizera um curso de anos com o próprio Cooper nos Estados Unidos, como organizar o *circuit training* sem a ajuda de técnicos como Parreira? Como tratar de recuperar Tostão e outros que se contundiam sem a ajuda técnica e conscienciosa de Paulo Azeredo, Carleto (sic) e Camerino? Como controlar os testes de 22 homens no *interval training*?"

Respeitado o modo diferente com que cada um assimilou o culto à disciplina típico dos militares que integravam a delegação brasileira, particularmente o major aviador Roberto Câmara Lima Ipiranga dos Guaranys, secretário de Jerônimo Bastos, nenhum dos entrevistados confirmou as suspeitas de que houve um comando paralelo na concentração, diretamente conectado ao Palácio do Planalto. Menos ainda que a seleção tenha se tornado, depois da saída de João Saldanha, uma versão de chuteiras da Escola Superior de Guerra, templo ideológico dos militares brasileiros. Nas palavras de Luís Mendes:

"O Jerônimo Bastos era um grande sujeito. Nem parecia que tinha qualquer ligação com a Revolução."

Ou na lembrança de Pelé:

"O peso que existia era a situação política do país, na época. Havia uma mensagem do governo de que era importante a gente vencer. Mas isso ninguém precisava pedir ou mandar. Era tudo que a gente queria."

Em vez de militarização, Gerson se lembrou de reuniões informais à beira da piscina da concentração de Guadalajara:

"Nós, jogadores, conversávamos sobre o esquema tático. E chegavam pessoas como o Cláudio Coutinho pedindo para acompanhar. A gente deixava e ele ficava lá, perguntando, anotando tudo na prancheta. O Coutinho era, como os outros militares, mais desportista do que militar. E se integrou perfeitamente a todo o grupo. Eles eram professores de educação física."

Zagallo, por ser candidato declarado ao cargo de técnico, por ter substituído Saldanha, e também por seu derramado apreço à disciplina e à hierarquia, foi outro alvo dos que viram a seleção a caminho do que o jornalista João Máximo chamou de "plano de Havelange de militarizar a CBD". Para Havelange, no entanto, não foi surpresa ver a hierarquia da comissão técnica ser questionada:

"Isso não é de hoje. Em 1958, diziam que quem mandava no time era Nilton Santos e que o Feola não servia para nada. Sempre o técnico não servia para nada. Na verdade, os jogadores foram disciplinados e respeitaram o trabalho do técnico. Todo mundo se lembra com saudade da delegação de 1970. Foi o melhor momento do futebol brasileiro."

Tostão, um dos responsáveis pelo momento, num texto em homenagem a João Saldanha publicado pela *Folha de S. Paulo* em 2005, ensinou:

"Alguns grandes admiradores do João Saldanha não precisam, ao elogiá-lo, diminuir as qualidades do técnico Zagallo, dizendo que o João formou o time de 1970 e que ele foi muito mais importante que o Zagallo na conquista do Mundial. Os dois foram importantes. Cada um do seu jeito."

Para Havelange, era rotina. Já tinha acontecido com JK em 1958 e com Jango em 1962. Milhões de brasileiros estavam nas ruas, celebrando a vitória espetacular do Brasil sobre a Itália por 4 a 1, no Estádio Azteca, Cidade do México, na tarde do dia 21 de junho de 1970, quando o telefone tocou no apartamento dele no bairro do Leblon, no Rio de Janeiro.

Era do gabinete do presidente Médici, no Palácio do Planalto. Não muito distante dali, na sala de cinema do Palácio da Alvorada, algumas dezenas de convidados do presidente tinham tido um privilégio único em todo o território brasileiro. Em atenção a um desejo especial de Médici, o Ministério das Comunicações tinha providenciado para que as imagens da vitória da seleção brasileira chegassem à tevê da sala em cores.

O resto do país, Havelange incluído, tinha torcido em preto-e-branco.

Médici, como JK e Jango, queria receber o time em Brasília. E Havelange, com a mesma presteza que exibiu no governo presidencialista de Juscelino e no parlamentarismo de fachada do conturbado governo Goulart, fez do desejo do presidente, agora um ditador, uma ordem. Trinta e cinco anos depois da comemoração de milhares de brasilienses e da surpreendente decisão dos militares de abrir ao povo os portões do Palácio da Alvorada, Roberto Médici comparou:

"Não houve presidente da República, antes ou depois do meu pai, que, na vitória da seleção brasileira, não tivesse feito esse oba-oba. O João Goulart, para citar um deles, foi receber os campeões de 1962 na porta do avião."

Havelange foi para Brasília e posou com Médici e a Taça Jules Rimet. Depois, voou com o time para o Rio de Janeiro, onde a seleção foi recebida em delírio pelos cariocas. Em 2005, como em 1970, era perda de tempo tentar arrancar de Havelange alguma comparação baseada no tipo de regime vigente no país na época das três conquistas do futebol:

"Os aplausos de 1970 foram os mesmos de 1958 e 1962. Futebol, você me perdoe, não se mistura com nada."

A bênção do governo Médici inspirou interpretações impressas em livros e ensaios jornalísticos sobre o período. A CBD, segundo elas, se tornou um braço poderoso da propaganda do regime militar, com estrutura e dinheiro a fundo perdido para fazer barulho com as conquistas do futebol e tornar inaudíveis as vozes da oposição e os sons dos porões onde a tortura corria solta.

Raphael de Almeida Magalhães, o ex-colega do governo Lacerda que continuou sendo um bem-informado freqüentador dos gabinetes do poder, depois do golpe militar, discordou:

"Uma das maiores injustiças que fazem com o Havelange é dizer que ele teve apoio do regime militar. Não teve nenhum. O fato de o Médici gostar de futebol e liberar dinheiro pra ele não tinha nada a ver com apoio do regime militar."

Para Havelange, a paixão sincera de Emílio Médici pelo futebol não foi motivo para que o governo militar tivesse tomado conta da CBD ou que ele, Havelange, tenha se tornado o braço esportivo da ditadura. Em 2005, ao comentar as críticas que sempre misturaram seu conservadorismo político com uma postura de militante golpista, ele desabafou:

"Eu não tive nada a ver com o AI-5, não tive nada a ver com a Revolução. Eu respeitei o regime que havia no país, que era a minha obrigação como cidadão. Se foi bom ou ruim, eu nada pude fazer."

CAPÍTULO 6

Braçadas no deserto

O profeta Elias

Elias Zaccour fez parte da legião de jovens cristãos maronitas que os pais mandaram para fora do Líbano quando eles completaram 20 anos. O objetivo era fugir da convocação líquida e certa para servir no exército turco, encarregado de defender a minoria maronita, e muito provavelmente morrer nos conflitos armados que sacudiam o Oriente Médio no início dos anos 1950.

O primeiro destino na chegada ao Brasil foi a pequena Rio Novo, no interior de Minas, onde Zaccour tinha parentes. Mas logo ele se mudou para Belo Horizonte e, finalmente, para o Rio, aonde chegou em 1954, com o português na ponta da língua, um diploma de cientista político e um emprego garantido pelos patrícios no comércio.

Nas primeiras férias que passou na Europa, Zaccour descobriu que o dinheiro brasileiro acabava muito depressa. E resolveu inverter a equação: ganhar dinheiro no exterior para gastar e investir no Brasil. Não demorou muito para descobrir que a melhor coisa para exportar, não tendo capital, era o futebol. Exímio em seis idiomas — árabe, francês, inglês, espanhol, italiano e português — embarcou para a África em 1963 para fazer uma sondagem sobre o interesse por times brasileiros. Voltou convicto de que valia a pena tentar.

Na noite de 31 de março de 1964, enquanto os tanques do general Mourão Filho dobravam a Serra do Mar para depor o presidente João Goulart, Zaccour embarcava no Aeroporto do Galeão para Dacar com a única equipe carioca que encontrou disponível para amistosos: a do Bonsucesso. A viagem duraria dois meses e meio e incluiria Senegal, Líbia, Líbano, Kuwait, Arábia Saudita e outros países da África e do Oriente Médio. Ele ainda não sabia que estava abrindo o caminho para a campanha de João Havelange à presidência da Fifa, mais de uma década depois.

Zaccour conhecia Havelange desde a Copa de 1966 e de freqüentar a CBD, conversando em francês. Mas foi na Copa de 1970, no México, que os dois começaram a tratar mais seriamente da candidatura à Fifa. Trinta e cinco anos depois, ainda em atividade como empresário e dividindo o tempo entre o Rio e Paris, Zaccour lembrou que um passo decisivo foi, na volta do México, convidar para ir ao Brasil, conversar com Havelange, Ydnekatchew Tessema, o dirigente etíope a caminho de se tornar, por quinze anos, presidente da Confederação Africana de Futebol (CAF), e o médico Mohand Maouche, presidente da federação argelina.

Tessema, Maouche e outros dirigentes africanos tinham reivindicações óbvias: maior representatividade no Comitê Executivo da Fifa, mais vagas nas eliminatórias da Copa do Mundo e uma posição firme da entidade contra o regime racista do *apartheid.* O que significava referendar a histórica expulsão da federação sul-africana pela CAF, decidida em 1958, depois que os dirigentes daquele país se recusaram a compor um time misto, com negros e brancos, para disputar a Copa das Nações Africanas.

A resposta do então presidente da Fifa, *sir* Stanley Rous, não era considerada consistente, principalmente no que dizia respeito ao *apartheid*:

"A Fifa não deve interferir nos assuntos internos de nenhum país. Nem ser usada como arma para forçar um governo a mudar sua política interna de esportes."

A bola estava quicando para Havelange.

Elias Zaccour foi o encarregado, no segundo semestre de 1971, da missão de pedir o apoio de Pelé para a candidatura Havelange. O craque aceitou, mas fez questão de dizer, em 2006, que seu apoio foi discreto, como "pessoa física", limitado a alguns momentos em que os dois se encontraram em compromissos do futebol, em viagens ao exterior. Ainda segundo Pelé, tudo correu bem a não ser num desses encontros, ocorrido durante um programa de rádio em Paris, quando os dois foram hostilizados por exilados políticos brasileiros.

Ao contrário do que se veria escrito em alguns livros e jornais, Pelé disse que não pediu votos para Havelange na campanha à Fifa usando, em campo, a camisa 10 do time do Brasil. À época, explicou, já tinha encerrado a carreira na seleção. Jogava ainda pelo Santos, mas disse que se limitou a conversar, "de terno e gravata", com dirigentes estrangeiros durante as excursões internacionais do time paulista.

À mesa

— Vai ser apenas uma medalha. Ou será sua ou será minha.

— Está certo. Se é isso que você pensa...

A reação de Stanley Rous à comparação da eleição da Fifa a uma prova de natação, feita por Havelange na mesa reservada do Mirabella, um elegante restaurante do centro de Londres, no final de 1971, foi de quem não estava levando muito a sério a candidatura brasileira. Essa foi a impressão de Peter Pullen, participante e intérprete do encontro. Havelange, que teve a iniciativa de solicitar o encontro para formalizar a candidatura, teve a mesma impressão:

"Vi nos olhos do Rous a certeza de quem achava que não ia perder."

Semanas antes, no final de setembro, em torno de outra mesa, esta reunindo centenas de delegados e participantes de um congresso da Confederação Sul-Americana de Futebol (Conmebol) em uma churrascaria da Tijuca, no Rio, a candidatura de Havelange tinha sido oficialmente lançada pelo presidente da entidade, o peruano Teófilo Salinas. A argumentação dele era de que o Brasil tinha sido tricampeão e a CBD demonstrava ao mundo sua organização e seu trabalho pelo futebol.

Apesar do inflamado discurso de João Lyra Filho, ministro do Tribunal de Contas da União, completando o ritual do lançamento, muita gente não levou a candidatura a sério. O jornalista Luís Mendes, que estava na churrascaria, foi um.

"No fundo do coração, eu achei que era uma coisa interessante, mas que não vingaria."

José Bonifácio de Oliveira Sobrinho, já então o poderoso superintendente de produção e programação da TV Globo, achava que a candidatura de Havelange era "um delírio":

"A gente dava um pouco de risada para aquele negócio do Havelange dizer que o futebol ia fazer a Fifa ter mais países do que a ONU."

O próprio Havelange balançou. Cerca de quatro meses depois da festa na churrascaria, quando percebeu que ninguém mais falava da candidatura na imprensa e nos meios esportivos, ele desabafou com Abílio de Almeida:

— Estou preocupado. É uma encruzilhada. Estão em jogo os nomes do Brasil, da CBD e o meu nome. Não há um programa, não há nada.

Foi quando a campanha realmente começou. Em março de 1972, com a ajuda de Abílio e Elias Zaccour, entre outros, Havelange começou a visitar as federações. Seria uma maratona de dois anos e dois meses, em uma quase infinita troca de beijos, abraços, apertos de mão e compromissos anotados no caderno, em federações da Ásia, África, Américas do Sul, Central e do Norte, e Europa.

No início, Elias Zaccour contava com o Líbano, onde nasceu, a Tunísia, o Iraque, a Síria e o Kuwait. Sudão e Egito estavam com Stanley Rous. O resto era um terreno a conquistar. E a primeira adesão seria a da Argélia do doutor Mohand Maouche, em maio de 1972. Dali em diante, de acordo com Zaccour, ficou mais fácil:

"Os outros países africanos começaram a correr para o lado de Havelange."

Difícil, de acordo com Zaccour, era enfrentar uma multinacional de artigos esportivos que vinha usando seu poder econômico para persuadir federações de todo o mundo, incluindo as africanas e as integrantes do bloco de influência soviética, a manter Stanley Rous na presidência da Fifa.

Era a Adidas, antes de perceber o vento da mudança e correr para o lado de Havelange.

Pindaíba

"Doutor Havelange, não temos muitos recursos, mas temos de festejar. Temos programas imensos na área de cultura, arte e música, mas o que toca mesmo a massa é o futebol. Seria bom se fizéssemos um torneio ou uma Copa que pudesse situar de maneira valiosa e preciosa o sesquicentenário."

Com estas palavras, ditas em uma audiência no gabinete presidencial do Palácio do Planalto, no início de 1972, o general Emílio Médici ditou a receita da pior das dores de cabeça de João Havelange em dezesseis anos à frente da CBD. A Taça Independência, ou Copa Independência, ou Minicopa, qualquer que fosse o nome, era uma encomenda do presidente para incluir o povo nas comemorações do regime militar pelos 150 anos da Independência do Brasil.

A idéia era convidar 20 seleções, entre elas a inglesa, a alemã e a italiana, para uma Copa a ser disputada em setembro daquele ano, nas principais capitais brasileiras. Havelange mergulhou com entusiasmo na montagem da competição. E chegou à conclusão de que seriam necessários 15 milhões de dólares.

— O senhor assina o papagaio?

— Assino.

Ao lembrar o aval pessoal que deu ao empréstimo que conseguiu para a CBD com Walter Moreira Salles, dono da União de Bancos Brasileiros, antecessora do Unibanco, Havelange disse que tinha uma condição:

— Esse dinheiro não sai do banco. O banco paga as passagens, as cotas dos times, o hotel e o transporte. E faz também a emissão dos ingressos para todos os jogos, que serão vendidos nas agências do seu banco. Com isso, ninguém toca em coisa alguma.

A relação entre Moreira Salles, Havelange e a seleção era antiga. Nas festas pelas conquistas das Copas de 1958 e 1962, o banqueiro oferecera dois históricos jantares para a delegação, em sua mansão no alto da Gávea, Zona Sul do Rio.

As principais federações européias, no entanto, não estavam dispostas a providenciar tamanho mimo à campanha de Havelange à presidência da Fifa e boicotaram a Minicopa. Em 2005, ao lembrar aqueles dias difíceis, Havelange disse que as seleções da Itália, Inglaterra e Alemanha, substituídas na última hora por times da África, Ásia e América Central, fizeram falta na hora de fechar a conta da festa:

"Desde o primeiro momento não foi fácil lidar com os europeus. O público não estava tão interessado nessas seleções e tive uma grande decepção. Como eu era candidato à presidência da Fifa, me tiraram a escada."

A ausência de Pelé, que já se despedira da seleção num jogo contra a Iugoslávia no Maracanã, em 18 de junho de 1971, diante de 138 mil pessoas, foi muito sentida pela torcida. De acordo com Havelange, Pelé, ao ser convidado, chegou a cogitar um retorno ao time durante a Minicopa, desde que recebesse um cachê diferenciado, em dólares. Posteriormente, Pelé negou que a conversa tenha acontecido, mas a falta de um acordo sobre sua participação se tornaria um dos curtos-circuitos mais lembrados na crônica da tumultuada relação que ele teve com Havelange nos anos seguintes.

Havelange reconheceu ainda ter cometido, na Minicopa, um outro erro que, de certa forma, explica o sistema que ele adotaria no futuro na hora de aumentar o número de participantes na Copa do Mundo, primeiro de 16 para 24, depois de 24 para 32:

"Nunca organize uma competição com 20 times. Sempre vão sobrar dois."

O prejuízo que a Minicopa pendurou no caixa da CBD foi, segundo Havelange, de cerca de 1,5 milhão de dólares. Ao lembrar, trinta e cinco anos depois, como enfrentou as dificuldades financeiras da entidade, ele relatou com orgulho o dia em que, ao chegar de manhã na sede da rua da Alfândega, o tesoureiro Sebastião o esperava com um recado do dono de um cartório de protestos no centro do Rio:

— Doutor Havelange, temos um problema. Um título de 400 mil foi protestado pelo banco. A sorte é que o titular do cartório mandou dizer que título seu ele não põe em protesto de jeito nenhum.

Havelange contou que foi ao banco e, depois de uma conversa com o gerente, ficou sabendo que o protesto decorrera de um equívoco do departamento de cobrança. Não tinham levado em conta um novo prazo que ele acertara com o gerente para liquidar o tal papagaio de 400 mil cruzeiros. A explicação de Havelange para a atitude do dono do cartório:

— É minha maneira de ser. Nunca faltei com aquilo que me comprometi a fazer.

Amigos e contemporâneos dos tempos da CBD como os banqueiros Almeida Braga e Antonio José Carneiro, o político Raphael de Almeida Magalhães, o árbitro Armando Marques, os administradores Carlos Tavares e Paulo Godoy, o corretor financeiro Fernando Carvalho, o empresário Elias Zaccour, os dirigentes esportivos Sylvio Kelly, Medrado Dias e Valed Perry, e o jornalista Hans Henningsen, entre outros, confirmaram, em 2005, o religioso compromisso de Havelange com a palavra empenhada. E se disseram testemunhas de sua criatividade e de seus malabarismos para manter as contas da entidade. Raphael de Almeida Magalhães ironizou:

"O Médici gostava de futebol, mas não botava dinheiro no esporte."

Armando Marques:

"Ele dirigiu a CBD sem dinheiro nenhum. Pegou dinheiro do vento!"

Valed Perry:

"Ele administrava 28 esportes sem o dinheiro do governo, sem loteria, sem nada, sem coisa alguma! E sempre essas delegações iam, eram bem atendidas, eram bem formadas, participavam de tudo que é competição no estrangeiro."

Não era essa a história que os adversários de Havelange levariam em forma de dossiê ao Palácio do Planalto, assim que Médici, o inventor da Minicopa, deixasse o poder.

Beijos e votos

— Eu tenho dois pecados em minha vida. O primeiro é nunca ter vindo aqui. E o segundo é não ter trazido minha mulher, Anna Maria.

Ney Carvalho, o amigo que acompanhou Havelange em pelo menos 50 dos 86 países que ele visitou na campanha à presidência da Fifa, foi uma das testemunhas daqueles formidáveis exageros de retórica eleitoral. Não importava em que país fosse. Em cada federação nacional o discurso se repetia, os pecados se multiplicavam e o ego dos dirigentes locais se inflamava. Na chegada de Havelange e Anna Maria a Lagos, na Nigéria, uma cena inimaginável na Inglaterra de Stanley Rous:

"Colocaram um tapete ao pé da escada do avião. Anna Maria foi ao presidente da República, Shehu Shagari, e eu fui até a esposa dele. Nos beijamos nas bochechas e o aeroporto paralisou. Não podiam acreditar que dois brancos beijaram duas pessoas negras com tanto afeto. Eles não estavam acostumados com isso."

Em fevereiro de 1974, a cidade do Cairo, onde a disputa da Copa Africana coincidia com a realização de um congresso da Confederação Africana de Futebol, foi o cenário de outro episódio marcante da campanha de Havelange. Ao chegar ao hotel onde estava a maioria dos delegados africanos e representantes da Fifa, Havelange não conseguiu se hospedar:

"Me puseram uma pedra em cima porque por trás estava o Stanley Rous."

Havelange se hospedou em outro hotel e, chateado, resolveu fazer uma visita ao embaixador brasileiro no Egito, Jaime Bastian Pinto.

O diplomata, ao saber da manobra dos aliados de Rous, teve uma reação surpreendente:

— Por que você não faz um coquetel aqui?

— Eu não queria incomodar nem preocupar.

— Absolutamente. Eu faço o coquetel, mando imprimir os convites e você chama todo mundo.

Até a concorrência foi convidada. E ficou na memória de Elias Zaccour a reação de perplexidade dos homens da Fifa, ao verem os dirigentes africanos "ao redor do Havelange, conversando e tocando nele como se fosse um papa".

Não era difícil entender aquela eletricidade. A própria Fifa, da maneira que existia e funcionava, era um grande cabo eleitoral de Havelange na África e fora da Europa. Stanley Rous carregava nas costas, onde quer que fosse fazer campanha, além do apoio ao *apartheid*, antigos casuísmos, alguns práticos, outros simbolicamente antipáticos.

Entre os casuísmos práticos estava o voto inglês, que, ao contrário de todos os outros da entidade, valia quatro. O da Inglaterra espertamente somado aos da Escócia, Irlanda do Norte e País de Gales. Entre as antipatias estatutárias, a que mais incomodava as federações do Terceiro Mundo era a que garantia à federação inglesa, ao contrário de todas as outras, não importando o grau de miséria do país, o direito de não pagar a anuidade. A mesma anuidade que, não paga, tirava da federação o direito de votar e de disputar competições internacionais.

A Fifa de Stanley Rous, de acordo com os autores do livro *100 Years of Football – The FIFA Centennial Book*, não era muito diferente da Fifa do início do século XX. Embora os estatutos da entidade incluíssem o objetivo expresso de desenvolver o futebol em escala mundial, na prática, a única concessão feita às federações pobres era uma certa tolerância com o atraso da anuidade e, em casos excepcionais, uma isenção provisória e de curta duração.

Havelange tocou na ferida. Durante a campanha, antecipou tudo o que faria nas três décadas em que comandaria a Fifa. Dizia que era inaceitável que só os europeus, ricos e poderosos, pudessem decidir os destinos do futebol, em viagens curtas e baratas de trem para Zurique. Comprometeu-se a usar os recursos da Fifa para que todas as federações do planeta pudessem se ver representadas nos congressos e comissões da entidade, com tudo pago: passagens de ida e volta, hotel cinco estrelas, transporte local e uma diária de 200 dólares "para ninguém depender de ninguém". Em 2005, alguns bilhões de dólares depois, ele continuava desafiando:

"O que fiz na Fifa foi trazer o mundo todo pra dentro dela."

Além de dar asas, verba e voz aos dirigentes, Havelange prometia um equilíbrio de forças no futebol internacional e mudanças internas na Fifa, principalmente em relação às comissões, em que havia poucos sul-americanos, nenhum africano, um ou dois asiáticos e um time inteiro de europeus. Também se comprometia a desenvolver a parte técnica, médica, de arbitragem, disciplinar e o sistema administrativo, além de incluir a China Comunista na entidade. Com ou sem permissão de Formosa.

Havelange tinha ainda um trunfo inquestionável no que dizia respeito ao *apartheid* sul-africano. Nos anos 1960, o time da Portuguesa de Desportos, ao chegar na cidade sul-africana de Durban para um amistoso, fora impedido de desembarcar porque havia negros na equipe. Do Brasil, ao ser informado, Havelange mandou a delegação voltar por conta da CBD e determinou que nenhum outro atleta ou jogador subordinado à Confederação Brasileira de Desportos voltasse a pisar em solo sul-africano enquanto existisse o *apartheid*.

O mundo não prestava atenção, mas a África que Havelange percorreu durante a campanha fervia de paixão pelo futebol. Países como Quênia, Nigéria, Sudão e Uganda tinham entrado para a Fifa antes de terem assento na ONU. A legião de apaixonados incluía monarcas como o rei Hassan II do Marrocos, uma versão subsaariana de Emílio Médici, implacável com a oposição e paternal com a seleção marroquina a ponto de ligar para o vestiário no intervalo do jogo.

Incluía, principalmente, milhões de praticantes, descalços, sem camisa ou uniforme, em campos quase todos de terra e esburacados, e que tinham no drible à brasileira não exatamente um dom artístico, mas uma alternativa para manter a posse de bola diante da impossibilidade de distinguir, a distância e no meio da poeira, quem era do próprio time e quem era adversário.

Os estádios que Havelange visitou, ao contrário da visão apressada segundo a qual eram simples altares da perpetuação de tiranos tribais, não só serviam também de cenário para protestos contra esses tiranos como sediavam clássicos do futebol africano como o Zamalek *versus* Al-Ahli, na Cidade do Cairo; o Canon *versus* Yonnerre, em Yaoundé, capital de Camarões; o St George *versus* Mechal, em Addis Abeba; e o WA *versus* Raja, em Casablanca.

Para Issa Hayatou, o camaronês que abraçou a campanha de Havelange desde o início e que seria posteriormente eleito com uma vice-presidência da Fifa e o posto de delegado de Camarões no Comitê Olímpico Internacional, a vitória do brasileiro no continente africano, embora tenha sido também um reflexo do sucesso do futebol brasileiro, teve uma outra explicação, esta mais profunda:

"Foi tudo uma questão de confiança."

Havelange, apesar do nome belga, a estatura de viking, os olhos azuis, a pele branca e a voz de baixo de um rei Henrique em *Lohengrin,* parecia não ser visto assim pelos que o recebiam nos aeroportos, estádios e salões abafados da África. Ismail Bhanjee, dirigente da federação de Botsuana que testemunhou a campanha de 1974, guardava, em 2005, uma lembrança:

"Você podia sentir que ele gostava das pessoas, ele gostava do esporte. Nós todos sabíamos que ele não jogava futebol, mas ele amava o esporte. E toda a África estava com ele."

Três décadas e milhares de beijos triplos depois, Havelange explicou o que poderia ser chamado de seu lado "afro":

"Era a vantagem de ser brasileiro. O Brasil nos ensina a sermos multirraciais, multirreligiosos, multitudo. Somos maleáveis no bom sentido. Não somos rígidos. Compreendemos o lado negativo e positivo de todo mundo."

A África estava garantida.

Faltava o resto.

De primeira

— Valed, o Passo está me trazendo aqui um pedido de um general da Petrobras para não suspender o Sergipe.

Valed Perry, assessor jurídico da CBD por sete anos, lembrou, em 2005 que, ao entrar na sala de Havelange na sede da rua da Alfândega, ele já estava com o diretor de futebol Antonio do Passo e o diretor administrativo Abílio de Almeida. Na época, o regulamento do Campeonato Brasileiro estabelecia que o clube que mandasse para campo um jogador sem condição legal ficaria imediatamente suspenso por dez dias. O Sergipe tinha cometido a infração e, por coincidência, Valed estava tratando da punição.

— Havelange, eu estou agora mesmo trazendo um parecer suspendendo o Sergipe. Porque nós já suspendemos o Moto Clube e o ABC. A situação é a mesma.

— Passo, diga ao general que eu vou suspender o Sergipe.

Fernando Collor de Mello, ao lembrar seus tempos de presidente do CSA de Alagoas, entre 1973 e 1974, disse que a amizade das famílias ajudou, mas também não fez Havelange ir contra os estatutos da entidade. Acompanhado por José Sebastião Bastos, o Bastinho, dirigente do CSA e compadre de Havelange, Collor foi à sede da CBD no início de 1973. Queria saber como o CSA poderia disputar o Campeonato Brasileiro juntamente com o grande rival de Alagoas, o CRB, campeão estadual daquele ano e, por isso, legítimo ocupante da única vaga do estado na competição. Havelange não deu muitas esperanças:

— Não tenho o que fazer. Só entra um. Mas converse com o Antonio do Passo que ele pode ter alguma idéia.

O próprio Havelange, segundo Collor, acabou consultando Antonio do Passo, que respondeu:

— Não podemos impor nada. Só se o CRB aceitar uma melhor de três.

Collor levou a proposta ao CRB. Os dirigentes do clube, confiantes no ótimo time que tinham na época e na possibilidade de faturar bastante antes do Campeonato Brasileiro, toparam a melhor de três. E perderam. CSA 2 a 1, gols de Giraldo e Beto. Na prorrogação do terceiro jogo.

As respostas rápidas e desconcertantes foram a marca do estilo com que Havelange lidou durante décadas com os dirigentes do esporte brasileiro. Como no caso do presidente do América Mineiro que chegou à sede da CBD com uma fórmula:

— Havelange, você bota o América Mineiro no Campeonato Nacional e eu monto um grande time.

— Façamos o seguinte, meu caro: você faz um grande time e eu boto o América Mineiro no Campeonato Nacional.

Ou da comitiva de dirigentes do Palmeiras que, de acordo com o árbitro Arnaldo Cezar Coelho, testemunha do encontro, desembarcaram no Rio dispostos a vetar a escalação do árbitro Armando Marques para os jogos do time. O dirigente:

— Nós vamos jogar na quarta-feira e queremos saber do senhor o seguinte: que árbitro o senhor vai escalar?

— Armando Marques.

— Mas ele não respeitou o Palmeiras...

— Armando Marques.

Um Mustang no Kremlin

Iury Kler, carioca, 72 anos em 2005, ex-pára-quedista do Exército brasileiro, morador de Ipanema, nasceu no Brasil porque o pai, Nicolau Bruno Kler, ex-oficial da guarda de honra do czar, a mulher Olga e a filha Mary, ao partirem de Odessa, fugindo da revolução bolchevique, sobraram na disputa pelos vistos de entrada nos Estados Unidos.

Os 11 irmãos de Nicolau e suas numerosas famílias conseguiram entrar na cota de imigrantes russos, mas Nicolau e os seus tiveram de peregrinar pela Polônia, depois pela cidade de Bremer, na Alemanha, até acabarem embarcando no navio *Sierra Morena* com destino ao Brasil, alternativa escolhida por uma razão simples: era um país quente. Quarenta anos depois, Iury Kler, o filho de Nicolau que nasceu no Rio em 20 de setembro de 1930, seria o proprietário do único e desejado Ford Mustang chocolate a rodar impunemente pelas ruas da capital da União Soviética.

Seria também o homem de João Havelange em Moscou.

O Brasil tinha acabado de reatar relações diplomáticas com a União Soviética, governo Jânio, 1961. Primeiro colocado no concurso realizado entre oficiais brasileiros que sabiam falar russo, Iury fez parte da leva de funcionários que se seguiu ao embaixador Vasco Leitão da Cunha, o pioneiro da embaixada, inicialmente instalada em três suítes de um grande hotel de Moscou. Substituto de Leitão da Cunha, o embaixador Henrique Rodrigues Vale, tricolor doente, pôs Iury e seu Mustang chocolate à disposição de Havelange para os contatos com a Federação Soviética de Futebol.

Enquanto viveu na União Soviética, entre 1962 e 1976, Iury cuidou do encaminhamento e da tradução das cartas trocadas por Havelange com os dirigentes soviéticos. Na lembrança de Iury, eles queriam barganhar:

"Os soviéticos, apesar de falarem inglês, só negociavam em russo. Queriam mais poder na Fifa."

Em dezembro de 1972, Los Angeles era candidata a sediar os Jogos Olímpicos de 1980. Moscou também. Na mesma época, Havelange estava indo para Moscou para tentar o apoio das federações do bloco soviético à sua candidatura a presidente da Fifa. Teve uma primeira reunião com o poderoso presidente do Comitê Olímpico Soviético, Serguei Pavlov.

"Ele me enrolou, enrolou. Não disse que sim nem que não. E que iria pensar."

Em março de 1973, quatro meses depois, Pavlov tinha uma contraproposta:

— Doutor Havelange, o senhor votaria com a União Soviética para que os jogos olímpicos sejam em Moscou?

— Sim, senhor ministro. Mas em contrapartida eu quero o seu voto na Fifa.

Feito. Havelange receberia, em junho de 1974, todos os votos da chamada "Cortina de Ferro": União Soviética, Polônia, Checoslováquia, Hungria, Romênia, Bulgária e Iugoslávia. Em agosto, dois meses depois, na votação do Comitê Olímpico Internacional, com a poderosa liderança que já tinha, também na entidade, Havelange garantiria um punhado dos votos decisivos para a vitória de Moscou contra Los Angeles. E sem qualquer desconforto ideológico. Da mesma maneira com que não dera pelota para uma advertência de Paulo Machado de Carvalho sobre "a inconveniência e o perigo de enfrentar uma seleção comunista e perder" durante a Taça das Nações, no Rio, logo depois do golpe militar de 1964.

Na lembrança de Iury Kler, Havelange sempre esperava a decisão de Moscou antes de procurar os outros países do bloco socialista:

"Ele dava mais atenção aos soviéticos porque sabia que os outros países do bloco iam tomar bênção deles depois."

E quem não cumprisse as determinações de Moscou? Não existia essa possibilidade. Palavra de Yacheslav Koloskov, outro dirigente soviético que se tornou um grande aliado de Havelange no esporte mundial. Em 2005, ele explicava:

"Era impossível não seguir a recomendação do governo. Havia punições previstas que incluíam até a exclusão dos quadros do Partido Comunista."

Na lembrança de Koloskov, tudo o que era negociado em Moscou, incluindo em quem votar e de que lado ficar nas votações, era automaticamente multiplicado pelas representações do bloco soviético no COI e na Fifa. Havelange, compreensivelmente, não tinha queixa alguma. Era o pragmatismo em pessoa:

"Era um regime difícil, mas quando se comprometia, era perfeito. Um relógio."

Stanley Rous, como no caso do *apartheid*, também pisou em algumas minas eleitorais no campo de batalha do bloco comunista. No outono de 1973, meses depois do golpe militar que derrubou Salvador Allende, a matemática da tabela das eliminatórias da Copa da Alemanha determinava um inesperado vespeiro ideológico e geopolítico: que União Soviética e Chile se enfrentassem em 21 de novembro daquele ano, no Estádio Nacional de Santiago, arena esportiva que estava sendo usada como campo de concentração, interrogatórios e execuções pelos militares comandados pelo general Augusto Pinochet.

Com a recusa dos soviéticos de enfrentar os chilenos no então chamado "estádio da morte", Stanley Rous pediu que o secretário-geral da Fifa, o poderoso Helmut Käser, acompanhado de Abílio de Almeida, um dos vice-presidentes da entidade e representante das federações sul-americanas, fizessem uma inspeção *in loco*. Em relatório conjunto de 26 de outubro daquele ano, Käser e Abílio confirmaram que o Estádio Nacional continuava sendo usado como campo de detenção, mas recomendaram que o jogo entre as seleções fosse mantido lá, como queria a federação chilena.

Os soviéticos bateram o pé, não se apresentaram para o jogo e foram desclassificados. A punição foi interpretada, nos corredores do Kremlin, como uma conspiração anticomunista em curso nos corredores da Fifa. Para os soviéticos, muito mais grave do que o fato de Abílio de Almeida ter sido co-autor do relatório sobre o Estádio Nacional, interpretando o interesse da federação chilena, foi o insulto da desclassificação, patrocinado, em última análise, por Stanley Rous.

Que nem campanha fez em Moscou.

Keir Radnedge, jornalista, escritor e colunista de futebol internacional da revista inglesa *World Soccer*, ao lembrar o episódio do Chile em 2005, ainda tinha dúvidas sobre quais seriam as chances de Havelange ser eleito, se Stanley Rous não tivesse se antagonizado daquela maneira com o bloco soviético. A Fifa, lembrou, era uma entidade bem menor, onde o voto europeu era muito mais significativo. E a União Soviética, na mesma época, tinha influência decisiva em muitos países africanos:

"Não ocorreu ao Stanley Rous pensar que ele tinha de adotar uma solução política, em função das eleições no ano seguinte."

Muito antes de Rous pisar no tomate da arrogância e da falta de visão política, porém, Havelange já construíra laços fraternos não apenas com as autoridades e os dirigentes esportivos, mas também com as estrelas do futebol soviético. Sua primeira visita ao Leste Europeu acontecera em 1962, acompanhando, como presidente da CBD, a seleção brasileira, para um jogo histórico em homenagem a Lev Yashin, o "Aranha Negra", considerado por muitos o maior goleiro de todos os tempos:

"Foi um jogo inesquecível, o primeiro dos brasileiros em Moscou. Depois desse jogo, eu tive muitas atenções dos soviéticos."

Fã do futebol brasileiro, Yashin acabou conseguindo uma licença para visitar o Rio de Janeiro por algumas semanas. Passava as manhãs na praia e as tardes no campo de treinamento do Flamengo, no bairro da Gávea, mantendo a forma e treinando os goleiros do clube. Quase ficou de vez.

Orgulhoso, Havelange lembrou que foi o próprio Yashin quem depositou o voto da União Soviética na urna, no congresso de Frankfurt que o elegeu presidente da Fifa, em junho de 1974. Voto aberto.

Devidamente assessorado por Iury Kler, que era conhecedor dos códigos de etiqueta vigentes e da queda especial dos soviéticos por produtos do Ocidente capitalista, Havelange levava na bagagem para Moscou lembranças de *free-shop* que eram acolhidas como relíquias pelos interlocutores e as respectivas esposas.

"Os presentes do João faziam a alegria dos soviéticos."

O Mustang chocolate de Iury Kler acabou se tornando uma espécie de peça da silenciosa campanha de Havelange naquele deserto de consumo que era a Moscou do início dos anos 1970. E também objeto de discreta observação de agentes da KGB, mesmo circulando no raio de 40 quilômetros dentro do qual os motoristas estrangeiros eram obrigados a se manter. O Mustang também fazia sucesso quando Iury o estacionava por perto do Gum, o arremedo de *shopping center* da era comunista, na Praça Vermelha.

Até virar ferro-velho, depois de abraçar um poste em uma noite fria do inverno moscovita.

Batalha da Inglaterra

Havelange não tinha esperança de vencer na Europa, mas não tirou os olhos do reduto eleitoral de Stanley Rous. Logo depois do jantar com o presidente da Fifa no restaurante Mirabella, em Londres, teve, no final de 1973, uma reunião que consideraria o "marco zero" de sua corrida à presidência da Fifa. Ela aconteceu no seu hotel preferido de Paris, o Bedford, e teve a participação de Abílio de Almeida, Peter Pullen, Paulo Costa, representante da CBD em Paris, Aurélio Martins, funcionário da Panam em Lisboa, e Werner Pich, da Alemanha.

"Por eles eu tinha um levantamento. Quando eu chegava, eu conhecia tudo. Isso facilitava. Eu não cometia nenhum erro nem dizia uma palavra que pudesse magoar."

A partir daquele momento, todas as informações e movimentos da campanha passaram a obedecer a um planejamento. E todos estariam sempre ligados a Abílio de Almeida, o "estado-maior" da campanha. Havelange estava prestes a iniciar um giro por países que tinham menos tradição e nos quais via possibilidade de conquistar votos. E fez um pedido:

— Vamos trabalhar em sigilo.

Instalado no quintal do inimigo, mais exatamente no setor de imprensa da Fifa, por indicação de Havelange, Peter Pullen passou a informar a Abílio de Almeida, por telefone e telex, sobre todos os movimentos de Stanley Rous e sobre o noticiário esportivo da Inglaterra. Pullen, aliás, jamais entendeu por que fora colocado no setor de imprensa da entidade, já que nunca exercera a profissão; sentia-se "completamente perdido" no cargo e tinha um sentimento de lealdade para com Stanley Rous. Peter queria ajudar Havelange, mas não queria "magoar" Rous. E chegou a dividir a angústia com o amigo:

— João, eu estou numa posição muito difícil aqui. Vocês me nomearam representante da CBD junto ao setor de imprensa da Fifa e, por isso, eu devo uma lealdade ao Stanley Rous.

— Compreendo perfeitamente.

Peter, ao lembrar a saia justa de campanha, disse, em 2005, que a solução foi ser "discreto". Com este cuidado e sabendo que a República da Irlanda nunca havia sido bem tratada pela Fifa ou por Rous, encostou em Louis Kilcoyne, o dirigente irlandês que também trabalhava em Londres:

— Com o Havelange na presidência, vocês terão muito mais atenção e ajuda do que estão recebendo da Inglaterra.

Pullen sabia que Inglaterra, Escócia, Irlanda do Norte e País de Gales não votariam em Havelange em hipótese alguma. A República da Irlanda era o voto possível no terreno do adversário.

Daria certo em Frankfurt.

Do outro lado do Atlântico, Havelange e Abílio de Almeida se reuniam com o presidente da Concacaf, a Confederação das Américas do Norte e Central e do Caribe, Jack Warner, na sede da entidade, em Trinidad e Tobago. Encontraram um dirigente que se dizia "cansado da arrogância dos europeus da Fifa". Cansado e, segundo Warner lembrou em 2005, pressionado pelo fato de Trinidad e Tobago ser uma ex-colônia britânica.

"Não havia arrogância. Doutor Havelange foi simpático. Pela primeira vez alguém estava nos tratando como iguais."

Naquela conversa, estavam sendo definidos oito votos: Suriname, Haiti, Trinidad e Tobago, Jamaica, Cuba, Antilhas, Barbados e Guiana. A moeda de Havelange, além da simpatia, era a promessa de aumentar o número de países participantes da Copa do Mundo. Para Jack Warner, valeria a pena acreditar. Trinta e dois anos depois, sua pequena Trinidad e Tobago se classificaria para a Copa da Alemanha, em 2006.

Surpreendente mesmo seria a maneira com que Havelange conquistaria outros seis preciosos e decisivos votos em Frankfurt. Peter Thyssen, um remador alemão que Havelange conhecera na Olimpíada de Berlim, em 1936, tinha fugido do regime nazista e se mudado para a Argentina, onde se tornara técnico de remo. Com o tempo, chegara a funcionário da Lufthansa em Buenos Aires, depois diretor no México e no Brasil. Foi quando ele e Havelange se reencontraram na sede da CBD, no Rio. Peter disse que ia pedir demissão da Lufthansa porque o tinham transferido para a Austrália. Havelange aconselhou:

— Não faça isso. Aceite que você vai conhecer um país formidável, que vai adorar. E tem mais uma razão: como velejador, você vai ver que velejar na Austrália é outra coisa.

Peter acabou reconsiderando. Em fevereiro de 1972, já em campanha pela Fifa, Havelange aproveitou a ida aos Jogos de Inverno de Saporo, no Japão, para buscar votos na Oceania. No reencontro com Peter Thyssen em Melbourne, o amigo alemão estava tão feliz da vida que se dispôs a articular uma reunião de Havelange com o presidente da federação australiana. Ela aconteceu, mas terminou na frase do dirigente:

— Eu vou ser franco. Votarei com *sir* Stanley Rous.

— É um direito que você tem.

Na saída do encontro, meio decepcionado, Thyssen prometeu a Havelange:

— No dia de sua eleição, em 1974, estarei de férias. Como diretor da Lufthansa, tenho direito a seis passagens. E prometo levar seis presidentes da Oceania para votar em você.

Peter cumpriria a promessa de levar os dirigentes das ilhas Cook, Fiji, Salomão, Taiti, Tonga e Vanuatu para Frankfurt nas asas da Lufthansa. E por coincidência, no primeiro turno da eleição da Fifa, Havelange ficaria à frente de Stanley Rous por apenas seis votos.

Aliança no Golfo

"Aquilo tudo era um areal em 1972. Não tinha nada."

Sempre na companhia de Elias Zaccour e de seu árabe fluente, Havelange percorreu toda a área do Golfo Pérsico, comprometendo-se a colocar Irã, Iraque, Omã, Catar, Arábia Saudita, Kuwait e Emirados Árabes no mapa do futebol mundial. Ao Líbano, origem do maior contingente de muçulmanos do Brasil, ele já tinha ido várias vezes como presidente da CBD. Estava em casa.

Naquela viagem, Havelange começou a construir, na Arábia Saudita, com um discurso idêntico ao que fazia na campanha da África, uma de suas mais sólidas alianças políticas: os monarcas sauditas.

"Fui apresentando ao rei Fahd. Depois, ao príncipe Faisal, terceiro na hierarquia, um homem que eu jamais esquecerei. Como eu nunca lhe faltei, tive a contrapartida. Ele nunca me faltou, em nenhum momento."

Em 1972, como em 2005, para a contrariedade dos que lhe cobravam o uso do poder do esporte como instrumento da democratização, o mundo de João Havelange, antes mesmo da conquista da presidência da Fifa, já era uma imensa tribuna de honra, num estádio preferencialmente lotado, tudo funcionando perfeitamente e dentro do horário, dinheiro entrando na bilheteria e, se possível, todos vibrando com uma boa partida de futebol. Como acabaria acontecendo no Golfo Pérsico:

"Posso dizer que não faltei aos árabes porque hoje o futebol lá é uma maravilha. As instalações são o que há de mais precioso, a disciplina é perfeita e o respeito é total."

Política, em qualquer lugar ou regime, não era com ele.

CAPÍTULO 7

A zebra de Frankfurt

Fora do time

O telefone tocou no apartamento de Pelé, em Santos, no início de 1974, e do outro lado da linha estava a antropóloga Amália Lucy Geisel, a filha do general Ernesto Geisel que se tornara personagem da crônica política da ditadura por sua admiração aberta ao compositor Chico Buarque de Holanda, alvo predileto dos censores do Palácio do Planalto. Amália era porta-voz de um pedido do presidente:

— Pelé, o meu pai está pedindo para você jogar na Copa. É importante.

Ao recordar o episódio, trinta e dois anos depois, Pelé disse que deu à filha do militar que seria empossado presidente da República em 15 de março daquele ano a mesma resposta que vinha dando a todos os que tentavam convencê-lo a reconsiderar o adeus que dera à camisa 10 da seleção, dois anos antes, diante de quase 140 mil pessoas, no estádio do Maracanã:

— Não dá, Amália. Eu já me despedi da seleção. Só estou jogando pelo Santos.

Na mesma época, o banqueiro Antonio Carlos de Almeida Braga, falando como torcedor histórico e também como cabo eleitoral interessado em ajudar Havelange a acrescentar mais um título mundial a seu currículo de presidente da CBD, se reuniu com Pelé no Rio e perguntou:

— Pelé, o problema é dinheiro?

Pelé devia uma atenção a Braga. Em 1968, durante os oito meses em que ocupara o cargo de diretor de futebol da CBD, Braga fizera um acordo com o craque para não levá-lo a uma excursão de 16 amistosos da seleção. A medida permitiu que Pelé engordasse um pouco mais a receita, viajando com o Santos Futebol Clube. Seu cachê, na época, tinha o mesmo valor que o do time inteiro sem ele. Seis anos depois, porém, Pelé estava determinado:

— Não, Braguinha. Não é dinheiro. É a minha decisão. Se fosse dinheiro eu já teria aceitado as propostas do Real Madrid, do Milan e do Juventus, onde o Agnelli me ofereceu até ações da Fiat. Foi melhor do jeito que saí: campeão, no topo.

Três décadas depois da polêmica sobre sua ausência em campo na Copa de 1974, Pelé, reproduzindo com as palavras a mesma ginga que exibiu em campo, disse que a única maneira de se entender completamente as razões que o levaram a não jogar era pensar que, em suas palavras, "foi mais ou menos um pouco de cada coisa".

Por "coisas", entendam-se os contratos publicitários que lhe foram oferecidos para atuar fora de campo, antes, durante e depois da Copa, a determinação de não correr o risco de terminar a carreira com o fracasso da perda do título na Alemanha, preocupação obsessiva do irmão Zoca e do amigo Júlio Mazzei, e uma ponta de mágoa com a rapidez com que, segundo Pelé, os dirigentes, a imprensa e a torcida aceitaram sua decisão de dar adeus à seleção em 1972:

"Se tivessem dito, na época, para eu ficar, seriam mais dois anos e podia até ser que eu ficasse. Eu me despedi com o coração partido."

Carlos Alberto Torres, o capitão do tricampeonato, disse ter sido testemunha da dita decepção de Pelé, lembrando que, mal a Copa de 1970 terminou, o craque, então com 30 anos, já estava sendo chamado de "velho" por setores das arquibancadas e das redações.

Quaisquer que tenham sido as razões, Havelange, nas várias vezes em que o assunto foi abordado, durante as entrevistas feitas em 2005, deixou claro, com olhares, gestos e muito poucas palavras, que não ficou mesmo satisfeito com a recusa de Pelé em jogar pela seleção, exatamente na Copa que coincidiu com sua candidatura à presidência da Fifa, quaisquer que tenham sido as razões:

"Eu fiz a minha parte: convidei e tudo mais. Anos depois, ele veio e me disse que tinha cometido um erro e que se tivesse aceitado meu convite poderia ter sido campeão cinco vezes."

Título de eleitor

A campanha de Havelange na África prosperava quando, em fevereiro de 1974, Elias Zaccour lembrou da letra do artigo 68 do estatuto da Fifa. Ele prevê que toda federação tem de pagar, a cada dia 1º de janeiro, uma anuidade de valor não superior a 1.000 dólares. Cumprir aquela obrigação, da qual só estava isenta a federação inglesa, era condição prévia para que as associações pudessem votar nos congressos e nas eleições da entidade. Para não ter surpresas em Frankfurt, Zaccour pegou um avião para Zurique e foi até a sede da Fifa verificar pessoalmente o cadastro de cada federação aliada.

Sábia decisão. Na lista que o secretário-geral Helmut Käser passou a Zaccour, constava o débito de 14 federações africanas que iam votar em Havelange. Zaccour não perguntou. Foi até a secretaria, pediu nome por nome, e pagou, um a um, *cash*, todos os atrasados. Em 2005, ao lembrar com orgulho aquele momento decisivo da campanha, Zaccour disse que não se lembrava do valor exato do desembolso:

"O que eu lembro é que aquelas federações estavam com a gente e eram pobres demais para pagar. Ou eu pagava ou elas não votariam. E não havia nada que proibisse alguém de pagar."

Zaccour negou com veemência a suposição de que o dinheiro fosse de Havelange:

"E eu ia lá pedir ao Havelange para ele pagar? De jeito nenhum. Paguei do meu bolso. E paguei porque estava engajado na eleição dele. Viajei com ele o tempo todo."

Zaccour reconheceu com naturalidade que aquele intenso envolvimento com a campanha do amigo lhe renderia dividendos e oportunidades de negócios no mundo do futebol:

"O João botava a mão no meu ombro e deixava claro pra todo mundo que eu era ligado a ele."

O banqueiro Almeida Braga, que também ajudou financeiramente na batalha eleitoral contra os europeus então apoiados pela Adidas, orgulhava-se:

"Eu ajudei porque queria ajudar. Não me custava nada."

Não faltariam veneno e exagero nas hostes adversárias, na hora de interpretar e dimensionar os gestos de Elias Zaccour, Almeida Braga e outros amigos de Havelange para levar sua candidatura àquelas nações pobres da África. Nações e federações cuja existência fora até então praticamente ignorada pelos dirigentes europeus que contavam com a reeleição de Stanley Rous.

A véspera

— Se eu fosse o senhor, não entraria. O senhor não tem nada que fazer aqui.

— Mas eu fui convidado e vou honrar o convite.

O diálogo de Havelange com o porteiro de *black-tie*, encarregado do pente-fino para a recepção da Adidas, era a medida da popularidade do adversário brasileiro de sir Stanley Rous. A recepção era em homenagem aos dirigentes do futebol mundial e aconteceu num castelo dos arredores de Frankfurt no dia 10 de junho de 1974, véspera da eleição do novo presidente da Fifa.

Na madrugada do dia anterior, ninguém dormira. Peter Pullen disse ter sido chamado por volta de uma da manhã para participar de um mutirão de amigos de Havelange. A missão era desmentir, de quarto em quarto, nos hotéis onde se encontravam as delegações, uma série de boatos contra ele. No desmentido distribuído, Havelange garantia que, ao contrário do que diziam boatos espalhados nas horas anteriores, ele não iria "sulamericanizar" a Fifa, se fosse eleito.

Os boatos eram carregados de menções a uma suposta "falta de sinceridade dos sul-americanos". Para desmontar esta bomba, participaram do mutirão, entre outros, o jornalista Ricardo Serran, Peter Pullen, Carlos Alberto Pinheiro e Werner Pich. Deixaram uma nota datilografada em cada porta de quarto de hotel onde havia um delegado da Fifa, entre 4 e 6 horas da manhã.

Peter Pullen, mais uma vez forçado pelas circunstâncias a ser um jornalista, acabou tendo ele mesmo de datilografar, catando milho, o esclarecimento da candidatura Havelange. Na recepção que ofereceu para 400 convidados em outro castelo medieval de Frankfurt, horas depois da correria da madrugada, todos os delegados dos 126 países inscritos para o congresso da Fifa já tinham resposta dele ao que chamou de "iniciativa de Stanley Rous de transformar a eleição em uma guerra entre Europa e América do Sul":

"Depreendo das declarações de sir Stanley Rous que meu único demérito é de nacionalidade; não envolve meu caráter, nem deslustra meu nome. Mas o fato de não haver eu nascido na Europa em nada compromete meu desejo de prestar serviços ao futebol europeu e ao futebol de todos os demais hemisférios em clima de comunhão do espírito e do sentimento."

Inútil. O clima era de guerra. A boataria dava como certa a "compra" de levas de delegados, ora pela campanha de Havelange, ora pela de Rous. Outros boatos levavam à conclusão de que a Adidas teria comprado os votos da África para Rous porque a CBD não deixara que a empresa alemã se tornasse a marca oficial da seleção brasileira. A entrega de ingressos dos jogos da Copa para os convidados de Havelange, feita de porta em porta nos hotéis, aos olhos dos repórteres ingleses era distribuição de dinheiro. No saguão do hotel em que estavam hospedados em Frankfurt, Horst Dassler, o dono da Adidas, ao cruzar com Elias Zaccour, desafiou:

— Vamos ganhar.

— Ouça bem, Dassler, se os votantes forem 130, nós ganhamos. Se forem mais do que isso, vocês podem ganhar.

Havelange só não esperava, na véspera da eleição, fogo inimigo do Brasil. Mas o teve, na forma de um telegrama que lhe foi entregue pelo embaixador brasileiro na Alemanha, durante o jantar que reuniu os dois no restaurante do hotel de Havelange em Frankfurt. Era uma mensagem do Itamaraty, recomendando de forma incisiva, "por ordem da Presidência da República", que Havelange não tocasse, durante o congresso da Fifa, na questão da volta da China Comunista à entidade.

Havelange leu, botou o telegrama no bolso, não fez comentários e continuou conversando sobre outros assuntos. Ao final do jantar, pediu um encontro reservado com João Lyra, delegado da CBD no congresso e entusiasmado cabo eleitoral de sua candidatura. O encontro aconteceu na suíte de João Lyra, no mesmo hotel. Ao ler o conteúdo do telegrama, Lyra, irmão do general Lyra Tavares, militar poderoso no governo brasileiro, reagiu determinado:

— Agora vai falar seu amigo aqui. Sou brasileiro e quero lhe dizer uma coisa: na hora do assunto China, durante o congresso, intervenha e faça de conta que este telegrama não existe. A responsabilidade é minha.

Havelange aceitou a sugestão de Lyra e botou o telegrama no bolso. Mas sabia que, desde o dia 15 de março daquele ano, quando o general Ernesto Geisel tomou posse na Presidência da República, substituindo o general Emílio Médici, uma poderosa articulação liderada pelo almirante Adalberto de Barros Nunes, ministro da Marinha do governo Médici, estava em curso para afastá-lo da presidência da CBD, qualquer que fosse o resultado da Copa e da eleição na Fifa.

Antes de irem para a Alemanha, faltando dias para o congresso da Fifa, Havelange e Anna Maria tinham estado em Paris, onde, convidados pelo próprio general Lyra Tavares, almoçaram na residência do embaixador brasileiro com o então ex-presidente Médici e as respectivas mulheres. Ao final do almoço, Médici mostrou que não era assim tão contra a realização de eleições:

— Havelange, quero lhe dizer que, para o Brasil, é mais importante você ser eleito presidente da Fifa do que o Brasil ganhar a Copa do Mundo.

Nas 72 horas que antecederam à eleição, Havelange pôs em funcionamento um plano que atordoou os partidários de Rous:

"Não dei oportunidade. Tive pessoas nos aeroportos e estações para receber os membros da Fifa em meu nome."

Se o delegado era um africano casado, ia para um hotel de quatro estrelas. Se era solteiro, outro hotel só para os solteiros. No encontro com cada presidente de federação, em seu hotel, Havelange recorria ao caderno onde anotara tudo que tinha sido conversado com os 86 dirigentes, nas viagens que fizera durante a campanha. Trinta e um anos depois, ele lembrou que o sistema funcionou muito bem:

"Na hora da conversa, como eu havia lido um pouco antes e rememorava tudo, achavam que eu era um gênio."

Na hora de tentar antecipar o resultado da votação, no entanto, Havelange usava o que chamou de "sistema do Brasil", uma espécie de taxa de traição previsível que lhe permitiu prever que 30% dos que o visitaram no hotel não honrariam a promessa do voto. Abílio de Almeida, Ney Carvalho e Carlos Alberto Pinheiro, entre outros, ajudaram Havelange a avaliar a consistência dos aliados.

Placar final

— O Brasil, não!

O grito de Stanley Rous foi inútil, no salão de convenções do Frankfurt Airport Hotel, para tentar impedir que Havelange tomasse a palavra, ao final de cerca de quatro horas de discussão sobre a questão da reintegração da China aos quadros da Fifa. Rous e a maioria dos delegados europeus, fechados com a política externa dos Estados Unidos, eram contra, mas a proposta de reintegrar a China e expulsar Taiwan, feita por uma dezena de países árabes liderados pelo Kuwait, tinha o apoio da maioria dos 122 delegados presentes, que exigiram ruidosamente que Rous desse a palavra a Havelange.

Havelange, num bem-cortado terno marron de tecido inglês, precisou de um minuto e quarenta segundos para defender a volta da China e, cuidadoso como sempre, não fez menção à desconfortável necessidade de expulsar Taiwan para abrir caminho para os comunistas chineses. Os aplausos entusiasmados e os votos a favor da proposta, ainda que acabassem não atingindo a maioria de três quartos necessária, foram a antecipação do resultado de outra votação, a da presidência da Fifa. Na volta de Havelange para sua cadeira, a reação de João Lyra, o avalista da peitada que ele acabara de dar no governo Geisel, comemorou:

— Você está eleito!

Ia ter troco em casa. E não seria exatamente por causa da suposta afronta à política externa de Geisel, que até reconheceria o governo comunista de Angola e também fecharia a embaixada de Taiwan em Brasília para conversar melhor com os chineses. O chumbo grosso seria disparado na CBD. Mas naquela terça-feira, 11 de junho, Havelange não teve tempo de pensar.

Na primeira votação dos 122 delegados para o cargo de presidente da Fifa, acompanhada por amigos brasileiros como se fosse um jogo de futebol, de uma galeria que dava para a sala de votação, Havelange venceu Rous por 62 a 58. Insuficiente. Em oito minutos, tempo necessário para o segundo turno, a vitória, anunciada pelo soviético Victor Granatikin, um dos vice-presidentes da Fifa, passou a ser de 68 a 52. Na lembrança do árbitro Armando Marques, um dos integrantes da torcida brasileira, "Stanley Rous ficou vermelho como um pimentão quando saiu o resultado".

Para Keir Radnedge, da *World Soccer*, uma era do futebol começava a terminar naquele momento:

"Rous nunca tinha disputado o cargo. Até então, a presidência da Fifa passava de um candidato para outro naturalmente. Era um clubinho legal, uma espécie de Rotary Club. Rous tinha um compromisso apenas com o futebol. Era um árbitro bem-sucedido, mas era basicamente ingênuo e não soube construir uma rede com Horst Dassler, da Adidas. Rous não viu o que estava para acontecer. Havelange, ao contrário, viu tudo e tinha uma agenda de poder."

Rous pode não ter visto, mas a federação inglesa, de acordo com Peter Pullen, citando suas fontes então bem-posicionadas no futebol britânico, enxergou algum motivo para mudar de lado e votar em Havelange naquele segundo turno.

Paulo Godoy, o amigo, conselheiro e *ghost-writer* informal de Havelange, viu na eleição a derrota de uma oligarquia que dominava a Fifa desde a sua fundação e que vivia de favores das federações européias — Inglaterra, Alemanha, França e Itália, "os donos da Fifa":

"Foi uma vitória pessoal de Havelange, pegando os pontos fracos dos fortes."

O voto espanhol foi um exemplo de como, além de mexer com os ânimos das federações, a disputa daquela eleição inaugurou alianças de Havelange que durariam décadas. O advogado Pablo Porta era vice-presidente da federação espanhola e apoiava abertamente Havelange, mas o presidente da entidade, seu óbvio superior hierárquico, era partidário de Rous. Mas eles eram da Espanha franquista e tinham acima deles Juan Chic, delegado nacional dos Esportes, cargo equivalente ao de ministro, e um jeito muito franco de administrar:

— Pablo, você vai a Frankfurt com o presidente. Mas na hora de votar, quero que você assine a cédula para provar que a Espanha votou em Havelange.

Assim foi feito, com o devido e discreto atropelamento político do presidente da federação. Em 2005, Pablo Porta disse que, embora respeitasse Rous, era um admirador de Havelange, achava que era hora de mudar e fez uma promessa a Havelange naquele dia de vitória:

— Vou entrar para a Fifa e estarei na Fifa até que você saia.

A promessa seria cumprida integralmente. Porta, ex-boxeador, especialista em Direito Internacional, ex-dirigente do Desportivo Espanhol, dirigente da federação espanhola e membro da Uefa, faria parte do Comitê Executivo da Fifa de 1976 a 1998, último ano de Havelange no comando da entidade.

Curiosamente, o vizinho Paraguai votou contra Havelange. Era a conta do apoio dele à reeleição do peruano Teófilo Salinas na presidência da Confederação Sul-Americana, contra o candidato Manuel Duarte Pallares, presidente da Liga Paraguaia de Futebol. Mas foi o presidente da Uefa, o italiano Artemio Franchi, quem deu o tom da oposição que Havelange enfrentaria, ao se manifestar contra o compromisso do brasileiro de aumentar de 16 para 24 o número de seleções na Copa do Mundo:

"A Europa representa 80% do futebol mundial e isso deve se levar em conta. Não aceitaremos ser dominados por outros. Não podemos tolerar que nos considerem uma minoria dentro da Fifa, numericamente, quando somos nós o número um por quantidade e importância de equipes."

A conta dos votos depositados na urna era outra. A Rous e seus correligionários restaram pequenas e silenciosas hostilidades contra o novo presidente da Fifa. Quando Havelange foi chamado à mesa de direção dos trabalhos do congresso pelo soviético Valentin Granatkin, deram a ele um lugar na ponta, a centímetros do alto degrau do tablado. O normal, segundo qualquer norma protocolar, seria colocá-lo ao lado de Stanley Rous, no centro da mesa:

"Me deixaram lá como um cachorro, posto de lado. Mas eu sentei bonitinho e esperei."

Havelange não tinha pressa. Ficaria um quarto de século no centro daquela mesa, fazendo exatamente o que Artemio Franchi disse que ele não faria. Mas trataria Stanley Rous com carinho e alguns confortos.

Primeiro Havelange não criaria caso com a insistência do inglês, que, em atitude contrária aos estatutos, se manteve na presidência da Fifa e só largou o osso depois da Copa da Alemanha. Depois, providenciaria para Rous o cargo de presidente de honra da Fifa, despesas incluídas, e operaria os estatutos da entidade para que o ex-presidente tivesse uma pensão vitalícia. Para Rous e para Rosemary, a acompanhante de sua eterna solteirice.

Na lembrança de vários companheiros de campanha, Havelange ficou "meio aéreo" depois do resultado da eleição. Alfredo Curvello, veterano dirigente da CBD, preocupado com o assédio de repórteres, fotógrafos e delegados, reclamou:

"Ele precisa ir embora. Precisa comer, repousar um pouco. Ele saiu muito cedo, mal tomou um cafezinho. E está emocionado demais."

No calor das comemorações da vitória, porém, Havelange fez questão de dar dois telefonemas. O primeiro para Anna Maria. O segundo para um amigo a caminho do ostracismo:

— Presidente Médici, o seu pensamento se realizou.

Crônicas do Congresso

A história daquela eleição, ao olhar dos jornalistas ingleses que tiveram a missão de relatar os acontecimentos de Frankfurt, foi bem diferente. Para explicar aos leitores do *Sunday Times* a derrota de Stanley Rous, e a conseqüente perda de poder dos britânicos, o repórter Keith Botsford criou o seguinte cenário:

"Sir Stanley era um baluarte, protegendo o futebol de dois irmãos gêmeos do mal: o dinheiro e a política. E Havelange era a criatura dos dois."

Outro jornalista inglês, Morley Myers, fez a seguinte descrição do saguão do hotel Steigenberger, em Frankfurt, onde Havelange sempre tinha um representante para receber os delegados para o congresso da Fifa:

"Havia muitos encontros suspeitos, tramas sub-reptícias. Era ali que a eleição estava acontecendo de verdade. Era possível perceber que a Fifa estava para experimentar uma mudança sísmica. Seria o fim de um jeito de ser."

A descrição do personagem João Havelange, nos despachos enviados de Frankfurt para a Inglaterra por Morley Myers, era rebuscada. Havelange, para ele, era um homem que "tinha jeito de presidente, o nariz aristocrático e os olhos escuros, encapuzados, penetrando nas profundezas das carteiras de dinheiro dos (delegados) despossuídos".

Ainda segundo Myers, "o porte era atlético, a testa brilhante, o cabelo revolto na nuca, o terno muito bem cortado". Tudo em Havelange, segundo Myers, "era feito para ele parecer imponente". E mais: "Ele parecia faminto, um predador cujos lábios sugeriam poder sexual."

Não era difícil entender aquele tipo de reação. Os ingleses se consideravam tão donos do futebol e de suas regras que haviam passado praticamente toda a primeira metade do século XX medindo forças com os franceses e outros europeus fundadores da Fifa, num interminável entra-e-sai na entidade. Só depois de muitas concessões das federações do continente, entre elas o não pagamento da anuidade e a contabilização, em separado, dos votos da Inglaterra, País de Gales, Escócia e Irlanda do Norte, eles aceitaram participar mais efetivamente da entidade e passaram a dominá-la. Pelos mesmos motivos, não era difícil entender o entusiasmo dos dirigentes de Paris e dos jornais *Le Figaro* e *L'Equipe* com a vitória daquele brasileiro de origem belga e fluente em francês.

O jornal colombiano *El Tiempo*, sem identificar o nome do correspondente, bateu recorde em matéria de informação errada sobre o novo presidente da Fifa. Disse que Havelange nadava diariamente 1 quilômetro na praia de Copacabana, que era administrador do inexistente Banco Nacional do Brasil e que herdara a Viação Cometa dos pais. Para completar, o *El Tiempo* fez um elogio de europeu:

"Haverá novas idéias, novos sistemas de procedimentos. Talvez erros serão cometidos, por causa da alma dos brasileiros. Mas tudo contribuirá para renovar o futebol."

Entre os jornalistas brasileiros que prestaram atenção na eleição da Fifa, a reação da maioria foi de surpresa, na lembrança de José

Antonio Gerheim e Sérgio Noronha, integrantes da equipe que o *Jornal do Brasil* enviou à Alemanha para cobrir a Copa. Em 2005, Noronha reconheceu:

"Não cobrimos especialmente o congresso porque a gente não esperava que o Havelange fosse eleito. Foi, de certa forma, uma surpresa. Tomamos um susto."

O radialista Luís Mendes, outro que se confessou surpreendido e comemorou com uma garrafa de vinho a votação em Frankfurt, disse que o ceticismo dos jornalistas brasileiros era resultado do constrangedor boicote das federações européias à Minicopa, dois anos antes:

"Quando fomos para a Alemanha, ninguém achava que o Havelange fosse ganhar."

Na concentração da seleção brasileira, o capitão do time, Wilson Piazza, ao receber a confirmação da vitória de Havelange, comemorou muito. Sem dar importância à tese de corredor segundo a qual a conquista simultânea da presidência da Fifa e do título mundial seria uma façanha impossível para o Brasil, arriscou:

"Essa Copa começa da maneira mais estimulante. Vai ser difícil nos segurar em campo."

O carrossel

— Meu caro secretário, sou o novo presidente da Fifa, por eleição, brasileiro. Estou assistindo ao jogo sem me manifestar. Eu pediria que o senhor fizesse o mesmo.

O destinatário do pito de Havelange, na tribuna de honra do estádio de Westfalen, em Dortmund, no dia 3 de julho, era o todo-poderoso secretário de Estado norte-americano Henry Kissinger, convidado especial para assistir à semifinal entre as seleções do Brasil e da Holanda. De volta de uma reunião sobre petróleo na Holanda, Kissinger torcia abertamente pelo time do carrossel comandado por Johan Cruiff, Neskens, Rosenbrink e Kroll. Sua presença praticamente fizera os organizadores esvaziarem a tribuna de honra por razões de segurança. Havelange, recém-eleito presidente, acompanhado por Anna Maria, torcia em silêncio, sem se mexer.

Kissinger não gostou do pito, se conteve, mas saiu do estádio satisfeito. Quem acabou perdendo foi a seleção brasileira. Sem dispor do talento de Pelé e da maioria dos tricampeões do México, o técnico Zagallo armara um time considerado cauteloso demais, cujas estrelas eram Leão, Rivelino, Jairzinho, Dirceu e Luís Pereira. Com dois empates sem gols contra Iugoslávia e Escócia, o Brasil passou para as quartas-de-final vencendo o Zaire por 3 a 0. Na segunda fase, conseguiu derrotar a Alemanha Oriental por um a zero e a Argentina por 2 a 1.

Diante da Holanda, a dois jogos da chance de mais um título, o time começou bem, mas acabou se deixando envolver pelo carrossel, um sistema de ocupação de todos os espaços, muita movimentação pelo campo, marcação sob pressão no homem da bola e jogadores atuando de forma polivalente, sem guardar posições fixas.

Havelange vestiu a camisa do time brasileiro e repetiu a derramada solidariedade que já havia demonstrado para a outra seleção montada em sua administração e derrotada na Copa de 1966. Três décadas depois do jogo, Havelange continuava desconfiado de que houve um dedo de seus adversários recém-derrotados no congresso da Fifa na escalação do juiz alemão Kurt Tschenscher para aquele jogo:

"Não seria grande agrado de todo mundo eu ser eleito presidente da Fifa e ainda ser campeão do mundo. No jogo com a Holanda, me puseram o Tschenscher, um árbitro que já tinha completado 50 anos. Era o último jogo que ele faria na vida. Achei estranho que pusessem esse árbitro exatamente para o Brasil. Eu perdi de 2 a 0 e, no final do jogo, ele ainda me deu um cartão vermelho para o meu beque central, o Luís Pereira, sem razão nenhuma."

O técnico Zagallo, ao lembrar aquele tropeço no currículo, disse que Havelange fez questão de incentivar o time, mesmo depois da derrota contra os holandeses:

"Ele deu um apoio dizendo que daria 5 mil dólares para cada jogador para ganharmos da seleção da Polônia na disputa do terceiro lugar. Para a época, era uma coisa fora de proporção o que o Havelange prometeu. Ele entendia que o atleta também precisava de incentivo."

Tome incentivo. O time não fez por merecer a gratificação. Perdeu de 1 a 0 da Polônia.

Havelange e Kissinger teriam um novo encontro em estádio de futebol em New Haven, perto de Nova York, na final entre Brasil e Itália pelo torneio dos 200 anos da independência americana, dois anos depois. Havelange, como representante no Brasil da empresa de produtos químicos Enthone, organizadora de uma recepção fora do estádio. Kissinger, membro do conselho da empresa, ao ver Havelange na tribuna, brincou:

— Está gostando do meu comportamento?

— Está perfeito. Fico feliz que você tenha aprendido.

Risos gerais. Que não se repetiriam alguns anos depois, quando Kissinger quis levar a Copa de 1986 para os Estados Unidos e Havelange foi contra.

Hospitalidade européia

Na hora do banquete da véspera da final da Copa, Havelange, já eleito presidente e agora acompanhado de Anna Maria, foi alvo de novos constrangimentos. À mesa principal, o presidente da Alemanha Ocidental, o presidente da federação alemã, Wolfgang Neuberger, o presidente de saída Stanley Rous, o secretário-geral Helmut Käser e ele. Stanley Rous se levantou, foi ao pódio fazer a entrega dos prêmios, discursou e começou a chamar os dirigentes para a entrega dos troféus e medalhas da competição. Havelange contava ser chamado:

"Ele poderia dizer: tem um imbecil aí que foi eleito e que vai entregar o prêmio do quarto lugar. Não chamou."

Rous encerrou o evento, anunciando o encontro de todos novamente no congresso de Buenos Aires, em 1978, como se Havelange não tivesse sido eleito. O novo presidente da Fifa não fez nada. Apenas trocou um olhar com Anna Maria antes de se levantar e sair.

Na volta ao hotel, suíte a 1,5 mil dólares a diária, novas estocadas dos anfitriões. No *check-out*, Havelange descobriu que sua conta não fora paga pela Fifa. Passou um bom tempo assinando *travellers-checks* de 100 dólares para liquidar a fatura. Havia ainda, no hotel, uma carta do International Board da Fifa, o órgão responsável pelas regras do futebol, convocando-o para uma reunião, no dia seguinte, em uma cidade próxima a Munique, com a surpreendente exigência de *black-tie*. Achou que era demais e voltou para o Brasil:

"Eu e minha mulher não íamos aparecer lá vestidos de carioquinha, como se estivéssemos de saia curta."

O troco viria a prestação, vestido a rigor.

Latinos

— Paulo, agora você vai trabalhar comigo. Vai ser o secretário-geral da Fifa.

Ao convite à queima-roupa, logo depois da eleição, o amigo Paulo Godoy reagiu com um conselho assustado:

— Você está louco! Estou à sua disposição, mas secretário da Fifa não! Se eu chego lá, um desconhecido latino-americano para empurrar você na estrutura, eu não seria seu amigo. Você deve fazer o inimigo fiel por algum tempo até se assenhorar do mecanismo, da burocracia. Vai com eles. Os europeus são imprevisíveis em matéria de dinheiro.

Paulo, então diretor de publicidade da empresa da família Daudt de Oliveira, tinha sido, além de conselheiro político informal de Havelange na CBD, uma espécie de *ghost-writer* da malsucedida campanha do novo presidente da Fifa à Câmara dos Deputados brasileira. Sem cobrar um tostão. E nunca tinha posto o pé na CBD. Havelange ouviu, pensou, e concordou parcialmente:

— Mas você vai comigo.

Quando os dois chegaram à sede da Fifa em Zurique, semanas depois da eleição, Paulo leu uma frase no semblante do secretário-geral Helmut Käser: "Estou demitido." Havelange tinha confiança absoluta em Paulo Godoy porque ele jamais dependera do agora poderoso presidente da Fifa em qualquer situação.

Em cada decisão de Havelange haveria um pouco de Godoy, um pouco de João Lyra, o intelectual que dava arcabouço jurídico às decisões, e um pouco de Abílio de Almeida, o chamado "cavalo de coice", uma variação gaúcha usada por Paulo Godoy para definir o papel de "carregador de piano". O trio não trocava idéias sobre os mesmos assuntos. Não conversavam tanto como se poderia supor. Na verdade, era Havelange que regularmente chamava os três ao confessionário.

Um de cada vez.

A Fifa que Havelange encontraria para administrar era uma entidade sem dinheiro, que acumulara déficits ao longo de décadas. Na descrição do livro *100 Years of Football – The FIFA Centennial Book*, a única receita da entidade durante aquela fase era 1% da bilheteria dos jogos internacionais. Desde que a seleção da Inglaterra, que era isenta como sempre, por conta do infinito *royalty* da invenção do futebol moderno, não estivesse em campo.

Ainda segundo o livro, o orçamento anual da Fifa guardava muitas semelhanças com o de muitas famílias da burguesia européia da época. A Fifa, como essas famílias, "tinha de se endividar para manter as aparências".

Antes de Havelange, os europeus já tinham sentido que os sul-americanos, como eles, gostavam do poder. Durante a Segunda Guerra Mundial, com a virtual interrupção do pagamento de anuidades, a falta de jogos internacionais, o cancelamento da Copa de 1942 e a não realização do congresso simultâneo que reelegeria os dirigentes da entidade, o presidente da Confederação Sul-Americana, Augustin Matienzo, reeleito normalmente em sua entidade em 1945, tornou-se tecnicamente o único membro de fato e de direito do Comitê Executivo da Fifa. E até os dirigentes europeus ressurgirem das ruínas da guerra,

Matienzo tomou várias decisões, entre elas a de indicar o Brasil como sede da Copa de 1950.

O trauma dos brasileiros em 1950 coincidiu, ironicamente para eles, com a primeira oportunidade em que a Fifa festejou lucro financeiro, cerca de 400 mil dólares, em Copa do Mundo. O lucro, que demorou quase três anos para ser depositado nos cofres de Zurique, permitiu que a entidade comprasse, no número 11 da rua Hitziweg, à beira do lago de Zurique, um casarão de 2.500 metros quadrados e 14 cômodos que foi transformado em sede da entidade e residência do secretário-geral Helmut Käser.

Na gestão imediatamente anterior à eleição de Havelange, entre 1970 e 1974, a Fifa não tinha, entretanto, dinheiro algum para realizar, fora da Europa, os cursos técnicos e de arbitragem previstos nos estatutos. Os salários dos funcionários da entidade estavam congelados havia três décadas. Dinheiro da Fifa para fora da Europa, só a participação, em um terço, no pagamento dos salários dos secretários das confederações africana e asiática.

A descoberta de que a Fifa poderia ser uma galinha de ovos de ouro, depois dos bons resultados da Copa de 1950, de acordo com os autores do livro *100 Years of Football — The FIFA Centennial Book*, fez com que os europeus que comandavam a entidade cuidassem de botar as contas em dia, sem se dar conta de que federações de países pobres e distantes de Zurique estavam se filiando aos montes à entidade, com uma enorme lista de necessidades e reivindicações.

Havelange anotou todas.

Boas-vindas

Helmut Käser já tinha levado uma descompostura de Havelange, dias depois da eleição da Fifa, quando o novo presidente desembarcou em Frankfurt, vindo do Rio de Janeiro para o encerramento da Copa da Alemanha e não encontrou nenhum representante da Fifa à sua espera. Junto com a descompostura, Havelange passara a ordem de, a partir daquele momento, um funcionário e um carro da Fifa estarem sempre à sua espera em todos os aeroportos em que desembarcasse a serviço da entidade. Käser registrou, mas continuaria hostil dias depois, quando recebeu Havelange na sede da Fifa em Zurique:

— Você não dura seis meses aqui.

— Por quê? Fui eleito para quatro anos.

— Você não vai agüentar.

Na lembrança de Paulo Godoy, que pediu licença do cargo de diretor na Confederação Nacional do Comércio e desembarcou em Zurique junto com Havelange, Käser "era um suíço ranheta e compartimentado":

"Qualquer pergunta era respondida na base do não gosto, não sei e não vi."

Para Havelange, Käser "se achava secretário e presidente ao mesmo tempo", mas, seguindo o conselho de Paulo Godoy, administraria a animosidade do secretário-geral de uma maneira que Pablo Porta definiu à espanhola: "sem pressa, mas sem pausa". E não era para menos. Ao ler a ordem do dia da primeira reunião de trabalho, ele teve uma surpresa:

"Só tinha pepino. Tudo que não tinham conseguido resolver eles puseram ali, já para me criar problemas."

Havelange não disse nada. Mas foi aos principais integrantes do Comitê Executivo e, informalmente, sem pressa, mas sem pausa, articulou a criação de comissões encabeçadas pelos vice-presidentes da Fifa. E propôs que os pepinos fossem tratados mais tarde, quando ele estivesse mais a par da situação da entidade. Todos acabaram concordando e a reunião durou menos de vinte minutos.

Stanley Rous, em nova demonstração de que estava difícil deixar o poder, convidou Havelange a participar de uma reunião do International Board, na sede do órgão em Londres. Havelange, no entanto, não mordeu a isca:

— Não sou convidado. Meu direito é presidir. Eu não vou.

Alguns assuntos, no entanto, Havelange atacou logo nas primeiras semanas, tendo como equipe, além de Käser, a secretária dele, uma datilógrafa e outros dois empregados. A primeira reunião importante aconteceu quando compareceram à sede os representantes da EBU, o consórcio europeu de emissoras de rádio e TV que detinha os direitos de transmissão dos jogos oficiais da entidade. Eles já tinham os direitos para a Copa de 1978, na Argentina. Queriam definir o contrato para a Copa de 1982.

Na lembrança de Paulo Godoy, que acompanhou Havelange na reunião, os executivos "jogaram um confete para dourar a pílula", mas não demoraram a deixar claro que estavam dispostos a pagar pouco menos de 4 milhões de dólares pela renovação dos contratos. A resposta de Havelange sinalizou as mudanças profundas que estavam para acontecer:

— Estou assumindo com programas de desenvolvimento para o esporte que requerem contribuições muito maiores. Nós precisamos muito mais, vamos conversar na base de 10 milhões de dólares.

Um dos executivos, na lembrança de Paulo Godoy, empalideceu:

— O senhor está louco, senhor Havelange?

Seguiu-se uma argumentação em que os executivos tentaram demonstrar que a Argentina não tinha estrutura para uma boa transmissão dos jogos da Copa e que, por este motivo, as emissoras do consórcio teriam de fazer grandes investimentos.

— Os senhores são europeus e não conhecem a intimidade dos latinos. Eu conheço os argentinos. Sou vizinho deles. Tendo a responsabilidade, eles vão fazer a melhor Copa que já existiu até agora.

Os executivos se entreolharam e ficou claro, na memória de Paulo Godoy, que não havia consenso sobre a resposta à surpreendente exigência de Havelange. E ao perceber que a bola estava quicando no campo adversário, Havelange emendou:

— A discussão é entre os senhores. Eu estarei na minha sala. Tenho o que despachar com meu secretário.

Os executivos da EBU estavam acostumados com uma Fifa que ainda guardava resquícios da visão segundo a qual a televisão era uma concorrente que, além de comprometer sua independência, podia esvaziar os estádios durante as Copas, comprometendo também a receita da entidade. Stanley Rous, embora obviamente interessado na verba dos contratos com a TV, exibia um notório desconforto na hora de discutir o assunto com as emissoras. A mentalidade começara a mudar a partir da Copa de 1966, mas os números dos contratos, para a felicidade das emissoras, ainda eram modestos, perto das cifras que alcançariam na era Havelange.

Horas depois do baque, no final da tarde, os executivos da EBU voltaram à sala de Havelange "com cara de funeral", segundo Paulo Godoy:

— Senhor Havelange, nós somos mais loucos que o senhor. Vamos aceitar. Mas e a transmissão na Argentina?

— Não se preocupem. Eu conheço os argentinos. Na hora da responsabilidade, eles vendem o país, mas fazem o que tem de ser feito.

Naquele momento, Havelange não tinha a menor certeza de que os argentinos poderiam transmitir a Copa do Mundo em cores.

Muito menos os argentinos.

A sede

— Senhor Havelange, o senhor está louco?

A perplexidade, desta vez, era do prefeito de Zurique. Havelange tinha pedido uma audiência, também nos primeiros dias de sua gestão, porque estava determinado a tirar a Fifa do casarão antigo, assoalho de tábuas rangedoras e salas apertadas, onde Helmut Käser cuidava simultaneamente dos assuntos do futebol mundial e dos cachorros de estimação que mantinha. Havelange queria construir uma nova sede nas exclusivíssimas colinas de Sonnenberg, a área mais nobre da cidade:

— Senhor Havelange, o senhor não sabe que esta é uma zona onde é proibida a atividade comercial?

— Senhor prefeito, tenho a melhor das intenções. Fazer de Zurique o centro do futebol mundial. Para isso, tenho que ter uma sede. E a Fifa não é uma casa de comércio.

O prefeito não cedeu. Continuou a fazer objeções até Havelange jogar a carta na mesa:

— Eu estou sabendo dessas objeções agora. Se eu soubesse antes, teria estudado mais seriamente os convites que recebi de cidades da Suécia, Finlândia e Holanda, que ficariam honradíssimas de ser a sede mundial do futebol. Pensei em Zurique, mas longe de mim querer infringir as leis de sua cidade.

Quando Havelange insinuou que voltaria a reconsiderar as ofertas das outras cidades e que elas poderiam cumprir a diretriz estatutária da Fifa de se sediar "em cidade bem localizada, com boas conexões ferroviárias e politicamente neutra", o prefeito mudou o tom:

— Senhor Havelange, não se precipite. Eu não tinha alcançado o significado do que o senhor está dizendo.

E prometeu reunir o conselho municipal para discutir a proposta. Pediu 48 horas. Dois dias depois, novo encontro, desta vez na sede da Fifa. Paulo Godoy, testemunha do desfecho da negociação, jamais se esqueceria da primeira e da última frase do prefeito de Zurique naquele segundo encontro. A primeira foi exultante:

— Senhor Havelange, vencemos! O senhor tem pleno apoio da cidade.

A última frase do prefeito revelou, na lembrança de Paulo Godoy, que "suíço não brinca em serviço":

— Senhor Havelange, eu tenho um filho que é arquiteto.

Era um tempo em que os comitês da Fifa, ainda sob controle de Käser, tocavam na banda da saudade de Stanley Rous. E o Comitê de Finanças, como Havelange esperava, não aprovou a iniciativa de construir a nova sede. Havelange, obviamente, ignorou. Iniciou conversações com os bancos suíços, todos a metros uns dos outros no centro financeiro de Zurique, e conseguiu um empréstimo de 10 milhões de dólares, pagáveis em 20 anos.

Na lembrança de Peter Pullen, as vantagens conseguidas por Havelange com os bancos suíços foram "formidáveis" porque a garantia dada para aquele imenso papagaio foi a receita que a Fifa teria na Copa de 1978, na Argentina. Cinco anos depois, em 21 de maio de 1979, uma partida entre as seleções da Argentina e da Holanda e uma grande recepção marcariam a inauguração da nova sede. O sucesso e a repercussão da festa dariam a Paulo Godoy certeza de algo de que desconfiava desde o momento em que chegou à sede antiga com Havelange:

"Zurique não sabia da existência da Fifa."

Àquela altura, já estava em curso uma das estatísticas que Havelange colecionaria, com orgulho: a do número de manhãs em que a bandeira do Brasil seria hasteada na frente daquele prédio, ao lado das da Fifa e da Suíça. Totalizariam 8.760.

CAPÍTULO 8

Passagens de comando

A hora do almirante

— Braga, diz para o Havelange sair. Ele vai ter que sair. Não quero fazer uma coisa traumática. E queria sua ajuda pra que o Havelange tomasse a iniciativa de se afastar.

O poder absoluto de Havelange na CBD começou a trincar no início de 1974, quando, na troca de patentes do grupo Médici pelas do grupo Geisel no Palácio do Planalto, o coronel da reserva Ney Braga, substituto do coronel Jarbas Passarinho no Ministério da Educação, se encontrou com Almeida Braga na sede da Atlântica Boa Vista Seguros, no centro do Rio de Janeiro. Era o começo de um processo em que rusgas e feridas políticas internas da CBD foram tratadas como assuntos de Estado, por generais e almirantes que estavam sendo guindados a postos e cargos de comando no novo governo.

O principal acerto de contas político era o que colocava, na mesma trincheira, com Havelange na alça de mira, prontos para atirar, três irmãos da tradicional família Barros Nunes: o almirante Adalberto, o ainda influente ex-ministro da Marinha do governo Médici, o almirante Heleno, presidente fluminense da Arena, partido de sustentação do regime militar, e ex-diretor da CBD, e o general Antonio, o Cacau, também ex-diretor da CBD, integrante do grupo de oficiais de confiança concentrados por Ernesto Geisel no comando da Petrobras e muito bem-relacionado com o general Golbery do Couto e Silva e a chamada e temida "comunidade de informações".

Assim que houvesse a troca de generais presidentes no Palácio do Planalto, os três irmãos queriam ver Havelange longe, qualquer que fosse o resultado da eleição para a presidência da Fifa, em junho daquele ano. Em caso de vitória de Stanley Rous, eles não queriam que Havelange fosse reeleito presidente da CBD em janeiro de 1975. Vencendo na Fifa, Havelange não poderia fazer o seu sucessor na entidade máxima do futebol brasileiro. Na lembrança de Havelange, o acerto de contas tinha uma explicação:

"Eles queriam que o Heleno fosse presidente da CBD. Acontece que ele já tinha sido diretor de futebol, vice-presidente de futebol e não tinha tido a capacidade de dar tudo aquilo que nós imaginávamos. Eu tive que substituí-lo e os irmãos dele nunca me perdoaram."

Um dossiê que pousou na mesa do presidente Geisel em janeiro de 1975, no primeiro ano de seu governo, revelado pelo repórter João Carlos Assumpção no especial "A criação de Pelé", publicado pela *Folha de S. Paulo* em 7 de novembro de 1999, foi providenciado por ordem expressa do almirante Adalberto Nunes e continha um olhar detalhado e nada generoso sobre praticamente todos os atos e decisões da longa gestão de Havelange à frente da CBD.

Os redatores do dossiê identificam como "desvio" e "desperdício" de recursos de "programas sociais" a ajuda que Havelange teria obtido do governo para preparar a seleção para a Copa de 1966, para a Taça das Nações, torneio internacional que comemorou os 50 anos da CBD em 1964, e, sem especificar despesas, para a "campanha rumo à Fifa". Havelange, mais de três décadas depois de classificar as acusações como "falsas e desrespeitosas", garantiu que as verbas governamentais para a CBD eram destinadas não à seleção de futebol, mas aos esportes amadores que, na época, eram comandados pela entidade:

"O dinheiro do futebol vinha exclusivamente das cotas que eram cobradas nos jogos da seleção."

O dossiê patrocinado pelo almirante lançava suspeitas sobre o fato de Havelange e Pelé manterem boas relações, mesmo depois da recusa do jogador em participar da Minicopa e da Copa da Alemanha, em 1974. E concluía que o perdão parcial de uma vultosa dívida de sonegação que Pelé tinha com o Imposto de Renda, obtido com a ajuda de Havelange e equivalente a um socorro financeiro dado anteriormente ao craque Garrincha, teve como contrapartida a participação do jogador na campanha de Havelange à Fifa.

O fato de a CBD ter arcado com as despesas de excursões da seleção tricampeã e do Santos, entre 1971 e 1972, com autorização formal do presidente da entidade, João Havelange, e em alguns casos cobrando cotas menores pela apresentação, tinha outra leitura, no dossiê patrocinado pelos irmãos Nunes: para eles, os times estavam viajando por "imposição" de Havelange, seguindo uma estratégia de campanha.

O tom do documento levado a Geisel, no que foi conhecido pelas cópias mostradas ao repórter João Carlos Assumpção, não deixa dúvidas de que seus autores não reconheciam qualquer tipo de importância na candidatura de um brasileiro ao comando da entidade máxima do futebol mundial. Em 2006, a reação de Havelange à conclusão de que patrocinou um esquema de permuta eleitoral, usando a seleção e o Santos, continuava indignada:

"Isso é um desrespeito a quem sempre se portou dignamente no comando da CBD."

Se leu o dossiê inteiro, Geisel também teve oportunidade de apreciar um momento de deduragem explícita. Em foco, o comportamento de Havelange e do Santos, na ida do time paulista a Paris, para um amistoso contra um combinado de Saint-Étienne e Marselha, em 31 de março de 1971. Os jogadores, entre os quais Pelé, são acusados de "sair à noite sem autorização", de "voltar de madrugada ao hotel" e de "entrar em contato com brasileiros exilados na França".

De Havelange, o dossiê dizia que ele "nada fez contra as aberrações que aconteciam, só se preocupando em fazer média com as autoridades locais, úteis não ao Brasil, mas a seus interesses pessoais, única e exclusivamente". Mais de trinta anos depois, Havelange tinha outras lembranças do episódio:

"Felizmente não tomei nenhuma providência. Fico triste porque isso é uma maldade. Aquela partida foi em favor de uma campanha de prevenção contra o câncer promovida pela esposa do presidente Georges Pompidou."

O relatório também expunha, com destaque especial, todos os hematomas e cicatrizes do desastre financeiro resultante da ausência inesperada das seleções da Alemanha, da Itália e da Inglaterra da Minicopa, grifando o prejuízo da CBD. Na apresentação do documento a Geisel, o almirante, segundo a reportagem de João Carlos Assumpção, ainda adornou o torpedo com um relato indignado sobre a atitude tomada por Havelange no congresso que o elegera presidente da Fifa, em junho de 1974. Havelange defendera a entrada da China comunista na Fifa, contrariando frontalmente a determinação que recebera dos militares para não fazê-lo. Mais um motivo para que, no final da apresentação do documento, Adalberto propusesse a abertura de um processo contra Havelange.

Geisel, pelas decisões que tomou, pôs um pé na canoa e outro na cautela. Decidiu que Havelange não deveria ser reeleito, ou fazer seu sucessor, no caso de ser eleito presidente da Fifa. Mas foi contra o processo. De acordo com a reportagem de João Carlos Assumpção, no dia 7 de março de 1975, por determinação do presidente, foram depositados cerca de 4,4 milhões de dólares, valores da época, na conta da CBD.

Geisel também pediu, de próprio punho, segundo Assumpção, que a Caixa Econômica Federal debitasse a quantia do Fundo de Assistência Social, o FAS, um dos "programas sociais" do governo federal. Havelange, ao comentar a operação financeira patrocinada por Geisel, garantiu: a dívida da Minicopa, devida à União de Bancos Brasileiros, era de 1,5 milhão de dólares e não de 4,4 milhões. E desafiou os acusadores a provarem o contrário. Para acalmar o que Assumpção chamou de "ira do almirante Adalberto Nunes", Geisel decidiu indicar o outro almirante da família, Heleno, para o comando da entidade.

Peter Pullen, por algum motivo de que não se lembrava em 2005, acompanhou Havelange e testemunhou a tristeza do amigo na viagem que fez a Brasília, em 2 de dezembro de 1974, para a reunião em que ele foi informado pelo novo ministro da Educação, Ney Braga, de que o comando da CBD seria mesmo inteiramente entregue aos irmãos Barros Nunes a partir de janeiro de 1975. Três décadas depois, Jarbas Passarinho, que passara a cadeira de ministro a Ney Braga, interpretaria o envolvimento do Palácio do Planalto com a sucessão de Havelange na CBD como resultado de dois acertos de conta simultâneos.

Um acerto de contas, segundo Passarinho, era mais "conjuntural" e tinha relação direta com a disputa acirrada entre os dois grupos militares responsáveis pelo que ele chamou de "golpe de estado preventivo" de 1964. De um lado, os oficiais sob a liderança dos generais Geisel e Golbery. Do outro, os que eram ligados a Emílio Médici:

"Havelange pagou o preço de sua ligação com Médici."

O outro acerto de contas, de acordo com Passarinho, dizia mais respeito à disputa do comando do esporte brasileiro, que punha em campos opostos Havelange e os irmãos Nunes. Na visão de Roberto Médici, outro alto funcionário do governo Médici que teve de limpar a mesa para dar lugar ao grupo de Geisel no Palácio do Planalto, o período Geisel foi "um governo de contestação" à administração de seu pai:

"Era uma ciumeira boba, idiota."

Raphael de Almeida Magalhães, então diretor de planejamento da Atlântica-Boa Vista, colega de conselho de Havelange na empresa e participante das discussões sobre políticas para o esporte no governo Geisel, foi outro que só viu razões políticas no alijamento de Havelange do poder na CBD:

"Falavam de corrupção, mas nunca apareceu nada. Que eu saiba, concretamente, não tinha nada."

André Richer, o diretor de futebol escolhido por Heleno Nunes que, a partir de 1975, recebeu a missão de transformar a CBD num braço político do governo militar, segundo ele "uma trapalhada de

Geisel", disse, em 2005, que Havelange não serviria para aqueles novos tempos:

"A tropa do Castelo Branco voltou ao poder com o Geisel. E esse grupo resolveu mudar a estrutura da política do esporte no Brasil e converter o esporte num instrumento. Só que, para fazer isso, eles tinham que tirar o Havelange, que era um obstáculo porque eles queriam fazer uma reforma moldada por uma visão de Estado da atividade esportiva."

Para o jornalista Telmo Zanini, que começou a cobrir as atividades da CBF no início da gestão Heleno Nunes, era difícil ouvir, nos corredores da entidade, palavras de reconhecimento pelo papel de Havelange na conquista dos três títulos mundiais da seleção. De acordo com ele, "espalhavam maledicências". Uma delas era a de que Havelange tinha comprado a Viação Cometa "com dinheiro desviado do futebol".

"O que se comentava, também, era que o governo da revolução não gostava do Havelange. Achava que ele era muito moderno, cheio de ligações no exterior, uma pessoa que eles não conseguiam controlar."

Era mais ou menos o que dizia Mario Amato, já naquela época um antigo conhecedor do temperamento de Havelange:

"O João não é capacho. O militar dava ordens e deve ter sido esse o problema."

A Havelange, restava a resignação:

"O governo não tinha simpatia por mim. O que você queria que eu fizesse?"

Não era só o governo Geisel. Alguns inimigos de Havelange preferiram acreditar e espalhar que ele foi, na verdade, um tremendo agente do Serviço Nacional de Informações, o SNI. O inglês David Yallop, autor do livro *How They Stole the Game*, uma delirante coleção de ataques e teorias conspiratórias sem comprovação que não são levadas a sério nem pelos que se consideram críticos responsáveis de Havelange, afirma, na página 305 da versão brasileira do livro, citando solenemente "fontes não-brasileiras, incluindo a Divisão Latino-Americana da CIA":

"Havelange estivera trabalhando para o Serviço Nacional de Informações de seu país por um período ainda mais longo. Esse fato explicava numerosos aspectos da história de Havelange e também a relutância do governo em processá-lo em 1975."

Para esta teoria Havelange dedicou um sorriso de perplexidade e um comentário resignado:

"Cada um escreve o que quer. Os laços que construí com militares foram por causa do esporte e através do esporte. Algumas pessoas não conseguem entender ou aceitar."

O relatório do almirante Adalberto Nunes contra Havelange e Pelé acabou sendo arquivado, segundo a reportagem de João Carlos Assumpção, em uma unidade não especificada do temido Departamento de Ordem Política e Social, o Dops. Com o tempo, ganhou, na imprensa brasileira e internacional, o *status* de "ficha" na qual teria sido baseada, como sempre gostaram de dizer e escrever os inimigos de Havelange, a "moralização da CBD", supostamente empreendida pelo general Geisel. Havelange:

"Isso é um absurdo que não tem tamanho. A CBD não precisava de moralização. Os que fizeram essas acusações são pessoas indignas, que acusam sem provas e desrespeitam tudo o que fiz na CBD pelo futebol e pelo esporte amador."

Jarbas Passarinho viu no dossiê patrocinado pelos irmãos Nunes as mesmas denúncias "sem comprovação", segundo ele, do tempo em que João Saldanha reagiu, atirando, à demissão na CBD. E não levou a sério a história da "ficha" de Havelange no Dops:

"Se o Havelange tem ficha lá, ela tem de estar junto da minha."

A "ficha" só sairia do Dops às pressas. Foi durante o governo João Figueiredo, quando, em abril de 1980, o próprio general, amigo fraterno de Havelange, pediu para dar uma olhada. Antes que o presidente pudesse pôr as mãos no relatório, no entanto, um ex-ministro do governo militar, responsável, uma década depois, pela revelação do conteúdo do dossiê ao repórter João Carlos Assumpção, levou a papelada para casa.

E guardou em fogo baixo.

Arena Futebol Clube

Na passagem de comando de Havelange para Heleno Nunes, em 10 de janeiro de 1975, a CBD tinha um superávit de 9 milhões de cruzeiros, dívidas contratadas para o ano no valor de 7,5 milhões e meio e o papagaio da União de Bancos Brasileiros relativo à Minicopa devidamente acondicionado, por determinação de Geisel, no orçamento do governo federal.

Em vez do conjunto de salas de 200 metros quadrados que Havelange herdara em 1958, a CBD funcionava agora num prédio próprio de dez andares na rua da Alfândega. No último boletim da gestão, havia um retrospecto em texto e fotos sobre o papel de Havelange nas conquistas do futebol brasileiro, com destaque para a prodigiosa preparação física da seleção tricampeã de 1970 e um compreensível silêncio a respeito do decepcionante quarto lugar na Alemanha, em 1974. E ainda um balanço administrativo que Havelange lembraria com orgulho, trinta e cinco anos depois:

"Nunca permiti que os esportes representados pela CBD faltassem a qualquer competição internacional."

Heleno Nunes, a exemplo de Geisel, também pôs um pé na canoa e outro na cautela, a julgar pelas atitudes que marcaram o início de sua gestão na CBD, que logo se transformaria em CBF, Confederação Brasileira de Futebol. Convidou, para o importante cargo de diretor de futebol, André Richer, um dos dirigentes esportivos mais identificados com João Havelange. Ex-funcionário das companhias Vale do Rio Doce e Eletrobrás e licenciado da CBD para ser interventor na Confederação Brasileira de Automobilismo, Richer avisou, antes de dar a resposta:

— Heleno, eu gostaria de ter uma palavra com o Havelange porque ele foi sempre meu amigo e me licenciou na CBD.

O almirante concordou imediatamente com a consulta, que, de acordo com Richer, também foi recebida com um sinal verde e um incentivo de Havelange:

— Richer, aceita e ajuda o Heleno. Você é uma pessoa que tem experiência. E pode dizer para ele que o que vocês precisarem na Fifa, falem comigo.

A ternura dos dois lados não era só protocolo. Havelange, a partir do momento em que percebeu que sua permanência na presidência da CBD era insustentável, em vez de atirar, tratou de conduzir pessoalmente a sucessão e, mesmo de saída, consolidar sua liderança entre os dirigentes do futebol brasileiro.

Convenceu o presidente da Federação Metropolitana de Futebol do Rio, Wilson de Andrade, candidato independente, a desistir de disputar o cargo com Heleno; viajou ao Recife para desarmar um ensaio de rebelião liderado pelo aliado Rubem Moreira, presidente da federação pernambucana e o mais poderoso dirigente da região Norte-Nordeste; e articulou para que Heleno Nunes fosse eleito por unanimidade.

"Foi assim porque eu quis."

Incluindo a cerimônia de posse de Heleno Nunes, transformada em grande festa para Havelange. Nela, os 73 representantes de federações providenciaram palmas muito mais intensas ao presidente que estava renunciando, elegeram Heleno por apenas um ano, e não por três, como o almirante queria, e aplaudiram a condecoração de todo o *staff* de Havelange. Desconfortável para o presidente da Fifa, apenas a presença, na platéia, do árbitro Airton Vieira de Moraes, o Sansão, histórico desafeto, aplaudindo Heleno com entusiasmo.

Houve ainda uma alfinetada pública que mexeu com Havelange: seu velho amigo José Ermírio de Morais, representante dos paulistas na nova CBD e eleito vice-presidente de Heleno Nunes, em entrevista coletiva dada no dia 13 de janeiro de 1975, até tentou resistir a fazer uma crítica ao estilo Havelange de administrar:

"Não é uma crítica a João Havelange. Ele imprimiu à CBD um ritmo de Fórmula 1. Não é a minha filosofia de vida. Sem querer criticar, acho que ele gasta mais do que tem e isso eu não faço."

Depois, diante da insistência dos repórteres, José Ermírio cedeu:

"Vamos planejar com certo equilíbrio. Fracasso é gastar mais do que se tem. Em 1958, por exemplo, a seleção gastou 40 mil dólares e ganhou o título."

Trinta anos depois, Havelange preferiu atribuir a crítica pública do amigo ao clima que os novos donos do poder criaram em torno de sua saída da CBD naquele início de 1975. A opinião de José Ermírio sobre seu estilo de administrar, segundo outro amigo, Almeida Braga, não considerava a qualidade que Havelange tinha de às vezes tomar decisões apenas mais arriscadas, financeiramente falando. Para Braguinha, José Ermírio, como empresário e industrial, não poderia mesmo ter uma postura semelhante à de Havelange no mundo do futebol. E era compreensível que isto ocorresse:

"Como torcedor do Fluminense, eu gostava do presidente Francisco Horta. E ele, como o João, gastava e ia fazendo as coisas sem estar interessado se o clube estava equilibrado financeiramente ou não. O João contava com o ovo dentro da galinha, mas isso é bom para tocar as coisas no futebol."

Em 2006, ao saber do comentário de Braga, Havelange dispensou o elogio do amigo à sua alegada ousadia aventureira, no comando das finanças da CBD. E citou como exemplo de empreendimento bem-sucedido e responsável a operação financeira que resultou na compra do prédio-sede da entidade na rua da Alfândega, no centro do Rio, "sem ficar devendo nada a ninguém":

"O que ficou para pagar foi compensado com o aluguel do térreo e da sobreloja ao próprio banco que financiou a compra do prédio."

Pequenas mágoas à parte, o poder e o estilo de Havelange agora vinham de Zurique.

Não dependia de almirantes e generais brasileiros.

Já Heleno Nunes, ainda que fosse um sincero e apaixonado desportista e dono de contagiante simpatia pessoal, fez da CBF uma máquina voraz e eficiente de angariar votos para o governo. A tal ponto que um *slogan* seria eternamente associado à sua administração: "A Arena está mal? Bota um time no Nacional." André Richer, o encarregado de misturar oficialmente futebol com política, não esqueceu a tarefa:

"O Heleno fazia os pleitos. E a gente criava critérios pra poder justificar a entrada dos clubes no Campeonato Nacional. Arranjava uma maneira pra você não ter que chegar e dizer que ia botar mais um clube porque era pedido de um deputado ou senador. Eu tinha que arranjar uma fórmula pelo menos inteligente, uma fórmula esportiva."

Àquela altura, Havelange estava longe. Só voltaria a pôr os pés na CBF catorze anos depois.

Com o genro na presidência.

No fio do bigode

Não houve assinatura, folha de papel ou protocolo. A parceria que em duas décadas transformaria a Fifa em uma multinacional bilionária do esporte nasceu de um aperto de mão entre Horst Dassler, o dono da Adidas, e o novo presidente da entidade, João Havelange, em julho de 1974. Olho no olho. E, salvo algumas cartas esparsas que foram trocadas pelos dois, assim a parceria continuaria, sem assinatura, contrato ou protocolo, por quase dez anos.

Para Jean-Marie Weber, o braço direito de Dassler que participou do processo desde o início, o conceito da parceria cabia folgado dentro de uma frase que não precisava de contrato:

"Eu ajudo você no seu esporte e você me ajuda no meu negócio."

No encontro de Havelange e Dassler realizado em Zurique, ainda estava na memória do brasileiro a grosseria a que ele fora submetido na entrada da festa da Adidas para os dirigentes da Fifa, em Frankfurt, na véspera da eleição. Assim como os ataques que sua candidatura tinha sofrido de cronistas esportivos e jornais, africanos, europeus e brasileiros, todos persuadidos com muita eficiência pela gigante do material esportivo, e o notório investimento, logístico, financeiro e de relações públicas, que a Adidas tinha feito na campanha do adversário inglês Stanley Rous. Mas era passado:

"O Rous estava na Europa, era inglês e a Adidas fornecia material esportivo. Era natural que o Dassler ficasse com o candidato que estava lá. Mas depois que eu fui eleito ele foi muito correto comigo. Tinha força junto às federações e a Adidas era um peso no mundo."

A quem estava por perto daquele encontro, como Weber, Elias Zaccour e Paulo Godoy, bastou a primeira conversa para que houvesse, além de um mútuo pragmatismo pós-eleitoral, uma empatia absoluta entre Havelange e Dassler. Weber, o diretor administrativo e financeiro da Adidas, que passaria a cuidar da aquisição de direitos de marketing esportivo, baseado num escritório da empresa à beira do lago de Lucerna, lembrou que o novo presidente da Fifa tinha uma espécie de pré-condição:

"A Europa é um continente rico. Nós temos que desenvolver o futebol no resto do mundo."

Àquela altura, porém, Havelange já sabia que não havia receita suficiente na Fifa para que ele honrasse todos os compromissos assumidos com as federações do Terceiro Mundo durante a campanha. A Fifa vivia de uma porcentagem do resultado bruto do pagamento dos direitos de transmissão das Copas pela televisão. Mais exatamente, 4% mais 1% para a manutenção da entidade. Em 1974, o resultado total da Copa da Alemanha fora de 80 milhões de dólares, o que daria 4 milhões de dólares por ano à entidade até a Copa da Argentina, em 1978.

Era pouco.

Veterano avalista de papagaios da CBD, ele esperava tempos menos bicudos na Fifa. Mesmo sem o apoio do Comitê de Finanças, ainda controlado por adversários poderosos como o italiano Artemio

Franchi, presidente da Uefa, o alemão Hermann Neuberger e o sempre hostil Helmut Käser, Havelange partiu em busca de empresas potencialmente interessadas em seu plano de marketing na Alemanha, Estados Unidos, Suíça, Bélgica, Itália e Holanda. A suíça Nestlé e a americana Pepsi foram as primeiras.

Na Nestlé, a resposta foi imediata. Não havia interesse. Na Pepsi, Havelange recebeu a recomendação de esperar dez dias pela resposta. Esperou e não responderam. Foi quando Horst Dassler entrou em ação:

— Vou te apresentar ao pessoal da Coca-Cola.

Com a ajuda de Dassler e de Patrick Nally, então ainda sócio do dono da Adidas na área de *marketing* esportivo, Havelange assinaria, no dia 13 de maio de 1976, em Londres, o primeiro grande contrato de sua era à frente da Fifa. Previa desembolsos de 7 milhões de dólares a cada quatro anos, em troca da presença ostensiva do logotipo da Coca-Cola nos espaços de *merchandising* de todas as competições internacionais da Fifa. A verba, irrisória para os padrões da Fifa que Havelange entregaria ao sucessor duas décadas depois, viabilizaria o primeiro Mundial de Juvenis, na Tunísia, em 1977.

Os americanos queriam o contrato assinado em dólares, na sede da Coca-Cola, em Atlanta. Havelange não aceitou e o documento, além de escrito em francos suíços, estabeleceu como guardiões do contrato os tribunais de Zurique. Trinta anos depois, Havelange lembrou que havia uma razão:

"O dólar é uma moeda política com a qual a gente pode ganhar, mas também pode perder muito."

Aquele contrato permitiu que, no quique da bola e dos programas de desenvolvimento da Fifa, a Coca-Cola começasse a entrar em países do Oriente Médio e da Europa Oriental, mercados até então fechados aos produtos americanos.

"Naquela época, a Coca-Cola não entrava na União Soviética nem na China. Mas como era uma *partner* da Fifa, por contrato, foi autorizada a entrar. O mesmo aconteceu na Arábia Saudita."

À concorrente Pepsi restou aproveitar uma das idéias expostas no plano de *marketing* de Havelange que a empresa engavetara. Dizia:

"Nas excursões do Santos ao exterior, Pelé tem tempo disponível para ensinar crianças a jogar futebol. Seria uma iniciativa importante para a Pepsi, para o esporte, e tenho certeza de que também para o próprio Pelé."

Foi exatamente o que a Pepsi fez.

Blatter

— Não aceite esse emprego. O Havelange não vai durar mais de um mandato.

O conselho, dado pela maioria dos amigos, assim que eles ficavam sabendo do convite feito pelo novo presidente da Fifa, chegou a balançar o suíço Joseph Blatter, um executivo da Longines que fora indicado a Havelange por Horst Dassler. Sondado inicialmente, ainda em 1974, a pedido de Dassler, por Thomas Keller, então presidente da International Sports Federation, Blatter balançou porque a função que estava aceitando era exatamente a de "homem de confiança" de Havelange.

Nome bonito. Mas, na prática, significava que Blatter trabalharia com um brasileiro recém-chegado à Suíça, cercado de europeus enfezados por todos os lados.

Não era exagero. Helmut Käser, confiante no apoio que tinha de Neuberger, Franchi e outros, não perdia oportunidade de contestar Havelange. Como na primeira reunião formal do Comitê Executivo da Fifa da era Havelange, em Zurique, no início de 1975. Na lembrança de Jack Warner, um dos participantes, o que aconteceu neste dia foi mais que oposição. Foi grosseria:

"As pessoas nem deram 'bom dia' para Havelange."

Eram 16 dirigentes. E a reação de Havelange, segundo Warner, foi tão surpreendente quanto a recepção que teve. Deu meia-volta, saiu da sala, chamou Käser e mandou que ele primeiro abrisse a reunião e depois anunciasse a entrada do presidente da Fifa. Käser, contrafeito, cumpriu:

— Senhores, o presidente da Fifa, senhor João Havelange.

Todos se levantaram, Havelange entrou na sala, tomou seu lugar no centro da mesa e, antes de iniciar formalmente os trabalhos, arrematou o enquadramento de Käser com uma frase que foi ouvida por Warner e outros integrantes do Comitê:

— Isso é o que você tem de fazer quando uma reunião é convocada.

Para completar o balanço de Blatter com o convite, as primeiras referências que ele ouvira do novo presidente da Fifa eram motivo de discreta inquietação. Diziam que Havelange era um ex-nadador e, para tranqüilizar, garantiam que ele tinha "boas idéias para o desenvolvimento do futebol". Este currículo do chefe, somado ao fato de o próprio Blatter não entender muito do esporte e à conhecida esperteza política dos dirigentes europeus encurralados por Havelange na sede da Fifa, era um bom motivo para desistir e ficar com a precisão e a segurança dos relógios e cronômetros da Longines.

Blatter, no entanto, trinta anos depois, disse que não pensou duas vezes. E que a certeza da decisão ficou ainda maior quando se encontrou pela primeira vez com Havelange em Frankfurt, em 1975, na festa de aniversário da federação alemã. Ficou impressionado com a estatura e o carisma de Havelange. E também ao começar a trabalhar na entidade:

"Não precisei de muito tempo para sentir que, do ponto de vista dos europeus, e também de alguns sul-americanos, como Teófilo Salinas, que tinha uma combinação com o Franchi, havia uma grande animosidade contra Havelange."

Blatter logo se tornaria diretor técnico da Fifa. Mas só enquanto Havelange providenciasse, sem pressa e sem pausa, como sempre, uma irreversível demissão para o inimigo Helmut Käser.

Era como o início de uma final de Copa do Mundo, sem bola.
Havia ainda muito jogo pela frente.
E caneladas.

En français, s'il vous plaît

— Senhor Havelange, qual é o seu interesse pessoal neste contrato?

A pergunta do jornalista inglês Brian Glanville, logo no início da entrevista coletiva convocada em Londres, em maio de 1976, pela Fifa e pela Coca-Cola, para que João Havelange apresentasse à imprensa os detalhes do primeiro grande contrato de patrocínio de sua gestão, foi uma espécie de marco inaugural do comportamento de uma parte da imprensa européia, particularmente a britânica, em relação a Havelange em seus primeiros anos de Fifa.

Com aquela provocação, para Peter Pullen um insulto impensável diante de *sir* Stanley Rous, baseado na presunção deliberada de que o novo presidente da Fifa estava botando no bolso uma parte do dinheiro da entidade, Glanville apenas repetia o que ele e outros cronistas esportivos da época já escreviam nos jornais em que trabalhavam. Havelange, portanto, já sabia o que o esperava. Deu uma resposta inesperada e precedida de uma encenação grave, como se fosse mesmo explicar quanto ia levar naquele contrato milionário:

— Eu vou responder ao senhor: uma vez por ano, em outubro, eu vou tomar um copo de Coca-Cola.

A gargalhada geral que se seguiu, na lembrança de Peter Pullen, presente na coletiva, só não contagiou Glanville. A reação de Havelange provavelmente só fez aumentar o apetite do jornalista nas duas décadas que passou criticando Havelange em todas as frentes: administrativa, futebolística, política, cultural e ética.

Os ingleses não gostavam muito de Havelange, mas Havelange gostava muito de ir ao país dos adversários, anônimo, incógnito e obviamente ignorado pela imprensa britânica. Sozinho ou acompanhado de Anna Maria, ele costumava passar de três a quatro dias em Londres regularmente. Peter Pullen sempre o acompanhava nas idas ao Silver Vaults, o tradicional mercado de prata de Londres, onde Havelange comprava presentes para os casamentos a que tinha de comparecer.

Ajudava o fato de a maioria dos donos de lojas serem judeus que falavam francês. Havelange também gostava de freqüentar os musicais no East End, restaurantes como o La Campanina, em Fleth Street, no Soho, o Simpsons in the Strand, especializado em carne assada, e o Henley, the complete angler, de peixe. O hotel preferido de Havelange era o Mayfair, a poucas quadras das lojas de Oxford Street.

O que não ajudava, no caso da relação de Havelange com os dirigentes e jornalistas ingleses no cotidiano da Fifa, como lembrou Keith Cooper, não era apenas o fato de Stanley Rous ter sido desembarcado do poder por ele:

"Havelange conhecia o inglês, mas seu francês era perfeito. Ele era um pouco relutante de falar inglês em público. Havia, infelizmente, uma certa distância e uma suspeita mútua entre ele e os profissionais da mídia de língua inglesa. Nada, porém, que um idioma comum não pudesse resolver. Uma pena."

Havelange na presidência da Fifa, para os ingleses, era, de certa forma, uma volta da entidade aos tempos pioneiros de 1904, quando a entidade foi batizada em francês, Fédération Internationale de Football Association, escolheu como sede a cidade de Paris e adotou como língua oficial, para desgosto dos representantes ingleses, o francês. E era em francês que, setenta anos depois da fundação da Fifa, Havelange ditava para Marie-Madeleine Urlacher, sua secretária particular a partir de 1983, todas as cartas e documentos. Só depois da versão original francesa, a própria Marie-Madeleine fazia, com as limitações de uma suíça, as versões em inglês.

As conversas importantes e decisivas de Havelange com os ingleses ele fazia questão que passassem sempre pela tradução de Peter

Pullen. Mas seu jeito educado de tratar os desconhecidos, quando ele usava o inglês, acabava criando situações potencialmente arriscadas, na lembrança do amigo Peter:

"O João ficava dizendo *yes*, *yes* e eu, desesperado, dizendo: 'João, pelo amor de Deus, não fala isso! Você não sabe o que eles estão dizendo!' Por ser muito educado, ele também tratava todo mundo usando *sir*, *yes*, *sir*, *no*, *sir* e eu dizia: 'Não, João, *sir* é para eles dizerem para você e não para você dizer pra eles!'"

A única ocasião em que Peter Pullen lembra ter visto uma postura menos antipática da imprensa inglesa em relação a Havelange foi quando ele aumentou, de 16 para 24, o número de países finalistas da Copa do Mundo de 1982. A medida acabou sendo a única forma pela qual a seleção inglesa pôde participar daquele Mundial:

"A Inglaterra não tinha a menor condição de entrar. E entrou pela porta dos fundos. Foi a única vez que vi jornalista inglês elogiando e agradecendo ao Havelange."

A segunda opção preferencial de idioma de Havelange, o espanhol, também não agradava muito aos adversários. As dificuldades dos ingleses, franceses e alemães com o espanhol já tinham sido, de acordo com o livro *100 Years of Football – The FIFA Centennial Book*, a origem da maioria das crises entre os dirigentes sul-americanos, os altos funcionários europeus da Fifa e, naturalmente, os jornalistas europeus que tinham, nestes últimos, sua fonte principal de informações.

Sir Stanley Rous se entendia bem com o secretário-geral suíço Helmut Käser, mas ambos, segundo o mesmo livro, tinham grande dificuldade — e, no caso de Käser, acessos de fúria — com o espanhol, o estilo esquentado de comunicação e as diferenças culturais e de comportamento dos sul-americanos.

A chegada de Havelange à Fifa, portanto, significou o início de um tempo em que os anglófilos, dirigentes e jornalistas, se sentiriam marginalizados. Caberia ao futuro secretário-geral Joseph Blatter, com seu estilo diplomático e sua fluência em inglês, tentar fazer, durante duas décadas, uma espécie de meio-de-campo entre Havelange e os europeus não latinos.

Nem sempre daria certo.

Opostos

— O que este senhor está fazendo na reunião do Comitê Executivo?

Durante uma entrevista coletiva da Fifa na cidade do México, em 1986, um grupo de jornalistas ingleses confrontou Havelange, perguntando várias vezes qual a razão da presença do almirante argentino Carlos Alberto Lacoste na entidade. A Guerra das Malvinas já tinha acontecido e havia, na lembrança de Keith Cooper, na época um executivo da empresa de *marketing* esportivo ISL, um clima de animosidade no ar.

— Não é da sua conta. Ele é um membro eleito do Comitê. Próxima pergunta.

Respostas como esta não eram incomuns. Na lembrança de Keith Cooper, que também se tornaria diretor de Comunicações da Fifa em 1995, Havelange podia ser "charmoso e agradável, mas também muito ditatorial":

"Nas coletivas de imprensa, você nunca sentia que ele estava querendo se esconder ou se retrair. Ele sempre encarava os jornalistas. Alguns deles, é claro, estavam sempre prontos para acusar Havelange de alguma coisa, mas acabavam não fazendo. Eu ficava um pouco embaraçado com o jeito às vezes agressivo dele. Mas havia respeito no ar, mesmo dos jornalistas que não tinham uma boa relação com ele."

As diferenças culturais também contribuíram para o início acidentado da relação do novo presidente da Fifa com os jornalistas europeus. Logo nas primeiras semanas da gestão Havelange, um gesto que ele adotava rotineiramente com a imprensa brasileira foi interpretado como tentativa de aliciamento. Havelange mandara oferecer algumas salas, comida e bebida para os jornalistas que aguardavam, no *hall* da Fifa, em Zurique, os resultados de uma reunião importante da entidade. A resposta foi uma carta dos jornalistas, com várias assinaturas, na qual os signatários repudiavam a atitude do presidente da Fifa.

Ao ler a carta, já na sala em que aconteceria a entrevista, pronto para falar, Havelange se levantou e foi embora:

— Também não aceito. Não tem entrevista.

O mal-estar, na lembrança de Havelange, só foi contornado cerca de vinte minutos depois, quando um emissário dos jornalistas voltou com a carta rasgada, dando por encerrado o episódio.

Outra característica de Havelange nos contatos com a imprensa, na lembrança de Keith Cooper, era a obsessão pelos detalhes da agenda. Sem que ninguém perguntasse, ele recitava automaticamente seu planejamento para duas ou três semanas, com horários precisos de chegada e saída das cidades e a natureza de cada compromisso que teria.

Alguns jornalistas ficavam ouvindo. Outros reagiam com olhares tediosos. Ninguém, afinal, poderia saber se Havelange estava sendo ou não preciso, mas, no final, na lembrança de Cooper, ficava a impressão de que ele tinha controle sobre tudo que acontecia à sua volta. Incluindo os destinos do futebol:

"Não era uma bobagem. Valia a pena para ele. Impressionava as pessoas."

E não eram apenas os números. O próprio Havelange provocava sentimentos tão fortes quanto díspares entre os jornalistas com seu porte físico, o olhar firme e gelado, o semblante inoxidável, a voz grave e solene, e, acima de tudo, a ausência total, em sua face, de qualquer sinal aparente de temor ou preocupação com o fato de estar na frente de câmeras, microfones e canetas esferográficas.

Na definição de Keith Cooper:

"Havelange é uma daquelas poucas pessoas que, quando entram numa sala, você percebe. Este é um dos sinais de sua grandeza, qualquer que seja o sentido que se dê à palavra. Ele tem uma presença que penso que não sentirei em qualquer outro dirigente esportivo."

Guido Tognoni, outro ex-funcionário da Fifa contemporâneo de Havelange, fez até uma piada para dar uma idéia do poder de persuasão de Havelange:

"Você pode entrar para conversar com ele pensando que o céu é azul. Ele o convencerá de que, na verdade, o céu é vermelho ou preto. E quando você deixar o gabinete dele, você vai levantar a vista, vai ver um céu azul e dizer: 'Deus errou mais uma vez.'"

Keir Radnedge, jornalista inglês que cobriu todas as Copas do Mundo a partir de 1966, disse que, "salvo algumas exceções", Havelange sempre demonstrou um senso político "extremamente apurado" nos contatos que tiveram:

"Nas entrevistas de que participei, Havelange respondeu perguntas fáceis e difíceis do mesmo jeito e se mostrou cordial, polido e eficiente."

Mike Collett, editor de futebol da agência *Reuters*, participou de coletivas e viu muito Havelange em ação. E a primeira impressão foi a de "um homem muito, muito importante, sério, poderoso" e que às vezes era "abrupto" com a imprensa. Ernesto Cherquis Bailo, do jornal *El Gráfico*, de Buenos Aires, via, no rosto de Havelange, "setenta anos sem erosão".

O fato de estar no Brasil, diante de jornalistas brasileiros, antes e muito tempo depois de chegar à Fifa, jamais mudaria a postura de Havelange. Sérgio Cabral, um colunista que só mudou a impressão inicial de antipatia por Havelange depois de uma viagem que fez com ele pela Ásia, disse que, "de longe, o Havelange não era muito simpático mesmo". No caso de um radialista gaúcho que estava no "Golden Room" do Copacabana Palace, no Rio de Janeiro, em outubro de 1999, cobrindo uma reunião do International Board da Fifa, seria "traumático", segundo Décio Lopes, da TV Globo, outro que cobria o evento.

Depois de cerca de quinze minutos, como os dirigentes falavam em inglês e a maioria dos jornalistas brasileiros estava boiando, o radialista gaúcho começou a fazer uma intervenção que continha, na lembrança de Décio, "o discurso mais bajulatório que jamais poderia ser feito para uma pessoa no tempo de três minutos". Trechos tratavam Havelange como "uma liderança", "símbolo do Brasil que triunfa no mundo" e "homem que leva o nome da pátria brasileira aos lugares mais elevados do esporte mundial". E veio o pedido:

— O senhor, que é um homem que compreende exatamente tudo que acontece neste país, vai perceber que nem todas as pessoas aqui dominam o inglês. O senhor, com sua magnitude, sua capacidade de compreensão, poderia, por favor, falar agora em português o que foi dito pelo membro da International Board?

Havelange, sem mexer um músculo, tomou o microfone e respondeu, seco:

— As línguas oficiais do International Board são o inglês e o francês. O próximo.

Como definiu Mike Collet:

"Havelange não permitia bobagens. Se você dissesse bobagens, ele te diria. Era abrupto e muito autocrático."

Bem antes da pergunta provocativa que lhe fizeram sobre o contrato da Coca-Cola, Havelange já tinha dividido opiniões, simpatias e antipatias na imprensa, nos tempos da CBD. Entre os participantes fixos e eventuais da "Grande Resenha Facit", considerada a primeira mesa-redonda esportiva da televisão brasileira, exibida nos anos 1960 pela TV Rio e depois pela TV Globo, no Rio de Janeiro, ele tinha críticos e admiradores.

Na lembrança de um deles, Hans Henningsen, o Marinheiro Sueco, entre os que apoiavam e defendiam Havelange estavam Nelson Rodrigues, Luís Mendes e José Maria Scassa. Entre os que não gostavam se destacavam Sandro Moreyra, João Saldanha e Armando Nogueira.

Para o jornalista carioca Paulo Cezar Vasconcellos, comentarista e chefe de redação do canal SportTV em 2006, parte dos problemas da imprensa com Havelange devia-se ao fato de os brasileiros, por natureza, "serem muito complicados na avaliação de seus ídolos e não conseguirem escapar do maniqueísmo em relação aos vitoriosos":

"A imprensa esportiva brasileira sempre cometeu o erro de ficar presa a um binômio muito pobre de raciocínio: o binômio do jogador-vítima e do dirigente-corrupto. E ela não consegue sair desse binômio. Ora, nem todo jogador é vítima e nem todo dirigente é corrupto, mas este binômio acompanha as mais variadas gerações da imprensa esportiva brasileira."

Um exemplo desse tipo de comportamento da imprensa, segundo Paulo Cezar, foi a reação da mídia brasileira à proposta que seria feita por Havelange, em 1996, de demolição do Maracanã:

"É claro que era uma proposta radical e polêmica. Mas as pessoas não consideraram que a preocupação do Havelange, estivesse ele certo ou errado, era com a urgente necessidade de o Rio ter um estádio moderno, como aconteceu com Wembley, em Londres. Até acho que não teria que demolir um cartão postal do Rio como aquele, mas a imprensa desceu a lenha porque, para ela, é inconcebível que um dirigente diga ou proponha alguma coisa sem um interesse escuso por trás. Se fosse feita por Oscar Niemeyer, seria genial. Mas era proposta de um dirigente do futebol."

Contribuiu sempre para este tipo de postura o que o radialista Sílvio Luiz chamou de "esculhambação da imprensa esportiva brasileira":

"Nossa imprensa esportiva acha que tem o direito de escrever e fazer o que quer, na base do seguinte raciocínio: eu tenho uma coluna e acabo com você. Ou eu tenho um programa de televisão e arraso você. Não deveria ser assim."

Para o veterano Luís Mendes, Havelange pagou, injustamente, pela conduta de outros dirigentes:

"O Havelange sempre foi, na minha opinião, um sujeito livre de qualquer suspeita, pelo procedimento dele. Mas muitas vezes teve de lidar com dirigentes que não eram assim."

Para Telmo Zanini, havia um outro complicador na relação de Havelange com a mídia — "despertar ciúmes" no eixo Rio-São Paulo:

"O Havelange era um dirigente acima dessas coisas mais mesquinhas de Rio e São Paulo. Apesar de ser um carioca da gema, benemérito e atleta do Fluminense, ele botou um paulistano pra comandar a seleção brasileira nas Copas de 1958 e 1962."

Ao lembrar em 2006 os problemas da imprensa com Havelange na época das Copas de 1958 e 1962, Pelé concordou com Zanini em relação à ciumeira e acrescentou outro complicador:

"A gente sentia que os repórteres tinham um pouco de bronca. O presidente Havelange era muito sério, não era de ficar brincando com todo mundo como o Paulo Machado de Carvalho. Era a maneira dele de ser, mas muito jornalista achava que era prepotência."

Com tantas pedras no caminho do relacionamento, a imprensa em todas as suas nuances de abordagem de um lado, e Havelange do outro, contrariado com os "insultos e barbaridades" que escreviam sobre ele, foram raras as entrevistas, no Brasil, em que ele se sentiu à vontade para falar do que interessava: o futebol. Uma dessas raridades seria o "momento de técnico" que Havelange teve na entrevista que deu a João Pedro Paes Leme e Paulo Cezar Vasconcellos, para a revista *Domingo*, do *Jornal do Brasil*, no início de 1994, meses antes da Copa na qual o Brasil conquistaria o tetracampeonato:

"Você poderia pegar esse menino, o Ronaldo, e colocar ele com o Romário na frente. Traz para o meio-de-campo o Bebeto, que tem uma habilidade fora de série e pronto. Esse Ronaldo me faz lembrar o Pelé. Tem 17 anos e toda a habilidade. É só ver: ele jogou em Minas, fez 50 jogos e marcou 54 gols. Quer dizer, assinou todos eles."

O mais comum, porém, em muitos anos de difícil convivência, seria uma certa tensão no ar, quando Havelange e os jornalistas se encontrassem, no Brasil e no exterior. Tensão que muitas vezes virava crise, em situações como a ocorrida em 1958, quando a noite tranqüila dos jogadores da seleção, concentrados no Palace Hotel de Poços de Caldas, em Minas Gerais, foi sacudida pela chegada de duas prostitutas, levadas por alguns jornalistas que acompanhavam a preparação do time para a Copa da Suécia. Havelange, quase meio século depois, não esqueceu:

"Sabe o que fizeram os jornalistas? Arranjaram mulheres da vida e, no hotel, em cada janela dos jogadores, puseram as mulheres de costas e fotografaram para mostrar que era tudo uma esculhambação."

Na lembrança dos amigos mais chegados, Havelange às vezes ficava muito aborrecido quando se sentia atacado ou difamado por artigos, crônicas e reportagens. Nas palavras do próprio Havelange:

"É o preço que tive de pagar: ser esculhambado, principalmente pelos jornalistas do meu país. A imprensa só queria criar problema. Não queria as coisas dando certo."

O ataque considerado mais agressivo e calunioso já publicado contra Havelange na imprensa, e que foi base da maioria das matérias negativas sobre ele na mídia internacional, foi um "perfil" que o próprio autor, Roberto Pereira de Souza, classificou como "pouco edificante" e que foi publicado com destaque pela revista *Playboy*, então dirigida por Juca Kfouri, em 1994. As nove páginas do "perfil", motivo de revolta dos amigos de Havelange na época, lançavam uma série de suspeitas, insinuações e conclusões pejorativas sobre praticamente todos os atos da vida pública do então presidente da Fifa.

No texto, o autor afirmava categoricamente, por exemplo, que Havelange tinha se tornado "vendedor de armas". E baseava a afirmação exclusivamente em dois fatos: a transferência do controle societário de uma metalúrgica da qual Havelange era sócio, a Orwec, para um grupo de investidores portugueses, que, por sua vez, comprara a fábrica de explosivos Mantiqueira, fornecedora de munição para o governo da Bolívia. E o fato de o mesmo grupo português já ter, entre seus sócios internacionais, antes de investir no mercado brasileiro, um fabricante de armas de Portugal, a Trafaria, e outro da África do Sul.

O texto não apresentava nenhuma indicação ou evidência que sustentasse a afirmação específica sobre o presidente da Fifa. Ainda assim, inspirou a caricatura de uma página que ilustrou a matéria: um Havelange armado como o personagem Rambo, lança-foguetes nas costas, à frente de um tanque de guerra, o pé esquerdo dentro do estádio do Maracanã e o direito no pescoço de Pelé, então rompido com o presidente da Fifa e processado na Justiça brasileira por Ricardo Teixeira, presidente da CBF.

Outro trecho do artigo da revista tentava estabelecer uma conexão de Havelange até com o "crime organizado" do Brasil, apoiando esta afirmação apenas no fato de Havelange ter uma longa amizade e uma sólida aliança futebolística com o bicheiro Castor de Andrade, principal dirigente do Bangu Atlético Clube, patrono da escola de samba Mocidade Independente de Padre Miguel e chefe maior da máfia do jogo do bicho no Rio de Janeiro.

Em 2005, Denise Frossard, a juíza responsável pela prisão de Castor e de outros 13 bicheiros, ficou surpresa com a menção do nome de Havelange e disse que, ao longo do processo que comandou contra os contraventores, jamais ouviu qualquer referência a envolvimento dele, de qualquer espécie, em nenhum momento, nem nos autos de acusação, nem nos da defesa.

O artigo correria o mundo nas páginas da imprensa e sites na internet hostis a Havelange e à Fifa. E voltaria ao Brasil, agora acrescido de novos e mais graves ataques, estes feitos por jornalistas e autores como David Yallop, Andrew Jennings e Brian Glanville, no conhecido e discutível método de jornalismo por meio do qual informações falsas ou sem comprovação citam, como fontes, outras informações falsas ou sem comprovação.

A falta de sustentação jornalística e documental das acusações não impediria, no entanto, que Havelange acabasse sendo submetido a um dos maiores constrangimentos de sua vida pública em novembro de 2000, no plenário da chamada CPI da Nike, quando os deputados petistas Arlindo Chinaglia e Pedro Celso, entre outros, se sentiram no direito de pedir a ele "esclarecimentos" sobre "envolvimento com o tráfico de armas e o financiamento de seqüestros".

Amigos próximos de Havelange, indignados, chegaram a propor várias vezes que ele fosse à Justiça contra os autores das reportagens e artigos considerados caluniosos. E contra colunistas como o mesmo Juca Kfouri, responsável editorial pela matéria de *Playboy*, que passou anos repetindo, sem apresentar provas, as acusações que publicou em 1994. E que em 2006 explicou sua postura dizendo:

"O modelo de administração instituído por Havelange no futebol permite que eu faça essas acusações."

Havelange chegou a contratar um advogado de São Paulo para processar a *Playboy*. Muniu-se de uma série de documentos, entre eles uma certidão do Tribunal de Contas da União sobre a inexistência de pendências em seus dezesseis anos à frente da CBD; carta da presidência do Unibanco confirmando o pagamento de todos os empréstimos tomados à época da malsucedida Taça Independência; e uma série de outros documentos relacionados à sua vida de empresário e administrador. Os papéis já estavam sendo preparados pelo advogado paulistano quando o amigo José Ermírio de Moraes aconselhou:

— Você só vai dar destaque e publicidade para quem está te atacando.

Funcionou. Havelange desistiu de processar a revista e determinou que a documentação fosse guardada em seu escritório no Edifício Manhattan, fazendo questão, no entanto, de pagar todos os honorários que havia acertado com o advogado. O breve flerte com o revide judicial contra a *Playboy* foi o máximo que Havelange se permitiu. Continuaria inexistindo, no Brasil ou em qualquer outro país, notícia ou indício de processo movido por ele contra qualquer jornalista.

Havelange também nunca foi de pedir retratações ou de exigir desmentidos e correções da imprensa. Fazia parte de uma espécie de tática invariavelmente adotada em relação a tudo que escreviam ou diziam sobre ele de certo, de errado e de absurdo. Em 2006, com o pragmatismo de sempre, ele justificou:

"Uma notícia, boa ou má, tem a duração de uma semana. Depois acaba."

Aquela entrevista coletiva da Coca-Cola em 1976, portanto, era apenas o começo. O tempo de Havelange com os jornalistas ainda ia fechar muitas vezes, por muito tempo.

Mais precisamente, duas décadas.

O filho da Glorinha

A estilista carioca Glorinha Paranaguá estava praticamente morando em hotéis de Buenos Aires. E já perdera a conta de quantas vezes tinha entrado em filas de parentes em busca de presos e desaparecidos políticos da ditadura que se instalara na Argentina em 24 de março de 1976. Seu filho, Paulo Antônio Paranaguá, 35 anos, militante da Quarta Internacional Comunista, e a mulher dele, Maria Regina Pilla, do Partido Operário Comunista, tinham sido presos em Buenos Aires, meses antes do golpe argentino, depois de fugir da ditadura brasileira e fazer contato com grupos de esquerda argentinos.

Glorinha controlava o desespero. Pessoas que entravam nas filas também estavam começando a desaparecer. E de nada adiantara o marido de Glorinha, Paulo Henrique Paranaguá, à época embaixador brasileiro no Kuwait, ter recorrido ao senador democrata norte-americano Edward Kennedy para que o governo argentino liberasse o filho e a nora. Vigia na época, e os brasileiros e argentinos comuns só saberiam vinte anos depois, o acordo secreto entre os regimes militares dos dois países para prender e reprimir comunistas em parceria.

O Itamaraty, na época, limitava-se a envidar esforços.

— Por que a gente não tenta o Havelange?

A sugestão do pai de Glorinha, Antonio Leite, ex-presidente do Fluminense, um empresário que Havelange admirava, pegou a filha de surpresa:

— Mas como, papai? Como é que eu vou tentar?

— A Copa do Mundo de futebol vai ser na Argentina. Há uma pressão enorme para ela não ser na Argentina por causa dos problemas com presos políticos. Então, quem sabe o Havelange, que vai ter contato com toda a alta cúpula do governo, não dá um jeito para você?

Glorinha há muito estava com o lema das mães da Praça de Maio na cabeça: "a única luta que se perde é a que se abandona". E concordou. Dias depois, no escritório de Havelange na praça Pio X, no centro do Rio, Antonio Leite foi direto ao assunto:

— João, meu neto, filho da Glorinha, se meteu naquela revolução lá na Argentina e está preso com a moça com quem ele vive, neta do Raul Pilla. Minha filha e eu estamos loucos porque não temos notícias dele. Você não poderia fazer alguma coisa?

— Mas você tem um genro que é embaixador. Por que não faz os trâmites via Itamaraty?

— O governo brasileiro já disse que não entra nessas questões, João.

— Antonio, eu faço esporte, não faço política.

A resposta dura de Havelange baqueou o amigo.

Antonio Leite começou a chorar:

— João, é meu neto. Você tem neto?

— Tenho. E já entendi, Antonio. Estou saindo amanhã para o Oriente. Quando eu voltar, passo por Lima e desço até Buenos Aires.

A situação de Paulo e Maria Regina era sinistramente peculiar. Eles já tinham sido julgados e absolvidos. Pelas leis argentinas, poderiam deixar o país, mas o regime brasileiro não providenciava a documentação. Na volta da viagem ao Oriente, em novembro de 1977, Havelange procurou em Buenos Aires o almirante Lacoste, então presidente do comitê organizador argentino da Copa do Mundo:

— Almirante, eu precisava, se possível, ser recebido pelo presidente.

Na lembrança de Havelange, Lacoste pediu um tempo, mas, instantes depois, já tinha a resposta:

— Doutor Havelange, já telefonei para a Casa Rosada e o presidente Videla te aguarda.

Já na sede do governo argentino, Havelange ficou frente a frente com o general Jorge Rafael Videla:

— Eu vim aqui fazer um pedido e o senhor tem o direito de me colocar daqui para fora. Mas se o senhor puder atender, ficarei eternamente agradecido.

Videla pediu então que Havelange explicasse o caso. Havelange relatou o drama de um ano e sete meses de Glorinha Paranaguá. Videla pediu um instante, chamou um ajudante-de-ordens e mandou que ele ligasse para o general Viola. Havelange não se esqueceu do que ele disse:

— General, estou aqui com o doutor Havelange e eu peço que o senhor o receba, ouça o que ele tem a expor e o que puder fazer o senhor faça.

Havelange foi recebido na porta do elevador pelo general Viola. Em sua lembrança, era o décimo andar de um prédio próximo à área portuária de Buenos Aires. Ao tomar conhecimento da história, Viola mandou chamar um certo coronel Moldero:

— Coronel, procure essas pessoas.

Havelange voltou ao Rio com a promessa de que teria um retorno do pedido. No dia 10 de janeiro de 1978, quando já estava embarcado no Concorde da Air France para a costumeira escala em Paris antes de Zurique, um agente da Polícia Federal entrou na cabine e avisou:

— Doutor Havelange, me mandaram dizer que as pessoas por quem o senhor fez o pedido se encontram em Buenos Aires.

Na volta da viagem a Zurique, dez dias depois, quinze minutos depois de chegar em sua casa, no Leblon, tocou o telefone. Era da Argentina, alguém falando em uma língua que a empregada não entendia:

— Doutor Havelange, aqui fala da Seguridad e queríamos lhe comunicar que as duas pessoas por quem o senhor fez o pedido neste momento se encontram dentro de um avião da Air France, de acordo com seu pedido, com destino a Paris.

E desligaram.

A transferência de Paulo e da mulher da prisão até o aeroporto foi acompanhada por um representante enviado por Havelange e por um funcionário da embaixada francesa, por obra de Robert Mitterrand, irmão do presidente François Mitterrand e amigo do embaixador Paulo Paranaguá. No setor de embarque do aeroporto de Buenos Aires, acompanhando a distância todos os detalhes, Glorinha Paranaguá, aliviada e às lágrimas.

Vinte e oito anos depois, Glorinha disse que Havelange foi "uma idéia abençoada" do pai dela:

"Ele foi extraordinário. Mandou uma pessoa de confiança dele acompanhar o andamento de tudo. Muitos amigos me ajudaram, mas quem arrancou o meu filho de lá foi o Havelange. Isso eu não esquecerei jamais."

Em 2005, ainda vivendo em Paris, mas já separado de Maria Regina, Paulo Antônio Paranaguá, agora jornalista e autor de livros sobre cinema latino-americano, não quis falar. Deixou o relato por conta da mãe. Na mesma época, Havelange, ao confirmar o que chamou de um "gesto de amizade", disse que a operação de ajuda foi "uma demonstração de quantas coisas podem ser feitas sem se fazer política".

Não havia chance alguma de a primeira Copa do Mundo de João Havelange como presidente da Fifa ser cancelada ou transferida por razões políticas.

Nem de que outros milhares de desaparecidos do regime argentino tivessem o mesmo destino que ele deu a Paulo e Maria Regina.

A hora do almirante II

Na circunscrição brasileira das ditaduras do Cone Sul, Havelange continuava longe dos gabinetes do poder. Em maio de 1975, mesmo a distância, tinha sido alcançado pela ação de seus adversários da CBD agora em alta no governo Geisel, quando se tornou público, em Paris, que ele receberia, do governo francês, a Legião de Honra no grau de Cavaleiro. Dias depois de indicar a embaixada brasileira na capital francesa como local de preferência para receber a homenagem, Havelange foi chamado pelo embaixador Antonio Delfim Netto, ex-ministro do governo Médici, na época hibernando politicamente no chamado "Circuito Elizabeth Arden" do Itamaraty.

Delfim mostrou a Havelange um telegrama que tinha recebido do Ministério das Relações Exteriores, com uma determinação atribuída ao presidente Ernesto Geisel para que o espaço da embaixada não fosse usado para a entrega da Legião de Honra.

— Não se preocupe, Delfim. Vou indicar a Casa França-Brasil.

Delfim Netto interrompeu:

— Havelange, você não entendeu. Eu só queria que você lesse o telegrama. A festa vai ser aqui.

E foi. No dia 30 de maio de 1975, ao colar a medalha na lapela do *smoking* de Havelange, no salão principal da embaixada brasileira em Paris, o representante do governo francês, Bernard Destrimeau, explicou:

"Tenho o privilégio de condecorar com a Medalha de Cavalheiro da Legião de Honra não só o amigo da França, como também o homem que prestou imensos serviços ao esporte brasileiro, e agora, como presidente da Fifa, está realizando uma gestão que contribuirá para a integração política das nações por meio do esporte."

Nada parecido tinha acontecido até então, na terra do homenageado.

Guerra no porão

Foi controversa, misteriosa e sombria a forma com que o chamado Ente Autárquico Mundial 1978, o comitê argentino responsável pela organização da Copa do Mundo de 1978, ficou conhecido internacionalmente. Tomado, como o país, pela junta militar que governava a Argentina, o Ente acabou se tornando motivo e cenário de uma intensa disputa entre altos oficiais do Exército e da Marinha.

E nem a mordaça da censura à imprensa impediu que se tornassem públicas, desde 1976, as divergências entre o presidente nomeado pela junta para o Ente, o general Omar Carlos Actis, e o vice, o capitão e depois almirante Carlos Alberto Lacoste.

Rivalidades militares à parte, Lacoste defendia um investimento maior na infra-estrutura de estádios e na área de telecomunicações, para que os argentinos também pudessem assistir ao Mundial em cores. O general Omar era favorável a uma contenção maior de gastos relacionados à realização da Copa. E seu assassinato, em um suposto mas nunca confirmado atentado dos guerrilheiros montoneros, no dia 19 de agosto de 1976, exatamente quando ele estava a caminho de uma entrevista coletiva em que trataria do assunto, alimentou a tese de que Actis morreu por causa da guerra interna no Ente.

Guindado ao lugar de Actis, Lacoste, na visão de Keir Radnedge, especialista em Copas do Mundo da revista *World Soccer*, fez do cargo de presidente do Ente Autárquico Mundial 1978 uma posição de poder diante dos próprios colegas militares que governavam o país:

"Lacoste tentou se tornar indispensável, no que se referia ao relacionamento com Havelange e com a Fifa. Por causa disso, tornou-se intocável na Argentina."

Cinco meses antes, em sua primeira visita de inspeção às obras e ao trabalho de preparação para o Mundial da Argentina, o presidente do comitê organizador da Copa pela Fifa, Hermann Neuberger, estivera em uma Buenos Aires ainda sacudida pelo golpe que depusera, dois dias antes, a presidente María Estela Martínez de Perón. Entrevistado sobre os acontecimentos, Neuberger respondeu:

"A mudança de governo não tem nada a ver com o Mundial. Somos do futebol e não políticos."

Dois dias depois de Neuberger, em outra entrevista, os jornalistas queriam saber do chefe de Neuberger se o golpe mudava a posição da Fifa em relação à realização da Copa na Argentina. E Havelange assegurou:

"A Argentina está mais apta do que nunca para organizar o Mundial."

Havelange e Neuberger, independentemente do juízo que o mundo fez daquela postura e do grau de constrangimento que ela eventualmente lhes tenha causado, estavam sendo coerentes com o comportamento histórico da Fifa em situações politicamente conflituosas ou semelhantes à da Argentina.

Durante a Segunda Guerra Mundial, por exemplo, segundo o livro *100 Years of Football – The FIFA Centennial Book*, não houve uma única referência à carnificina na volumosa correspondência do ano de 1944 entre o então secretário-geral Ivo Schicker, alemão, e o Comitê Executivo da entidade.

Até a palavra "guerra" era evitada na correspondência da Fifa, sendo substituída por expressões como "eventos", "circunstâncias" ou, no máximo, "crise internacional". Antes, em 1940, auge da ofensiva alemã, quando Schicker achou por bem divulgar um documento no qual dizia que a Fifa expressava "o desejo ardente de que o conflito terminasse o mais rápido possível", ele foi severamente criticado pelo dirigente italiano Mauro, um notório simpatizante do Eixo, dizendo que a entidade deveria "evitar declarações de natureza política".

Engajamento mesmo, só de atletas como o austríaco antinazista Matthias Sindelar, o maior jogador dos anos 1930, perseguido pelas tropas de Hitler até se matar por envenenamento num quarto de hotel, enquanto os campeonatos nacionais de futebol, à exceção do da Inglaterra, continuavam a ser disputados.

Na Copa de 1934, na Itália — neste caso um cenário precursor do que aconteceria nos estádios argentinos de 1978 —, o então presidente da Fifa, Jules Rimet, prestigiou com a presença, mas manteve-se imóvel e em silêncio, ao lado de Benito Mussolini, quando a seleção italiana, a campeã daquele Mundial, perfilou e ergueu os braços para fazer a saudação fascista.

Décadas depois, quando os tanques soviéticos marcharam sobre Praga para asfixiar a primavera de democracia na Tchecoslováquia, Stanley Rous recebeu uma carta emocionada e contundente em que os dirigentes tchecos pediam um boicote da Fifa aos agressores. Rous encaminhou o pedido ao secretário-geral Helmut Käser, que limitou-se a perguntar, como se estivesse em outro planeta:

"Qual é a situação atual do futebol no seu país?"

Vinte e sete anos depois da Copa de 1978, João Havelange não hesitou ao defender a postura neutra que adotou:

"Eu nunca me meti na política da Argentina. Eu respeitei o senhor Lacoste, que era presidente do comitê organizador argentino. E a Fifa tinha um presidente do comitê organizador dela, que era o Hermann Neuberger. Eram duas coisas diferentes. Eu não me meti. Respeitei o que foi dado e o que foi apresentado pelo país. E tudo feito com muito respeito e tranqüilidade."

Testemunha quase diária da rápida experiência de governo de Havelange, como secretário de Esportes de Carlos Lacerda, Raphael de Almeida Magalhães aprendeu a admirar nele uma característica que, para Raphael, explica como Havelange lidou com a questão argentina:

"Havelange é neutro do ponto de vista político. E acho que ele tomaria conta do futebol brasileiro e do mundial no comunismo, no fascismo e na democracia, qualquer regime. Ele pode ter a preferência ideológica dele, mas acha que a autoridade pública, o presidente, seja quem for, é uma autoridade referencial. Não confundir com submissão. Havelange apenas reverenciava sinceramente a autoridade."

Um estudo feito em 1979 e citado no livro *100 Years of Football – The FIFA Centennial Book* revelaria que, de 119 países do mundo analisados na época, somente 35 poderiam ser classificados como "democracias" e "Estados constitucionais". A maioria estava sob controle de regimes centralizadores comandados por um homem só. A Fifa, sob Havelange, não criaria nenhuma política ou critério relacionado à qualidade dos regimes políticos ou aos índices de corrupção dos países membros, tanto na área de influência capitalista quanto na comunista.

Keir Radnedge, ao sintetizar o osso político que sempre coube a dirigentes como Käser, Rous, Rimet, Neuberger e Havelange, entre outros, ficou entre a crítica e uma espécie de solidariedade resignada:

"Se você é uma autoridade, primeiro-ministro ou presidente de qualquer país, você vai ter sempre que apertar as mãos, sentar, ser polido e às vezes conversar com assassinos repugnantes. Isso é política. Você tem que fazer. Quando você é jovem, não pensa assim, mas você cresce e faz."

CAPÍTULO 9

Estréia

Pânico na TV

O almoço com Roberto Marinho e José Bonifácio de Oliveira Sobrinho, o Boni, no restaurante do décimo andar da sede da TV Globo, no Rio de Janeiro, naquele início de 1976, tinha sido um pedido de Havelange. Havia uma apreensão crescente com o risco de a Argentina não ter condições técnicas de transmitir os jogos da Copa do Mundo em cores para o resto do planeta. Antes daquele encontro, Havelange tivera outro, com o general Jorge Rafael Videla, chefe da junta militar que tomara o poder na Argentina:

— Presidente, a Argentina vai poder realizar a Copa?

— Doutor Havelange, eu não vou lhe dar a melhor Copa do Mundo, mas uma das melhores.

Não era exatamente uma resposta tranqüilizadora para Havelange, que se via obrigado a viver uma espécie de dupla personalidade. Como presidente da Fifa, estreando sua primeira Copa, estava determinado a fazer com que o caderno de encargos da entidade relacionado às transmissões de televisão fosse rigorosamente cumprido pelos argentinos. Como dirigente sul-americano, resistindo ferreamente à intensa campanha internacional de boicote ao Mundial, por causa da ditadura argentina, ele sabia que o risco de o sinal dos jogos não sair do solo argentino era real e iminente.

Na outra ponta da mesa, como lembrou Boni, vinte e sete anos depois daquele almoço, Roberto Marinho sabia que a televisão estatal argentina, apesar do grande investimento feito a toque de caixa para a Copa, não estava conseguindo colocar a imagem no satélite Intelsat.

Marinho e seu vice-presidente de Operações, apesar de terem na mão o caminho das pedras tecnológico, não estavam exatamente preocupados com o drama do outro lado da fronteira. A razão, segundo Boni, era semelhante à que explodia nos estádios, quando as seleções dos dois países se enfrentavam:

"Nós tínhamos uma certa má vontade, dentro da velha rivalidade com a Argentina."

Havelange considerava o dono da TV Globo, como disse em 2005, "um homem de personalidade e de palavra". Por isso, ficou tranqüilo quando, durante o almoço, ele disse que sua emissora daria todo apoio técnico possível aos argentinos.

Roberto Marinho e Boni, no entanto, continuavam receosos de envolver o nome da TV Globo, desconfiados de que o tempo era curto e preocupados com o que Boni chamou de "belicosidade argentina". Na época, o complexo de transmissão de televisão da Copa, a emissora ATColores, estava instalado num dos bairros mais luxuosos de Buenos Aires e era protegido pelos militares como se fosse um *bunker*. Havelange, no entanto, procurou tranqüilizar:

— Deixa que eu vou assumir esse negócio e vai tudo correr bem. Vai sair tudo direitinho.

Os meses seguintes mostrariam que Havelange estava certo. O sinal dos jogos da Copa, transmitido para o mundo com apoio técnico da Embratel e da TV Globo, por meio das repetidoras de Foz do Iguaçu, foi em cores. Havelange só errou, no caso duplamente, na gentileza que fez, ao responder à última pergunta de Roberto Marinho naquele almoço:

— Havelange, puxa vida, quando é que nós vamos ter uma Copa no Brasil?

— Olha, doutor Roberto, antes de o senhor completar 100 anos nós vamos fazer. Vamos fazer a festa do seu centenário durante a Copa.

Chave de galão

Dedo em riste, um a um, a pergunta foi a mesma:

— Você está comigo ou não está?

Havelange tinha acabado de interromper a sessão ordinária do congresso da Fifa que era realizado em Buenos Aires, dias antes do início da Copa da Argentina, e se trancado em uma sala próxima com os integrantes presentes do Comitê Executivo da entidade, cerca de vinte dirigentes ainda majoritariamente europeus, para um definitivo olho no olho político.

— Você está comigo ou não está?

A opção surpreendente pelo tira-teima acontecera quando Havelange percebeu que as intervenções hostis dos adversários liderados pelo italiano Artemio Franchi, vice-presidente, e pelo eterno opositor Helmut Käser estavam levando a reunião de mais de 200 delegados de federações do mundo inteiro para um desfecho imprevisível.

Para Sepp Blatter, à época ainda sendo preparado para substituir o secretário-geral Helmut Käser, os adversários fizeram tudo para deixar Havelange em "má situação", em torno de questões como a complexa volta da China Comunista à Fifa, a questão da África do Sul, àquela altura já expulsa da entidade, como conseqüência da política anti-racista implantada por ele, e a própria realização da Copa da Argentina, em meio à campanha internacional de boicote à ditadura.

Por trás daquele dedo em riste, além da expressão inoxidável e dos olhos gelados de Havelange, estava a força eleitoral do futebol da África, da Ásia, do Oriente Médio e de outras regiões que ele conquistara quatro anos antes. Todos esperando do outro lado da porta. Em questão, a defesa do poder do presidente diante do secretário-geral, defendida com veemência pelo espanhol Pablo Porta:

— O secretário-geral tem que ser um homem do presidente e não do Comitê Executivo. Nós votamos no doutor Havelange para ele ser presidente. Temos de dar a ele a vantagem de escolher o secretário, seja ele quem for.

Na lembrança de Sepp Blatter, Pablo Porta e Jack Warner, ninguém teve coragem de ficar contra Havelange. Apenas um dos integrantes do Comitê, segundo Blatter, chegou a hesitar na resposta, pedindo socorro a Artemio Franchi com o olhar. Mas acabou seguindo a maioria:

— Não, não tenho nada contra.

Na mesma reunião, Havelange arrancou dos membros do Comitê mais três anos para tentar convencer a China Comunista e Taiwan a se aceitarem na Fifa. E ameaçou:

— Seu eu não resolver esta questão, renuncio.

Nesta hora decisiva, um dos homens mais poderosos da Fifa, um vice-presidente latino-americano que não votou em Havelange na eleição de 1974, começou a se tornar um grande amigo:

"O Guillermo Cañedo ficou violentamente ao meu lado. Nunca esqueci."

E outra grande e poderosa amizade se consolidou naquele dia difícil: o presidente da pequena Federação de Futebol de Hong Kong, o empresário Henry Fok, eleito membro do Comitê Executivo por indicação de Havelange. Seu estilo discretíssimo não permitia a quem conversasse com ele saber que estava em seu bolso, além de uma fortuna de 2 bilhões de dólares, a chave do problema da China.

Do lado de fora daquela sala, aguardando os acontecimentos e estreando num congresso da Fifa como chefe da delegação sueca, estava Lennart Johansson, admirador de Stanley Rous e dirigente que se tornaria o mais respeitado e influente opositor de Havelange na entidade. Ele testemunhou o que chamou, em 2005, de "um começo difícil" do futuro adversário:

"Lembro que Havelange enfrentou aquela situação de forma calma, fria e imperial. Ele se preparava mentalmente com muito cuidado. Sabia o que queria. E esperava apenas que a gente concordasse com ele. E era essa parte que eu não gostava."

Feita a crítica, Johansson fez também uma autocrítica, temperada de alguns elogios à visão de Havelange:

"Leva tempo para entender quem está na outra cadeira e que há outras visões. Eu era um pouco agressivo, tinha um olhar europeu. É preciso dizer que Havelange tinha essa visão mundial. Eu via Havelange com desconfiança, mas isso mudou com o passar dos anos."

Antes que os anos passassem, no entanto, o pau continuaria cantando no congresso de Buenos Aires. Enfurecido pelo fato de ter sido impedido de entrar na sala em que Havelange promoveu o tira-teima com os membros do Comitê Executivo sobre seu destino, Helmut Käser cercou o chefe num canto e, momentaneamente esquecido de que a oposição nem apresentara uma chapa, fez um prognóstico desesperado:

— Isso vai acabar! Você não vai ser reeleito!

— Quem vai acabar é você...

Quando viu como Helmut Käser estava se comportando com Havelange, Pablo Porta não teve dúvida de que o secretário-geral não resistiria. Em 2005, Porta disse que pensou:

— Käser está morto. Acabou para ele. Não vai morrer aqui, para não criar uma crise no Mundial. Vai ser num encontro na Suíça. Só os dois, sem platéia.

Profético.

Rock pesado

— Doutor Havelange, o senhor gosta do Led Zeppelin?

Eduardo Bueno, o Peninha, 19 anos, jovem correspondente do jornal gaúcho *Zero Hora* na Copa da Argentina e futuro *best seller* da literatura brasileira, tinha apertado mais um dos baseados que fumou durante a cobertura, antes de ir para a entrevista coletiva do presidente da Fifa aos jornalistas brasileiros em Mar Del Plata. Antes, já tinha feito perguntas propositalmente absurdas sobre Flaubert e sobre o confronto filosófico entre Voltaire e Rousseau para o então técnico da seleção brasileira, Cláudio Coutinho, para o presidente da

CBF, almirante Heleno Nunes, e para jogadores que não o agradavam, como os atacantes Nunes e Roberto Dinamite.

Eduardo, um dos jornalistas que aproveitaram a Copa para cobrar dos dirigentes uma posição sobre as ditaduras brasileira e argentina, era fã da banda inglesa Led Zeppelin, mas obviamente não queria a opinião de Havelange sobre o guitarrista Jimmy Page ou o vocalista Robert Plant. Em 2005, três décadas depois da travessura cujos detalhes tinha dificuldade de lembrar, "exatamente por ter passado boa parte daquela Copa doidão", Eduardo disse que queria, na verdade, afrontar Havelange por causa de um pedido de entrevista recusado:

"Aquela coletiva seria minha única chance de afrontá-lo, e eu com certeza tinha vontade de afrontar o Havelange. Não achava, como acho hoje, que ficar velho com a altivez e a saúde dele fosse um mérito."

A única certeza que não se desfez na fumaça do tempo e dos baseados, de acordo com Eduardo, foi a de que Havelange não deu a menor importância para a pergunta. Olhou fixamente para ele, sem piscar, não disse palavra e, depois de alguns breves segundos, apontou com o queixo para outro jornalista que estava no salão:

— Próxima pergunta.

Mesmo na hipótese inteiramente improvável de gostar da música do Led Zeppelin, Havelange não se permitiria tal devaneio naquele momento. Herdeiro de uma escolha de sede que fora feita por seu antecessor Stanley Rous antes que a Argentina se tornasse uma violenta ditadura, ele estava engajado até a alma no compromisso de realizar aquela Copa.

Para cumprir o compromisso, na lembrança de Pablo Porta, Havelange levou em consideração a existência, na Argentina daquele junho de 1978, de duas autoridades e um compromisso. As autoridades eram o presidente do governo, general Videla, e o presidente do Ente Autárquico Mundial 1978, almirante Lacoste. O compromisso era o de não criar qualquer problema político que ameaçasse a competição. O amigo Almeida Braga estava por perto e sentiu o peso da situação:

"O João quase torceu pela seleção argentina, de tanto que ele queria que tudo desse certo."

Fazer tudo dar certo, na lembrança de Jean-Marie Weber, o homem da Adidas na Fifa, foi também administrar um conflito surdo de interesses que surgiu entre os militares argentinos e o mundo empresarial, ambos despertados para o potencial de *marketing* do futebol. A Adidas estava aumentando os aportes financeiros à Fifa, em troca de um aumento de seu retorno em *marketing*. A Coca-Cola assinava seu primeiro contrato de *merchandising* com a entidade e, paralelamente, os executivos da Dentsu, a maior agência de publicidade do Japão na época, também tinham acabado de se tornar parceiros da Fifa. Na lembrança de Weber, não foi fácil acomodar os interesses:

"Tivemos de renegociar os contratos com os militares. E Havelange foi duro o suficiente para impor as novas condições. Ele sempre foi um diplomata, mas sabia ser duro também."

Fora das reuniões entre as autoridades, dirigentes e executivos de *marketing*, o cenário das ruas da Argentina, durante aquela Copa, embaralhava a visão até de quem sabia perfeitamente de tudo que estava acontecendo nos subterrâneos do país. Como o jornalista inglês Keir Radnedge:

"O povo argentino, que você encontrava nas ruas, nas bancas de jornais, assistindo aos jogos, dentro de um táxi e nos ônibus, se envolveu com a Copa de um jeito que eu nunca vi em nenhuma outra Copa do Mundo que acompanhei. Se você pensar nos fatos que estavam acontecendo nos bastidores, nas pessoas que estavam sendo jogadas de aviões, nos esquadrões de seqüestro e morte, foi uma Copa estranha e muito complexa."

O locutor Sílvio Luiz, um dos jornalistas brasileiros que acompanharam a primeira Copa de Havelange na presidência da Fifa, disse que "muito pouca gente percebeu o que estava acontecendo na Argentina naqueles dias":

"Só depois nós ficamos sabendo que, se você deixasse cair um palito de fósforo apagado, explodia tudo."

E não explodiu porque — mais uma estranheza — até os montoneros estavam a favor da realização da Copa. De acordo com artigos e reportagens que foram publicados, anos depois, em jornais, livros e revistas da Argentina, não houve atentados na Copa por causa de um acordo que teria sido feito, em Paris, entre representantes do almirante Massera, integrante da junta militar, e o líder guerrilheiro Mario Firmenich. Um acordo contra o qual teria se colocado a diplomata argentina Elena Holmberg, encontrada morta num rio da Argentina depois da Copa, em 1979.

Quaisquer que tenham sido os caminhos de formulação da política dos montoneros para a Copa, o fato é que, no dia 10 de maio, semanas antes do jogo inaugural, o movimento divulgou para a imprensa mundial um livro no qual estimulava o comparecimento à Argentina e enfatizava seu propósito de não colocar obstáculos à Copa, "para que a atenção do mundo seja voltada para o país e sua realidade". No documento, os montoneros apontavam o estádio de futebol como um dos cenários mais eficazes de protesto popular contra os regimes militares.

Não haveria nem o levante das massas sugerido no documento dos montoneros e nem apareceriam sinais evidentes do massacre de esquerdistas que estava sendo levado a cabo pelos militares, muitos deles na temida Escola Mecânica da Armada, a menos de 1 quilômetro do estádio do River Plate.

No jogo de abertura, Alemanha e Polônia, no mesmo estádio, dia 1º de junho, ao discursar na abertura oficial como presidente da Fifa, Havelange saudou a Copa como uma festa de paz do esporte, celebrou o congraçamento dos povos por meio do futebol e, num trecho do discurso, disse:

"Finalmente o mundo pode ver a verdadeira imagem da Argentina."

A frase, transmitida ao mundo, ao vivo, pelo complexo de telecomunicações que ele ajudara a viabilizar, seria usada nos anos seguintes pelos que condenaram sua proximidade com os militares argentinos. Em 2005, no entanto, a resposta de Havelange aos críticos não foi diferente da que ele deu na época:

"Eu tinha por obrigação cumprir uma decisão do congresso da Fifa. Não era a minha vontade. Mas eu mantive a Copa porque era esporte. Não era política."

Só palpite

— Richer, que negócio é esse de empate? Nós temos é que ganhar o jogo para sermos campeões do mundo!

Havelange tinha acabado de contrariar o costume, cultivado a vida toda, de não freqüentar os vestiários do futebol. Mas a informação de que o Brasil estava jogando pelo empate contra os argentinos, na segunda rodada do grupo B da segunda fase da Copa, naquele 18 de junho de 1978, no estádio da cidade de Rosário, fizera pulsar nas veias do presidente da Fifa o sangue do ex-presidente da CBD. Sem que a imprensa percebesse, ele foi ao vestiário da seleção durante o intervalo e advertiu o amigo Richer, chefe da delegação:

"Não façam isso! Tratem de jogar para ganhar."

A seleção brasileira que chegara até a chamada "Batalha de Rosário" sob comando de Cláudio Coutinho estreara de forma preocupante naquela Copa, com dois empates com a Suécia e a Espanha, e uma vitória magra de 1 a 0 contra a Áustria. Pressionado por Heleno Nunes, Coutinho escalara Roberto Dinamite no lugar de Reinaldo e pusera Jorge Mendonça revezando com Zico. Coincidência ou não, o time conquistou duas vitórias, contra o Peru, 3 a 0, e contra a Polônia, 3 a 1.

Ao lembrar, vinte e sete anos depois, o jogo que decidiu o destino do Brasil na Copa da Argentina, Havelange ainda falava como torcedor de uma seleção sobre a qual não tivera qualquer responsabilidade, depois de cinco Copas e três títulos na presidência da CBD. E lembrava que o saldo de gols que tirou o Brasil da final contra a Holanda poderia ter sido conquistado antes do jogo contra a Argentina:

"O Brasil, ganhando do Peru de 3 a 0, também poderia ter vencido por 4, 5 ou 6. Ganhando de 3 a 0, ficou batendo bola. O que a gente pode fazer? Não concordei com o fato de Rivelino ficar na reserva. Se ele entra em campo contra a Argentina, nós tínhamos todas as possibilidades de vencer o jogo. E você não entra numa competição para empatar."

Na época, no entanto, Havelange falava mesmo apenas como um ilustre torcedor. Na lembrança de Telmo Zanini, então repórter do *Jornal da Tarde* responsável pela cobertura da seleção, ele era um nome "proibido" nos corredores da CBF:

"Era melhor não falar de Havelange, já que ele era quase *persona non grata*. Todo o pessoal do círculo dele tinha sido afastado sem muita sutileza. O almirante Heleno Nunes não era revanchista e não falava mal, mas era como se o João Havelange não tivesse existido."

A "Batalha de Rosário" terminou empatada. E a vitória de 6 a 0 da Argentina contra o Peru, além de colocar o time da casa na final da Copa pelo critério do saldo de gols, desencadeou eternas suspeitas e certezas, nos quatro cantos do mundo do futebol, de que o resultado foi comprado dos peruanos e pago, para alguns *cash*, para outros em algumas dezenas de milhares de toneladas de cereais e mais uma linha de crédito de 50 milhões de dólares para o Peru. Telmo Zanini, por exemplo, não levou aquela Copa a sério:

"Como jornalista esportivo, eu não considero válido esse título da Argentina. Ele foi roubado. Eles fizeram de tudo. A gente sabe que eles compraram o time do Peru. E a arbitragem, em vários momentos, influiu decisivamente para ajudá-los."

Para Havelange, não houve nada disso:

"É sempre aquele negócio: comprou-se o time do Peru. Isso não existe! A televisão mostrou os jogadores em campo, se empenhando de todas as maneiras."

Suspeitas à parte, a Fifa acabaria mudando o sistema que permitiu que os argentinos fossem para o campo sabendo quantos gols precisariam fazer no Peru para vencer o Brasil na disputa de uma das vagas da final. Nas Copas seguintes, os jogos decisivos de um mesmo grupo seriam realizados no mesmo horário. E a Fifa também abandonaria o sistema de semifinais adotado na Argentina e no Mundial anterior, na Alemanha: dois grupos de quatro seleções jogando entre si para disputar as duas vagas da final.

Os argentinos acabaram vencendo a Holanda na final por 3 a 1. Na disputa de terceiro lugar, o Brasil venceu a Itália por 2 a 1, com um gol antológico de Nelinho, uma bola em curva que surpreendeu o goleiro Dino Zoff. Mesmo assim, Cláudio Coutinho foi ridicularizado na volta para casa, ao dizer que a seleção, única invicta da Copa, fora a "campeã moral". Havelange, em 2005, em vez de chutar o cachorro morto do almirante, que também já tinha morrido, saiu em sua defesa:

"Palmas para eles. O Brasil não fracassou em nada, terceiro em 16 equipes. Se você põe seu filho para fazer um exame e, entre 40, ele tira segundo lugar, você tem de aplaudir, abrir uma garrafa de champanhe. No Brasil, o sujeito é vice-campeão ou terceiro colocado, posições em que meio mundo gostaria de estar, e é mal-tratado."

Anna Maria acompanhou Havelange à Argentina e chegou a ser procurada por um grupo de integrantes do movimento Mães da Praça de Maio, que, segundo Havelange, "queriam agradecer o momento de paz que a Copa estava propiciando aos argentinos". Aquela também seria a primeira e única vez em que Anna Maria faria comentários sobre futebol em público, como mulher do presidente da Fifa. No salão onde assistiu à final da Copa em companhia de um grupo de mulheres argentinas, ao perceber que algumas estavam muito nervosas, Anna Maria procurou tranqüilizar:

— Fiquem calmas. Vocês acabam ganhando.

Final do jogo, Argentina campeã. Anna Maria foi cercada por um grupo de argentinas, eufóricas, aos gritos:

— Bem que a senhora disse que íamos ganhar.

Ao se dar conta do potencial de polêmica e dor de cabeça que aquele tipo de declaração poderia angariar para o marido, Anna Maria decidiu pela saída drástica:

"Desse dia em diante, passei a ser a mulher mais burra do mundo. Não sabia nada e não entendia de nada. Percebi que tudo o que eu falasse poderia ser interpretado como algo que o João me disse. Calei-me para sempre."

Gratidão

Do ponto de vista de Havelange e da Fifa, não houve queixa alguma em relação ao desempenho do almirante Lacoste à frente do Ente Autárquico Mundial 1978. Ele autorizou gastos de cerca de meio bilhão de dólares, para remodelação ou construção de sete estádios de futebol, modernização dos aeroportos e das telecomunicações, construção da estação de satélite em Balcarce, melhorias na infra-estrutura hoteleira, publicidade, segurança, relações públicas e logística para a imprensa internacional.

E quando o próprio ministro da Economia, José Alfredo Martinez de Hoz, foi se queixar do tamanho da conta ao presidente Videla, a resposta do general foi um sinal do grau de confiança e compromisso que havia entre a junta e o almirante:

— Ainda que a Copa custasse 100 milhões de dólares mais, seria benéfico para a Argentina.

Praticamente tudo que estava exigido nos cadernos de encargos da Fifa foi providenciado pelo almirante. Havelange, que tivera em Lacoste um aliado decisivo para enfrentar todos os difíceis desafios daquela Copa, dentro e fora da Fifa e da Argentina, comportou-se do jeito que seus adversários sempre criticaram, cheios de suspeita, e que seus admiradores sempre enalteceram, plenos de gratidão.

Arquivo pessoal

Havelange na Travessia de São Paulo a Nado:
três vitórias e um tifo quase mortal.

Arquivo pessoal

Nos tempos do Clube Espéria, em São Paulo, Havelange fez amigos
e descobriu que também gostava de administrar o esporte.

Arquivo pessoal

A equipe de natação do Fluminense: Havelange (o quarto da esquerda para a direita) também jogava futebol, mas escondido do pai.

Arquivo pessoal

No estádio olímpico de Berlim, em 1936: os elogios à organização da Olimpíada alemã não seriam perdoados pelos adversários.

Arquivo pessoal

Na recepção da delegação olímpica brasileira à Olimpíada de 1936, o sinal dos tempos. Havelange está de costas, de terno, na frente do segundo marinheiro da esquerda para a direita.

Acervo Última Hora/Folha Imagem

Havelange acompanhou de longe a conquista da Copa de 1958.

Aroldo Chiorino/Folha Imagem

Em 1966, nem Pelé salvou a seleção. Os críticos e adversários depositaram a desclassificação integralmente na conta de Havelange.

Arquivo pessoal

Condecoração no Dia do Soldado, em 1968: medalhas e diplomas, como o futebol, para Havelange, não tinham ideologia.

Havelange, Paulo Machado de Carvalho e Costa e Silva em 1969:
um pedido especial do general virou ordem.

Havelange e Jarbas Passarinho em Brasília, em dezembro de 1969: a crise na seleção brasileira foi acompanhada como assunto de Estado pela ditadura.

Agência Brasil

Médici, Havelange, Andreazza e Leitão de Abreu no Maracanã, em 1970: poucos acreditaram que era só afinidade futebolística.

Arquivo pessoal

O encontro de Havelange e Tessema, no Rio, em 1970: o início da conquista dos votos da África.

Arquivo-Agência O Dia

O tri no México: a jóia mais fina dos 16 anos de Havelange na CBD.

Arquivo pessoal

Havelange com dirigentes do futebol brasileiro em 1970:
equlíbrio na linha de fogo da guerra entre cariocas e paulistas.

Arquivo pessoal

Jarbas Passarinho, Teófilo Salinas e João Havelange no lançamento da candidatura à Fifa em 12 de agosto de 1970.

Arquivo pessoal

A era Havelange na Fifa começou oficialmente em uma churrascaria da Tijuca, no Rio, no dia 12 de março de 1971, com discurso de João Lyra Filho.

Arquivo pessoal

Havelange, Antonio do Passo, Walter Moreira Salles e João Saldanha durante a Taça Independência, em 1972: boicote europeu comprometeu a festa e o caixa.

Arquivo pessoal

Stanley Rous não levou muito a sério a candidatura de Havelange, no encontro que tiveram em Londres.

Arquivo pessoal

Henry Fok (terceiro da esquerda para a direita) e seus aliados da Ásia foram decisivos quando Havelange se viu prestes a se tornar um presidente sem poder, no congresso da Fifa em Buenos Aires, em 1978.

Arquivo pessoal

Havelange na África: poder construído, olho no olho, com os dirigentes esquecidos por *sir* Stanley Rous.

Arquivo pessoal

Grosseria no congresso da Fifa de 1974: a cadeira no canto da mesa e a falta de uma placa de identificação do novo presidente.

Arquivo pessoal

Henry Kissinger, o todo-poderoso executor da política externa americana nas décadas de 1970 e 1980, enfrentou Havelange e perdeu, quando quis levar a Copa de 1986 para os Estados Unidos.

Arquivo pessoal

A mão estendida do general era formalidade: o poder do futebol brasileiro, no governo Geisel, foi entregue ao almirante Heleno Nunes (atrás do presidente) e a seus irmãos militares.

Arquivo pessoal

Embaixadas na África, em 1976: o futebol africano queria –
e conseguiria, com Havelange – mais vagas na Copa do Mundo.

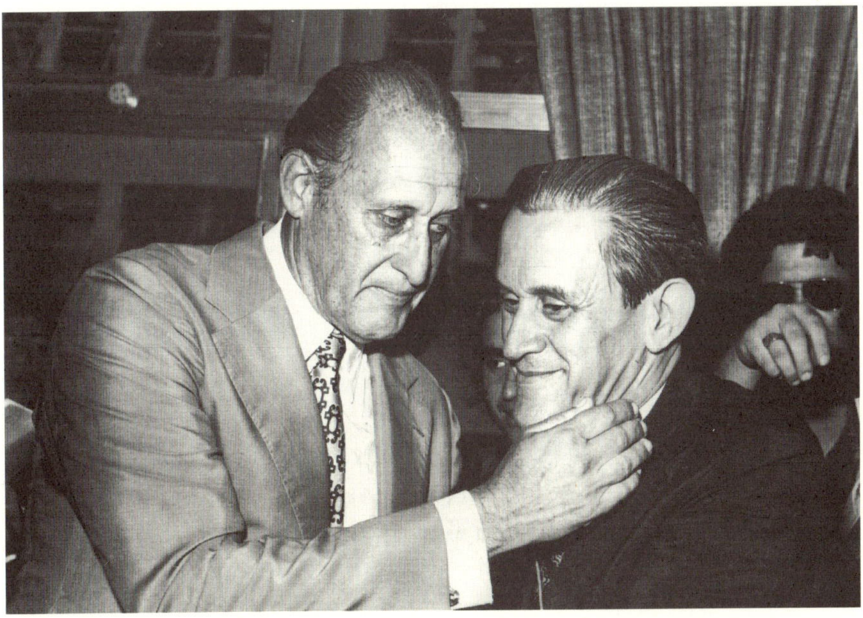

Arquivo pessoal

Heleno Nunes, com a simpatia de sempre, providenciou
para que o nome Havelange virasse palavrão nos corredores da CBF.

Jorge Araújo/Folha Imagem

Dar tudo certo na Argentina em 1978, com ou sem ditadura, era a prioridade absoluta e declarada de Havelange em sua primeira Copa na presidência da Fifa.

Arquivo pessoal

Em reunião com o presidente da Federação dos Emirados Árabes Unidos, xeque Sultan Bin Zayed, em 10 de março de 1978.

Arquivo pessoal

A posição discreta de Havelange (junto à coluna, à esquerda) na foto oficial do COI, em 1981, não reflete o poder que ele teve na eleição do presidente Samaranch (terceiro sentado, da esquerda para a direita).

Havelange e o Papa João Paulo II: em comum, a habilidade política, o conservadorismo e a disposição de viajar.

Entre brindes e sorrisos, Helmut Käser (à direita) tentou de tudo para evitar a consolidação do poder de Havelange na Fifa.

Arquivo pessoal

Havelange e Koloskov vistoriam estádio na União Soviética: bastava uma ordem de Moscou e todo o bloco socialista votava como Havelange queria.

Arquivo pessoal

Havelange costurou por mais de sete anos a substituição do adversário Helmut Käser por Sepp Blatter (à direita) na secretaria-geral da Fifa.

Arquivo pessoal

O sorriso do amigo João Figueiredo desapareceu quando Havelange disse que o assunto era Leonel Brizola.

Arquivo pessoal

De braços dados com dirigentes da Albânia – o regime comunista mais fechado do planeta em 1983.

Arquivo pessoal

Henry Fok, o "patriota capitalista", muito querido pelos dirigentes da China comunista, foi o grande aliado de Havelange na Ásia.

Arquivo pessoal

Anna Maria aprendeu, durante a Copa da Argentina, a tomar cuidado com tudo o que falava em público.

Arquivo pessoal

Só mesmo uma festa de aniversário da CBF poderia juntar, na mesma foto, Otávio Pinto Guimarães (à esquerda), Havelange e Giulite Coutinho (à direita).

Arquivo pessoal

Na escolha do México para sediar a Copa de 1986 no lugar da Colômbia, a velha amizade de Havelange com Guillermo Cañedo (à direita) foi colocada na berlinda pelos adversários.

Arquivo pessoal

Havelange e Castor de Andrade: a lealdade continuou mesmo depois de o banqueiro do jogo do bicho e dirigente ir para a cadeia.

Arquivo pessoal

Flagrante de Havelange em campo, em uma das edições da chamada "Gusti Cup", a pelada exclusiva dos poderosos do futebol mundial.

Arquivo pessoal

A preferência pelo francês só fez piorar
o clima com os jornalistas ingleses.

Arquivo pessoal

Nas Ilhas Fiji, em 1985, um exemplo da prodigiosa capacidade
de Havelange se adaptar a qualquer ritual de qualquer lugar.

Deixar o alemão Hermann Neuberger na presidência do Comitê Organizador da Copa do Mundo foi uma das maneiras que Havelange encontrou de manter divididos os integrantes europeus do Comitê Executivo da Fifa.

Reunião do International Board em Belfast, em 15 de junho de 1985; Havelange entre Blatter e um cartola europeu.

Arquivo pessoal

A "saúde insuportável" aos 70 anos, na praia do Leblon, no Rio, em 1986.

Agência Sigma

As palavras cruzadas, duplamente úteis: driblar o medo de avião e relaxar a mente na casa de Angra.

Havelange e Ricardo Teixeira em 1986: o então genro decidiu trocar uma financeira problemática pela carreira de dirigente.

Havelange no Centro de Formação Técnica de Clairefontaine, do Instituto Nacional do Futebol, na França: profissionalização.

Arquivo pessoal

Havelange e Samaranch: idéias, estilo e compromissos semelhantes no comando do esporte mundial.

Agência Sigma

Havelange e a Cometa: sessenta e dois anos de lealdade e muitas lendas.

Arquivo pessoal

A neta Joana, uma das razões para não romper com o ex-genro.

Arquivo pessoal

Com Pavarotti e Anna Maria: futebol e ópera para milhões.

Arquivo pessoal

Havelange e Walesa: sem Cortina de Ferro no futebol.

Arquivo pessoal

Chirac sorriu com a Copa de 1998 na França, mas esperneou inutilmente com Havelange ao perder a Olimpíada de 1992 para Barcelona.

Arquivo pessoal

Em 1990, na festa de abertura da Copa:
em paz com Pelé, antes do incêndio de Las Vegas.

Arquivo pessoal

Com o presidente da República Checa Vaclav Havel em agosto de 1990.

Arquivo pessoal

Apesar do recorde de público e de renda da Copa de 1994, o presidente Bill Clinton e a maioria dos americanos continuaram não dando muita bola para o futebol.

Arquivo pessoal

Johansson: em 1998, ele chegou a preparar a festa da vitória contra Havelange.

Agência Sigma

Num raro ensaio fotográfico, a metáfora de uma era do esporte mundial.

Logo depois do Mundial, como sempre sem se importar com interpretações políticas ou com as controvérsias e acusações que envolveram a gestão de Lacoste à frente do Ente Autárquico Mundial 1978, Havelange apoiou a eleição do amigo como presidente da Confederação Sul-Americana de Futebol, na sucessão do falecido Santiago Leyden. Alguns anos depois, teria a lavra de Lacoste, já então como membro da Comissão de Finanças da Fifa, um estudo financeiro que, nas palavras de Havelange, "permitiu que a entidade passasse a respirar muito melhor, em termos de receita".

Os dois continuariam amigos até a morte do almirante, em maio de 2004.

Serviço completo

— Você vai ganhar por um voto.

— Mas isso é um absurdo. Por um voto?

A pergunta angustiada, feita a Havelange num hotel de luxo de Montevidéu, no Uruguai, em 1978, durante a assembléia geral do Comitê Olímpico Internacional, era de Juan Antonio Samaranch, em fim de mandato de vice-presidente da entidade e um dos candidatos a uma vaga no Comitê Executivo. Samaranch costurava, com Havelange, integrante do Comitê, uma articulação que só terminaria dois anos depois, em Moscou, com a eleição do espanhol como sucessor do presidente do COI, Michael Morris, o barão de Kilanin, aristocrata britânico que assumira o cargo em 1972, durante as Olimpíadas de Munique.

— É isso mesmo. Um voto. Mas fica tranqüilo que você vai ser eleito.

Os votos liderados por Havelange estavam garantidos a Samaranch, mas o coração batera por outro. O nome que Havelange queria emplacar na presidência do COI era o de um brasileiro, seu amigo fraterno, tricolor e aliado do esporte amador, major Sylvio de Magalhães Padilha. Primeiro atleta da América do Sul a ser finalista olímpico no atletismo, chefe eterno de todas as delegações brasileiras às Olimpíadas, voto mais poderoso no Comitê Olímpico Brasileiro e primeiro vice-presidente do COI, Padilha também estava em fim de mandato.

Vinte e sete anos depois, o neto de Padilha, Alberto Murray, lembrou que foi Havelange quem liderou, antes daquela assembléia em Montevidéu, uma campanha para que o major, em vez de se despedir do COI, fosse o substituto de Lord Kilanin:

"Como meu avô já tinha uma forte liderança entre os dirigentes das Américas e dos países do Leste Europeu, o Havelange começou a mobilizar muita gente para a candidatura."

Na lembrança de Alberto, a articulação incluiu uma reunião em Paris que ficou em sua memória, apesar de seus 14 anos de idade:

"Havelange puxou um livro com todos os nomes e as fotografias dos membros do COI. E começou a riscar um por um, dizendo quem votaria e quem não votaria no meu avô."

Nas contas de Havelange, dava para ganhar e tornar realidade um inusitado comando brasileiro para a Fifa e o COI, as duas mais importantes e poderosas entidades esportivas do planeta. Alberto também se lembrou de um comentário de Havelange, ao jogar a toalha:

— É uma vitória certa e garantida, mas seu avô não quer.

Sylvio Padilha não queria, segundo Alberto, porque a grande incentivadora daquele projeto, a mulher Yvone, tinha morrido. A perda afetara os planos e o entusiasmo do avô.

Com a desmontagem da operação Padilha, Havelange decidiu apoiar Samaranch, mas, entre os pontos negociados com o futuro aliado espanhol, exigiu que o major Sylvio Padilha fosse um dos membros do Comitê Executivo do COI. Seria atendido. Quase três décadas depois, Samaranch explicou por que aceitou tão facilmente:

"Devo dizer que eu precisava mais do Havelange do que ele precisava de mim. Ele era um pouco maior que eu, tinha mais experiência. Em certos aspectos, eu considero Havelange um mestre que me ensinou muitas coisas, sobretudo a não perder a paciência."

A lição de paciência, Samaranch poder ter aprendido naquela mesma assembléia do COI em Montevidéu. Havelange, depois de tranqüilizá-lo com a inquietante margem de um voto, pegou um hidroavião para Buenos Aires, onde tinha de fechar as contas da Copa da Argentina. No dia seguinte, de manhã, o casal Samaranch era pura apreensão. Na contagem dos votos, porém, Juan Antonio venceu o adversário húngaro por um voto. Todos os nomes da lista entregue a ele por Havelange. Em 2005, ao lembrar o episódio, Havelange saboreou:

"Eu, nesse negócio de prever votação, sou um chato. Dou os nomes, dou tudo. Antes."

Samaranch, um aristocrata espanhol cuja estréia como dirigente fora a organização do Campeonato Mundial de Hóquei sobre Patins em Barcelona, em 1951, fizera carreira nos organismos esportivos da Espanha, até ser nomeado delegado do COI em 1966 e, nesta condição, chefiar várias delegações olímpicas de seu país. Era discreto admirador do ditador Francisco Franco, a quem agradecia por ter industrializado a Espanha e tê-la mantido fora da Segunda Guerra Mundial. Uma faceta ideológica que, para Havelange, como sempre, não fazia a menor diferença.

Nem para Samaranch.

Em Moscou, dois anos depois daquela votação apertada em Montevidéu, durante a Olimpíada que foi marcada pelo boicote dos Estados Unidos e seus aliados políticos, na esteira da invasão soviética do Afeganistão, o generalíssimo Franco já estava morto desde 1975 e Samaranch já era embaixador do novo governo da Espanha na União Soviética desde 1977.

Ele costurava a quatro mãos, com Havelange, o apoio das delegações dos países da órbita soviética à sua candidatura a presidente. Por qualquer que fosse a ótica — pragmatismo eleitoral, independência do esporte, luta pela paz mundial ou as três alternativas combinadas — Samaranch e Havelange eram contra o boicote americano.

No caso da posição brasileira, o testemunho de Alberto Murray indica que a casa de Sylvio Padilha, no Rio, tinha sido até local de várias reuniões de Havelange, Padilha e representantes do governo Figueiredo, àquela altura pressionado pelos americanos. E a posição dos dois brasileiros com poder de voto no COI, de acordo com Alberto Murray, era a de que o Brasil não deveria participar dos "Good Will Games", os jogos alternativos oferecidos pelo governo Reagan às nações que embarcassem no boicote:

"Tanto meu avô quanto o Havelange eram absolutamente contra o boicote das nações. Foi o momento de maior tensão do movimento olímpico."

Samaranch acabou eleito presidente do COI com uma certa facilidade, no congresso de Moscou, pelo fato de ter enfrentado três candidatos — um suíço, um canadense e um alemão — que não tiveram a seu lado, segundo o próprio Samaranch, nenhum articulador que pudesse ser comparado a Havelange. Em 2005, ao lembrar a vitória por maioria absoluta em Moscou, Samaranch fez uma conta:

"Não sei, mas eu diria que Havelange garantiu uns oito ou dez votos para mim." Para Havelange, Samaranch fez a conta errada. Pode ter se esquecido da lista que Havelange diz ter exibido a ele, na véspera da votação, com quarenta e dois nomes, ou votos, conquistados.

Samaranch foi eleito com 43.

Diante das duas contabilidades, Françoise Zweifel, secretária-geral do COI de 1985 a 2002, dezoito anos lidando com os conselheiros da entidade, disse, em 2005, que sua tendência era a de acreditar mais no placar do brasileiro:

"Havelange foi o mais poderoso membro do COI nas últimas décadas."

Nos vinte e um anos durante os quais ficaria na presidência do COI, Samaranch percorreu, como dirigente, uma trajetória muito semelhante à que foi trilhada, na Fifa, por seu mais poderoso cabo eleitoral. Por meio da comercialização, em escala mundial, dos direitos de imagem e de patrocínio dos jogos olímpicos, ele promoveu um salto impressionante na receita da entidade. Só entre 1997 e 2000, foram 4,3 bilhões de dólares.

A exemplo de Havelange, Samaranch quebrou a hegemonia européia do COI com seus aliados e os de Havelange na Ásia, África e Oriente Médio. Como Havelange no futebol, inspirou críticos e adversários do estilo autocrático que marcaria suas decisões no comando do esporte olímpico. E procurou ser, também como Havelange, um amigo dos amigos. Falharia pelo menos duas vezes.

Com Havelange.

Dever de casa

Na volta do congresso de Moscou, em julho de 1980, ao fazer uma escala na área VIP de embarque do Aeroporto Charles de Gaulle, em Paris, Havelange teve oportunidade de dar uma lição de política e também afagar o ego machucado de um dirigente que derrotara de forma implacável no ano anterior, ao saber que ele estava prestes a tirar Sylvio Padilha da presidência do Comitê Olímpico Brasileiro:

— Meu filho, eu acho que você tem todos os méritos e competência para ser presidente do COB. Mas também acho que o seu momento vai chegar. Você só precisa aprender a ter paciência.

O dirigente era Carlos Arthur Nuzman, então presidente da Confederação Brasileira de Vôlei, ainda se refazendo da frustração de ver uma eleição garantida se evaporar de véspera, num gesto de Havelange que o próprio Nuzman descreveu, com resignação, vinte anos depois:

"O Havelange chegou na véspera e virou a eleição. Quem ganhou foi ele."

O colégio eleitoral, é bem verdade, cabia num ônibus. Mas boa parte dele, formada por membros do COB e presidentes de confederações, Havelange conseguiu reunir num jantar em seu apartamento de São Conrado, na Zona Sul do Rio. Ele voara às pressas de Zurique, quando aliados avisaram que a reeleição de Sylvio Padilha, seu eterno aliado no COB e no COI, estava em risco. O argumento de que Nuzman ainda era jovem demais para o cargo, somado ao pedido de Havelange e ao cafezinho simpático de Anna Maria, antecipou o placar da eleição do dia seguinte: 12 a 9 para Padilha.

Nuzman ainda teria de passar por uma segunda prova de paciência. Em 1983, quatro anos depois daquela eleição amarga, quando pensava ter chegado sua vez, foi chamado por Havelange:

— Meu filho, eu quero pedir seu apoio ao Padilha. Continue paciente. Você tem tempo para chegar lá.

Nuzman aceitou.

E tome paciência: Sylvio Padilha só deixaria a presidência do COB sete anos depois, completando vinte e sete anos no comando do esporte olímpico brasileiro, em uma articulação liderada por Havelange. Por esta articulação, Nuzman aceitou alternar a presidência com André Richer, outro grande aliado de Havelange, por dois mandatos de cinco anos. Em 2005, Richer se lembrou do "convite" que recebeu de Havelange:

— Continua, Richer. Vamos ajudar o Nuzman.

Em 1998, finalmente, Nuzman concorreu com chapa única e conseguiu mandato especial de seis anos, para ajustar o estatuto do COB ao ciclo olímpico.

A morte de Sylvio Padilha em 22 de agosto de 2002, além da dor da perda, traria um novo desafio político para Havelange, desta vez no COI: manter as duas vagas que os dois ocupavam na entidade, estatutariamente injustificáveis. Ao lembrar esse momento, Françoise Zweifel disse que "o normal, com a morte de Sylvio Padilha, seria manter apenas a posição de Havelange, e esta decisão chegou a ser sacramentada pelo COI".

Mas a própria Françoise explicou, com alegre resignação, o que aconteceu:

"O doutor Havelange lutou intensamente para manter a segunda posição brasileira. Foram muitas reuniões dele com o presidente Samaranch para persuadi-lo."

Havelange conseguiu. Samaranch, afinal, ainda se lembrava das votações de Montevidéu e Moscou.

Quem ocupou a cadeira de Padilha no COI foi Carlos Arthur Nuzman, o dirigente que começara a aprender a ser paciente na sala VIP do aeroporto de Paris.

Doze anos antes.

Na trave

Que tal aumentar o tamanho do gol? E se fosse possível usar os momentos em que a bola fosse chutada fora para exibição de comerciais de trinta segundos? E não seria melhor usar, em vez do apito, um tiro de pistola para encerrar as partidas?

Os dirigentes americanos, no embalo da experiência do Cosmos com Pelé, Beckenbauer e Carlos Alberto Torres, e animados com a perspectiva de sediar uma Copa do Mundo, estavam querendo entrar no jogo do jeito deles, no início dos anos 1980. Entre 1975 e 1981, de acordo com o livro *100 Years of Football – The FIFA Centennial Book*, sugestões de medidas maiores para o gol, alterações na lei do impedimento e interrupções para comerciais, entre outras, foram, de fato, postas no papel e enviadas à Fifa pela federação americana e pela Liga Norte-Americana de Futebol, a North American Soccer League.

O fato de, como presidente da Fifa, Havelange ter simplesmente encaminhado a sugestão para a Comissão de Arbitragem da Fifa, mesmo não havendo documento conhecido da entidade no qual ele concorde com as sugestões, fez surgirem suspeitas na imprensa inglesa, como sempre, de que ele estaria apoiando a mudança. Mike Collett, editor de futebol da agência *Reuters*, identificou a idéia de aumentar o gol com um movimento que houve na Fifa para adaptar o futebol ao gosto americano, com gols maiores, quatro tempos de jogo e outras mudanças, mas lembrou que Havelange foi injustamente criticado:

"Na verdade, Havelange estava apenas aceitando discutir essas idéias, mas na Inglaterra sua atitude foi ridicularizada. Na Inglaterra e na Grã-Bretanha, as pessoas às vezes são ridicularizadas pelo simples fato de ter uma idéia."

Num comentário especulativo feito longe da imprensa, durante uma conversa no Brasil com Arnaldo Cezar Coelho, árbitro do primeiro time da Fifa na época, Havelange, retomando uma das idéias que defendeu na campanha para a presidência da entidade, em 1974, se perguntou se a idéia de aumentar um pouco as medidas do gol não seria boa. Lembrando a conversa de 2005, Arnaldo disse que reagiu preocupado:

— Presidente, acho que essa não é uma boa idéia. Primeiro, é um problema de logística. Já imaginou mudar os gols no mundo todo?

— Poderia ir mudando aos poucos.

— Presidente, já pensou? Vai ter lugar em que o gol é pequeno, lugar em que o gol é grande.

As sugestões dos americanos acabaram sendo, como se esperava, categórica e oficialmente rechaçadas em documentos oficiais da Fifa. O parecer da Comissão de Arbitragem foi até dramático:

"O aumento das medidas do gol só causa insegurança ao redor do mundo, complica mais e mais o jogo e, o que é pior, destrói a interpretação atual e universal das leis do jogo."

Para Keir Radnedge, foi bom não ter acontecido nenhuma mudança fundamental do futebol no lado técnico. Ele também não viu a mão de Havelange nesses assuntos, "que sempre são tratados de forma cuidadosa pelo International Board".

"O legado de Havelange é no que diz respeito à parte comercial, administrativa e estrutural. As mudanças de regras de sua época tiveram relação com a transmissão dos jogos pela televisão. Tiveram, infelizmente, uma inspiração comercial, eu acho. Mas, de qualquer modo, foram benéficas."

O depoimento de Keith Cooper, ex-diretor de comunicações da Fifa, indica que Havelange, no exercício efetivo da presidência da entidade, não se envolvia com os aspectos técnicos do futebol, ainda que tenha defendido até a extinção da barreira nas cobranças de falta, durante a campanha de 1974:

"Não me lembro de vê-lo fingindo ter um conhecimento e uma experiência que ele não tinha."

Keith percebeu que os críticos de Havelange aproveitaram a controvérsia do tamanho do gol para reacender a tese de que ele, como nadador, não poderia dirigir o futebol mundial. Para Keith, "pura arrogância do mundo do futebol". A mesma arrogância que, segundo ele, mereceu uma frase antológica do técnico de um time da Inglaterra, posto na berlinda pelo fato de nunca ter jogado bola:

"Você não tem que ter sido um cavalo para ser um bom jóquei."

CAPÍTULO 10

Guerra Fria

Fronteira da China

Ilha de Taiwan, 1979.

— Não assino. Somos a China.

— Meu caro Chiang, você me perdoe, mas China é o continente.

— Não, eu não aceito.

O interlocutor de Havelange era o general Chiang Ching-kuo, filho mais velho e sucessor do então recém-falecido Chiang Kai Chek, fundador da República Nacionalista da China. O general Chiang também era presidente da federação de futebol daquele satélite capitalista de 20 milhões de habitantes, situado a 1.700 quilômetros dos inimigos comunistas de Pequim. E não admitia ceder o nome China, para que os chineses do continente pudessem voltar a fazer parte da Fifa, 25 anos depois de abandonarem a entidade.

A queda de braço de Havelange com os chineses era antiga e já durava quase cinco anos.

Começara em 1974, quando ele incluiu, entre seus compromissos de campanha, levar a China Comunista de volta à Fifa, com ou sem o consentimento de Taiwan. A apresentação da idéia, os discursos, a polêmica e, finalmente, a votação da proposta de a Fifa acolher a China Comunista e expulsar Taiwan, realizada durante o congresso da entidade em Frankfurt, 1974, fora decisiva na vitória de Havelange sobre Stanley Rous. Mas não resolvera a questão, já que a proposta, apresentada por um bloco de dirigentes africanos e árabes, embora vencedora, não obtivera maioria absoluta.

Eleito presidente, Havelange sabia que expulsar Taiwan poderia ter um custo político alto. Ao mesmo tempo, era compromisso de campanha abrir as portas da Fifa para uma população que, na época, já ultrapassava 1 bilhão de pessoas. Decidiu então conversar com os dois lados. Discretamente. Queria convencer os chineses do continente e os da ilha a se aceitarem mutuamente, pelo menos na hora do futebol.

O itinerário para a primeira conversa com os chineses comunistas foi *jamesbondiano*. Para ter com quem falar em Pequim, no começo do fim da Revolução Cultural, o período de maior isolamento internacional da China desde a tomada do poder por Mao Tsé-Tung, Havelange teve de contar com a ajuda de uma pessoa em Hong Kong.

O nome era Ying Tung, ou Henry Fok, conhecido como um dos poucos empresários de Hong Kong e Macau que tinham ligações com o governo do outro lado da fronteira. Chamado pelos dirigentes comunistas de "patriota capitalista", Fok, também presidente da Federação de Futebol de Hong Kong, se tornaria o mais poderoso aliado de Havelange na Ásia.

Filho de uma família de pescadores da província de Guangdong, Fok, então com 56 anos, já tinha muito dinheiro, por ter recebido, do governo comunista da China, o monopólio da exportação de vários produtos do lado comunista, incluindo areia e derivados de petróleo, para o território de Hong Kong, então sob administração britânica.

A franquia, de acordo com vários perfis jornalísticos de Fok publicados na imprensa asiática, foi um gesto de gratidão de Pequim pelo fato de o empresário, morto em outubro de 2006, ter ajudado os comunistas a furarem, a partir de Hong Kong, o bloqueio comercial, que ia de remédios a armamentos, imposto pelos Estados Unidos à Coréia do Norte, aliada da China, durante a Guerra da Coréia.

Enquanto construía, em Hong Kong, um império que chegaria aos anos 1990 valendo cerca de 3 bilhões de dólares, em negócios nas áreas de construção civil, ensino universitário e grandes cassinos, entre outras, Henry Fok tornou-se o patrono todo-poderoso do futebol chinês, nos dois lados da fronteira. Mas na questão de Taiwan, no entanto, nem mesmo sua influência era suficiente. Era uma conversa tão difícil quanto a que Havelange teria com o general Chiang, na ilha de Taiwan, em 1979.

Conhecido o difícil caminho da negociação, Havelange arrancou, de um Comitê Executivo da Fifa ainda dominado por seus adversários e reunido em Dacar, em março de 1975, uma autorização para ir pessoalmente à China, na incômoda companhia de Helmut Käser. Ao lembrar, em 2005, a primeira ida a Pequim, no dia 4 maio de 1975, para discutir a proposta de coexistência das Chinas na Fifa, Havelange disse que estava cometendo um pecado familiar que considerava imperdoável: perder, no Brasil, o primeiro aniversário do primeiro neto, Ricardo, filho de Lúcia Havelange e Ricardo Teixeira.

Havelange disse que esperou seis horas. E quando a audiência começou, os representantes do governo chinês começaram a insistir em levar o assunto para a esfera da política internacional. Ele não concordou e pediu que o intérprete fosse preciso na tradução:

— Como os senhores não querem aceitar minhas sugestões, preferindo tratar de política, vou chamar o embaixador do meu país, o doutor Aluízio Napoleão. Aí os senhores ficam tratando de política e eu vou embora. Vim aqui para tratar do aspecto cultural, diplomático e esportivo da volta da China.

Os dirigentes comunistas, de acordo com Havelange, recuaram, ao perceberem o tranco. E aceitaram iniciar uma discussão restrita ao mundo esportivo.

A conversa, no entanto, continuaria ainda por muito tempo. E Helmut Käser, que nas palavras de Timothy Fok "não era exatamente o melhor dos amigos dos chineses do continente", não ajudaria muito. Pelo contrário: faria do resultado relativamente frustrante daquela primeira viagem munição para usar contra Havelange no congresso da Fifa, em Buenos Aires, um ano depois, defendendo a permanência de Taiwan e o arquivamento da idéia de acolher a China Comunista. Mas não adiantaria.

Havelange precisou de bem menos do que os três anos que conseguiu no congresso de Buenos Aires para resolver a questão. Em novas viagens para a China, sempre com o apoio de Henry Fok, primeiro convenceu os comunistas a aceitarem conviver com Taiwan, dando à federação do continente o nome de China Football Association. Os respectivos hinos não seriam tocados nos estádios. As bandeiras dos dois países não seriam desfraldadas nas cerimônias, tudo substituído pelo símbolo, pela bandeira e pelo hino da Fifa. Os chineses da ilha, no entanto, teriam de aceitar a denominação Chinese Taipei Football Association.

Esse era o problema para o general Chiang Ching-kuo, naquela reunião de 1979, em Taiwan:

— Não assino. Somos a China. Amamos nossa bandeira, nosso símbolo; somos membros da Fifa há muitos anos e nunca fizemos nada errado. Por que vocês vêm nos importunar?

Havelange, então, tirou de sua pasta de couro o último cartucho: uma camiseta em cuja etiqueta estava gravada a expressão *Made in Taiwan*. Mostrou-a ao general e fez uma delicada provocação:

— General, por que o senhor não manda colocarem *Made in China* na etiqueta?

A reação desconcertada do general, na lembrança de Havelange, foi o sinal de que a resistência ia acabar. O resto era protocolo. No final daquele ano, as duas federações já se aceitavam nos quadros da Fifa. Na análise de Keir Radnedge, Havelange lidou com o assunto "de forma excelente" e com um trunfo:

"Havelange, por ser da América do Sul, não tinha a visão política e histórica que um americano ou um europeu podiam ter em relação à questão de Taiwan. Isso facilitou sua ação na hora de dizer que a Fifa queria a China de volta e que Taiwan precisava ser realista."

Tabelinha

— João, por favor, faça o que você fez no futebol. Traz a China de volta ao COI.

Juan Antonio Samaranch, na mesma época em que Havelange costurava a volta da China à Fifa, era membro do Comitê Olímpico Internacional e, em campanha para ser eleito presidente no congresso de Moscou, no ano seguinte, enfrentava uma parede chamada coronel Wsu, o delegado de Taiwan na entidade, determinado a barrar a volta da China Comunista. Com Wsu, no entanto, a reunião, realizada na sede da entidade, à beira do lago de Lausanne, na Suíça, em 1979, foi um pouco mais contundente.

O coronel de Taiwan, definido por Timothy Fok como o homem forte dos esportes da ilha, ameaçava Samaranch com dois processos relacionados à volta da China, um na justiça de Nova York e outro nos tribunais da Suíça. Primeiro, Havelange tentou persuadir Wsu a retirar os processos. Mas o coronel estava irredutível. Na lembrança de Havelange, respondia "na linha do não vou e não faço".

Na época, Havelange tinha, no COI, uma liderança bem mais tranqüila do que a que, como presidente, construía, praticamente no tapa, na Fifa. E quando percebeu que o coronel não queria mesmo conversa, não hesitou:

— Está bem, coronel. Eu tenho força para provar que você está agindo contra o COI. Vou fazer uma reunião especial do Comitê e boto você para fora.

O coronel, na lembrança de Havelange, acabou recolhendo as armas. E aceitou discutir a volta dos chineses comunistas ao COI. Futuro dono de hotéis em Taipé e Los Angeles, ele não apenas manteve seu posto na entidade como se tornou mais um dos amigos de Havelange na comunidade olímpica.

Em outubro daquele ano, durante uma reunião realizada em Nagoya, no Japão, o Comitê Executivo do COI aprovou a proposta de a entidade acolher o Comitê Olímpico da China e o direito de os atletas comunistas usarem, nas competições, a bandeira do país e o hino da China Comunista.

A Taiwan caberia o direito de usar o nome Chinese Taipei Olympic Committee, ficando o COI de decidir o que fazer com a bandeira e o hino do país. O resultado, 62 votos a favor, 17 contra e 2 abstenções, seria referendado de pé, com uma longa salva de palmas, pelo congresso do COI que se seguiu à Olimpíada de Moscou.

Em 2005, Samaranch, já presidente de honra do COI, ainda celebrava, orgulhoso:

"Havelange e eu conseguimos com as duas Chinas, na Fifa e no COI, o que muitas organizações internacionais não tinham conseguido. A Cruz Vermelha, a Organização Mundial de Saúde, as Nações Unidas e a Unesco, para ter a China, tiveram de expulsar Taiwan. Nós ficamos com os dois países."

O voto do João

Havelange estava mordido, ao ser recebido pelo amigo Sylvio Kelly, no Aeroporto Internacional do Rio, em uma madrugada do início de janeiro de 1981, véspera da eleição para presidente do Fluminense Football Club. Sylvio, candidato à sucessão de Silvio Vasconcelos na presidência do clube, com o apoio de Havelange, não sabia, mas o cabeça da chapa adversária, Manoel Schwartz, tinha procurado o presidente da Fifa, ilustre sócio e torcedor do clube, em Roma, para tentar convencê-lo a mudar de lado.

— Sylvio, eu quero dar uma surra. Você traz quem você quiser.

A conversa com Schwartz em Roma fora tão ruim que Havelange não queria que Sylvio Kelly apenas vencesse. Queria uma vitória de goleada, e estava disposto a se empenhar pessoalmente, até pagando viagem de eleitor do Fluminense que estivesse fora do Rio, para garantir a Kelly uma votação consagradora. Por trás daquele gesto, aflorava, mais uma vez, de acordo com Kelly, o estilo com que Havelange, mesmo já no comando do futebol mundial, administrou o prestígio e o poder que teve por décadas no Fluminense, o clube de paixão que cultivou e freqüentou desde a infância.

O compromisso com a candidatura Sylvio Kelly vinha de três anos.

Em 1978, o então presidente Francisco Horta não conseguira entrar em acordo com nenhum dos grupos influentes do Fluminense para fazer seu sucessor. Incentivado pelo irmão Sidemon e por outros colegas da turma da natação, Sylvio se lançou candidato sem avisar Havelange, que já estava apoiando a candidatura de Silvio Vasconcelos. Sylvio chegou a conquistar apoios importantes, até receber um telefonema e um convite de Havelange para almoçar:

— Sylvio, se você e o Silvio Vasconcelos saírem candidatos, o Horta obviamente vai ganhar com o candidato dele. Vocês vão dividir votos. Um de vocês dois desiste e quem desistir eu apóio na próxima eleição. E é lógico que, sendo o mais novo, você deve retirar a candidatura.

Para desespero do irmão, Kelly desistiu, desencadeando uma batalha jurídica que, no final, resultou na vitória de Silvio Vasconcelos. Como foi combinado, Kelly atuou por três anos como vice-presidente jurídico de Vasconcelos, aguardando a sua vez. Em 1981, também como fora combinado, Kelly se lançou candidato, mas encontrou resistências entre as chamadas lideranças boas de voto. Começaram até a chamá-lo de "piscineiro", em uma referência às origens da natação. Procurado por aliados que não queriam Kelly na presidência, Havelange resistiu. Até dar um telefonema e convidar Kelly para um outro almoço:

— Sylvio, você quer ser mesmo presidente?

— Quero, João.

— Você sabe que está difícil...

— Sei, João. Mas eu quero mesmo assim.

— Então está bom. Você vai ser eleito.

Os aliados da chapa, descontentes com o desfecho do almoço, resolveram então trocar o candidato que queriam no lugar de Kelly, José Gil Carneiro de Mendonça, por outro ilustre tricolor, Manoel Schwartz. Acreditavam que, com esta manobra, fariam Havelange abandonar o barco de Sylvio Kelly. Foi quando Schwartz foi a Roma. Havelange, no entanto, não só manteve sua posição como fez questão de relatar toda a conversa num telex para Kelly, que emendou com um pedido:

— Posso usar o telex, João?

— Pode. O que você precisar, conta comigo.

Sylvio Kelly distribuiu dezenas de cópias do telex a sócios do Fluminense e à imprensa carioca. Schwartz, mesmo assim, resolveu desafiar o poder de Havelange e manteve a candidatura. Sylvio Kelly acabou enfrentando dois adversários: Schwartz e o advogado Mário Figueiredo. Mas venceu: 200 votos contra 70 de Schwartz, num colégio eleitoral de aproximadamente 300 votantes.

A surra que Havelange pedia.

O mesmo Sylvio Kelly seria testemunha, onze anos depois, em 1992, de como Havelange transformava em poder e, no caso, em dinheiro vivo, as relações de amizade que cultivou a vida toda. Kelly conseguira, em sua gestão, do então presidente João Figueiredo, outro torcedor fervoroso do Fluminense, a doação para o clube de uma área de 80 mil metros quadrados situada no distrito de Xerém, em Duque de Caxias, Baixada Fluminense. Mas como não havia muito dinheiro em caixa, o clube se limitou a construir um campo de futebol, guardando um projeto arquitetônico de Roberto Burle Marx para dias melhores.

Em 1992, o então candidato a presidente do Fluminense apoiado por Havelange, Arnaldo Santhiago Lopes, pediria a Sylvio Kelly que buscasse ajuda para tornar realidade o plano de fazer do terreno de Xerém um centro de treinamento completo. E a primeira porta em que Kelly bateu foi a de Havelange:

— João, estamos com a idéia de construir no terreno de Xerém e vou formar uma comissão. Você vai ser o presidente, eu sou o executivo.

À frente da comissão, composta de outros tricolores ilustres, Havelange conseguiu doações que, se contabilizadas em dinheiro, segundo Sylvio Kelly, poderiam chegar a 2 milhões de dólares. José Ermírio de Morais, do Grupo Votorantim, doou todo o cimento necessário. Mario Amato contribuiu com todos os aparelhos de ar-condicionado. Roberto Marinho pagou o telhado de todas as edificações do centro. Luiz Antonio de Almeida Braga, Luiz Estevão e outros empresários procurados por Havelange entraram com dinheiro vivo.

O Fluminense, segundo Kelly, não gastou mais de 100 mil dólares.

Em 2005, ao lembrar o mutirão, Sylvio Kelly disse que, por uma questão de justiça, fez muita força para que o complexo esportivo de Xerém ganhasse o nome de Havelange. Mas o nome oficial acabou sendo "Centro de Treinamento Sylvio Kelly". Assim mesmo, ele disse que "houve ciumeira dentro do clube":

"Deram meu nome para não dar o nome do João."

A hora de Käser

Sem chance. Nem Havelange nem Helmut Käser sequer contemplaram, desde a chegada do brasileiro à Fifa, a possibilidade de dividir o teto do velho casarão da entidade, em Zurique, onde o dirigente suíço vivia com seus cachorros. A idéia de Käser e de outros dirigentes europeus era alugar uma outra casa e contratar empregados para Havelange. Que declinou:

"Achavam que eu deveria ficar em uma residência. Fui contra. Estava sozinho e não tinha sentido aquele monte de empregados para me atender."

A solução de moradia de Havelange na Suíça, depois de dois anos se hospedando no hotel Zurique, foi, para o arrepio de seus críticos, a suíte 409 do exclusivo e sofisticado Hotel Savoy, um concentrado de todo o conforto, privacidade e qualidade de vida que o dinheiro podia comprar, situado na sofisticada Bahnhofstrasse, a poucas quadras do rio Limmat e a metros dos bancos suíços nos quais a Fifa tinha contas correntes e investimentos.

Ao longo de três décadas, ele se tornaria um hóspede especial e querido do gerente Horger e do camareiro Walter Huber, que, em 2005, ainda se lembrava das refeições sempre ligeiras e simples que o "presidente brasileiro" fazia no restaurante do hotel, o Victorian Grill & Bel Etage, e dos demorados encontros de trabalho da Fifa que Havelange presidia nos luxuosos salões situados acima do saguão de recepção, feito de mármore brasileiro trabalhado por escultores de Verona.

O hotel, na lembrança de Havelange, sempre foi "um relógio, limpo e de uma precisão impressionante". Com a fidelidade ao Savoy, Havelange inaugurava, segundo o amigo Almeida Braga, uma tática que seria repetida em hotéis de cinco estrelas de todo o mundo:

"O João repetia muito o lugar. E acabavam tratando ele como um príncipe."

Príncipe no Savoy, quase *persona non grata* no casarão da Fifa dominado por Helmut Käser. Mais do que antipatia, na lembrança de Anna Maria, eventual companheira do marido nas idas à Suíça, havia até aparelhos de escuta instalados na sala que destinaram a Havelange no casarão. A animosidade se estendia, claro, aos colaboradores mais chegados do novo presidente: Abílio de Almeida, então um dos vice-presidentes da entidade, e Paulo Godoy, amigo e conselheiro.

Havelange começou a arrumar a Fifa do seu jeito do lado de fora daquele casarão, no início de 1981, durante uma reunião do Comitê Executivo no hotel Meliá, em Madri. No encontro, convocado para tratar dos preparativos para a Copa de 1982, ele foi surpreendido quando um dos participantes exibiu uma carta em que Helmut Käser dava poderes ao portador para decidir sobre contratos de publicidade, sem o conhecimento de Havelange.

Para enquadrar o secretário-geral, Havelange recorreu a um sistema usado nos seus tempos de empregado da Belgo Mineira: mandou numerar todas as cartas que chegavam à presidência da Fifa. Queria ler todas. Ao final de uma das reuniões do Comitê, disse a Käser pessoalmente:

— De agora em diante, todas as cartas terão de ser numeradas e só poderão ser arquivadas depois que eu puser o meu visto.

A resposta de Käser foi um passo arriscado: ele redigiu uma carta, "violentíssima" segundo Havelange, dizendo que o presidente da Fifa não tinha o direito de se intrometer em suas funções e que não aceitava a determinação. Em novo intervalo entre reuniões, Havelange mandou chamar um tradutor oficial da Fifa e convidou para subir até sua suíte, além do tradutor, o mais poderoso aliado de Käser, Hermann Neuberger, presidente da federação alemã, um dos vice-presidentes da Fifa e bem-sucedido presidente dos comitês organizadores das Copas de 1974 e 1978. A instrução de Havelange para o tradutor:

— Você vai traduzir para o alemão. E o que for dito aqui vai morrer aqui.

Havelange, ao lembrar, em 2005, aqueles movimentos decisivos, disse que precisava ter um "ponto de apoio" dentro do Comitê Executivo, para se livrar de Käser. Na lembrança de Blatter:

"Havelange tinha de ter certeza de que Neuberger estaria do seu lado, já que Neuberger era muito amigo de Käser."

Na conversa da suíte, confirmada por Sepp Blatter, testemunha próxima, Havelange primeiro soprou a vaidade e os planos de Neuberger com uma proposta em forma de notícia boa:

— Antes de tudo, eu queria dizer que, se eu for reeleito, o senhor continuará presidente do Comitê Executivo da Copa.

Havelange, bem-informado, não se surpreendeu com o sorriso do interlocutor. Sabia que cuidar dos mundiais da Fifa era tudo o que Neuberger desejava. Veio então a mordida, traduzida em alemão:

— Eu queria te mostrar a carta que recebi do secretário Käser.

Neuberger leu e, de acordo com Havelange, teve uma reação imediata:

— Se fosse o meu secretário, já estava na rua.

— O que é que o senhor me aconselha, então?

— O senhor distribua cópias desta carta a todos os membros do Comitê Executivo e apenas observe o que vou fazer.

Käser, quando soube da reunião extraordinária do Comitê que Havelange convocou, depois da conversa com Neuberger na suíte, quis participar. Havelange não deixou:

— É uma reunião minha, pessoal, com o Comitê.

— Mas eu sou secretário e, pelo estatuto, eu tenho que assistir.

— O senhor não vai assistir porque não há nada que diga respeito à ordem do dia. O senhor ficará do lado de fora.

Na reunião, a carta de Käser a Havelange já tinha sido lida por todos os integrantes do Comitê. Havelange fez o que combinou. Apenas observou Neuberger encaminhar:

— Senhores, acho isso um absurdo. Se continuar assim, não teremos como administrar a Fifa. O senhor Käser deve sair da Fifa.

Na lembrança de Havelange, foi no momento em que Neuberger apoiou a proposta que seu desejado "ponto de apoio" no Comitê emergiu. O velho adversário Artemio Franchi, o italiano que presidia a Uefa, a poderosa confederação européia, logo acompanhou a posição de Neuberger. Depois dele, Havelange se encarregou de confirmar os outros votos, caindo no seu colo em cascata. Neuberger, então, pediu a palavra e, depois de mais um olhar em código para Havelange, partiu para a segunda parte de seu plano:

— Senhor Havelange, é desagradável para o senhor tomar a medida de fazer partir o secretário. O senhor me dá esta missão e eu faço ele sair da Fifa.

Era o fim de Käser, no cargo desde 1961. À porta da sala da reunião, ao ser informado do que tinha acontecido, ele ainda tentou confrontar Havelange:

— Isso não vai ficar assim.

— Vai, sim. O senhor vai ser posto na rua.

Neuberger se encarregaria das "tratativas". Àquela altura, Havelange já estava preocupado com outro movimento decisivo: fazer do diretor de programas de desenvolvimento Sepp Blatter o novo secretário-geral da Fifa. Em nova reunião, dias depois, desta vez já em Zurique, todos na Fifa achavam que Havelange indicaria Blatter, mas ele surpreendeu, indicando o irlandês Harry Cavan para o cargo. Em 2005, ao lembrar os bastidores do segundo movimento da queda de Käser, Havelange justificou:

"Se eu apresento o Blatter, os membros do Comitê seriam contra. Eu sentia isso por trás das cortinas."

Todos bateram palmas para a indicação de Cavan. Três meses depois, como Havelange imaginava, Cavan o procurou, convicto de que não tinha pique para o cargo:

— Doutor Havelange, quem faz tudo aqui hoje — e eu só assino — é o Blatter. Eu acho que ele deve ser o secretário.

— Então me faz uma carta.

Dias depois, pousou na mesa de Havelange a carta de Cavan com o pedido de demissão. Vinte e quatro anos depois, ao recordar aquele momento crucial, Havelange saboreou:

"Todos me fizeram uma carta. E o Blatter não fui eu que indiquei, mas o Comitê Executivo. Quer dizer, foi a minha vontade, mas eu dei uma volta, tive paciência. Com os europeus do meu lado, todos os continentes acompanharam."

Os vinte anos de poder de Helmut Käser na Fifa tinham terminado, mas a rescisão de seu contrato duraria dois anos longos e difíceis. Em 1982, em visita às instalações que estavam sendo preparadas para o futebol pelos organizadores da Olimpíada de Los Angeles, nos Estados Unidos, Havelange seria chamado ao telefone. Do outro lado da linha, Hermann Neuberger:

— Doutor Havelange, a decisão foi tomada. Käser já assinou o distrato, já foi pago o que tinha de ser pago e ele vai embora.

Naquele mesmo ano, Käser sofreria um dissabor a mais: Barbara, a filha de quem estava distanciado, se casaria com um de seus adversários políticos.

Sepp Blatter.

— Ele gosta de mil-folhas...

Quem entregou a pequena traição à dieta foi Anna Maria, no meio de uma conversa telefônica com a geriatra Mariana Jacob, a médica que Havelange escolheu para cuidar de sua saúde a partir de 18 de maio de 1981, dez dias depois de completar 65 anos de idade.

Não que Havelange fosse um dilapidador da própria saúde. Pelo contrário: antes de se tornar o fenômeno mais inexplicável da lista de clientes notáveis da doutora Mariana, ele já seguia, desde a infância, o princípio que era também a linha mestra dos tratamentos da geriatra romena que atendia num conjunto de salas do prédio da Galeria Menescal, em Copacabana. Para os dois, como lembrou Mariana em 2005, o princípio era simples:

"O que envelhece as pessoas é a falta de saúde. E quanto mais velho, mais rápido você deve agir para manter a saúde."

A afinação de princípios era total, mas o ritual das consultas, lembrou a médica com humor, sofreu uma ligeira adaptação ao excepcional formalismo do novo cliente. Havelange não gostou do ritual de se despir e ficar de cuecas à espera da médica em uma das salas do consultório:

— Doutora Mariana, a senhora me desculpe, mas não aceito receber a senhora dessa maneira.

O procedimento, comum aos clientes que Mariana já conhecia, teve de ser mudado. Havelange passou a ser o único cliente antigo que era recebido como da primeira vez, toda vez que ia ao consultório:

"Eu o chamava na primeira sala e o atendia vestido, bonitinho. Falávamos um pouquinho sobre a situação de sua saúde naquele momento e o que se tinha feito recentemente. Só depois nós íamos para a outra sala. Aí ele tirava a roupa e ficava de cuecas."

Ao comentar os vinte e quatro anos de relação médico-paciente, Mariana revelou que os exames laboratoriais de Havelange, à época da entrevista com 89 anos, nunca combinaram com a idade do paciente:

"Existe uma diferença muito grande entre a idade cronológica e a idade biológica do doutor Havelange. A biológica é muito aquém da cronológica, nem se compara."

Outro fato que muitos já atribuíram mais à mitologia criada em torno da saúde de Havelange do que à realidade foi confirmado por Mariana Jacob: sua capacidade "inexplicável", segundo ela, de não sentir os efeitos do *jetlag*, a ressaca a seco que derruba passageiros, principalmente os mais idosos, que atravessam grandes diferenças de fuso horário:

"O doutor João não tem nada disso. Ele vai daqui para Honolulu, daqui para a França, daqui para a Bélgica. Sai direto do avião para uma conferência e fala. Não dorme e está de acordo com toda aquela gente que estava lá de dia. Ele entra no fuso horário imediatamente, com uma mente límpida e lúcida. São características extraordinárias."

Obsessivo no cumprimento da medicação, índice zero de falta às duas ou três consultas anuais com a doutora Mariana, pontual nos exames laboratoriais periódicos, mesmo assim Havelange um dia fez surgir em sua geriatra uma suspeita. E ela a transmitiu por telefone:

— Doutor João, eu acho que o senhor não está fazendo o tratamento regular. Com essa vida que eu vejo o senhor levar, não há como ter disciplina.

No dia seguinte, pouco depois de receber, de um funcionário do escritório de Havelange, uma cópia do *programme du président* da Fifa para aquele mês, uma sucessão de reuniões, deslocamentos, almoços, jantares, recepções, embarques e desembarques de aeroportos, *check-ins* e *check-outs* de hotel, Mariana atendeu um telefonema de Havelange, de algum lugar da Europa:

— Doutora Mariana, a senhora acha que eu conseguiria fazer tudo aquilo que está no programa sem disciplina?

O jornalista Sérgio Cabral, companheiro de Havelange num giro pela Ásia em 1983, testemunhou, com o olhar de leigo, o que chamou carinhosamente de "saúde insuportável" do paciente da doutora Mariana. O vôo de Nova York, com escala em Hong Kong, até Cingapura, durou vinte e três horas. No mesmo avião. A chegada ao hotel de Cingapura foi às 4h30. Depois de se instalar no quarto, Sérgio se serviu de um uísque e acendeu um cigarro derradeiro, antes de desabar de cansaço na cama. Mas ao chegar na janela e olhar para baixo, a surpresa:

"Olhei para a piscina, o dia ainda nem amanhecendo e estava lá o Havelange nadando seus 1.500 metros diários, de um lado para o outro, numa velocidade extrema, uma loucura. Isso depois de vinte e cinco horas dentro de um avião."

O choque de Sérgio não seria surpresa para a ex-secretária-geral do COI, Françoise Zweifel, que sempre se pegou "boquiaberta" com a disposição com que Havelange desembarcava na Suíça, depois de longas viagens, para as reuniões da entidade.

Para a antiga secretária de Havelange na CBD, Edy Sarmento, o segredo da disposição do ex-patrão era exatamente a experiência de viajar:

"Se parar de viajar, ele morre."

Keir Radnedge, outra testemunha da boa forma de Havelange ao longo de décadas, arriscou uma explicação mais bem-humorada:

"Isso é o que a presidência da Fifa faz com quem ocupa a presidência da Fifa."

Tesouro adormecido

A Argentina tinha sido apenas um ensaio.

Foi com a aproximação da Copa de 1982, na Espanha, que Havelange e o grande parceiro comercial da Fifa, Horst Dassler, começaram a se dar conta de que estavam sentados em cima de uma mina de *merchandising* cujo potencial de rentabilidade nem mesmo eles conseguiam delimitar, na época.

Até a Copa de 1978, os procedimentos e critérios para os negócios da entidade eram de um tempo em que, nas palavras de Keir Radnedge, "a Fifa era basicamente administrada na cozinha de Helmut Käser". Nesta época, nas palavras do genro e sucessor de Käser, Sepp Blatter, "não havia dinheiro na Fifa":

"A entidade organizava uma competição com 16 times a cada quatro anos e participava das Olimpíadas, onde os soviéticos venciam tudo por serem chamados de amadores."

O torneio de juvenis realizado pela Fifa na Austrália, em 1981, com patrocínio de 600 mil dólares da Coca-Cola e exclusividade total, para a entidade, dos direitos de comercialização das placas dos estádios e dos anúncios publicitários, é considerado por muitos como o marco inaugural do moderno *marketing* esportivo no futebol. Na mesma época, Horst Dassler ficou sozinho no negócio, ao romper com Patrick Nally, seu sócio minoritário na SMPI, empresa baseada no paraíso fiscal de Mônaco e detentora informal, no fio do bigode, dos direitos comerciais da Copa do Mundo. Dassler e Nally haviam desenvolvido, juntos, a idéia de vender o espaço das placas de publicidade nos estádios.

De uma hora para outra, o mundo esportivo começou a fazer contas e tirar conclusões. Na lembrança do jornalista Telmo Zanini, por exemplo, o comentário nas redações da imprensa de esportes era de que Havelange tinha aberto um mercado fabuloso, ao reintegrar a China Comunista à Fifa:

"O pessoal ficava comentando, imaginando quanto renderiam 1 milhão de camisas, 1 milhão de calções, 1 milhão de meiões, 1 milhão de pares de chuteiras e 1 milhão de agasalhos."

Adidas à parte, à medida que os dígitos do caixa da Fifa começaram a saltar para cima, impulsionados pela receita dos contratos negociados pela equipe de Horst Dassler em nome da entidade, parte da crônica a dos acadêmicos do esporte, além de fazer contas, começou a desconfiar.

De acordo com o livro *100 Years of Football – The FIFA Centennial Book*, os críticos diziam que as operações comerciais da Fifa estavam transformando o futebol num "cassino milionário" e que a entidade estava usando o esporte como "licença para imprimir moeda".

O mesmo livro registra que os críticos, na maioria das vezes, se baseavam em "descobertas" e "revelações" jornalísticas que, na verdade, estavam em relatórios financeiros que a Fifa tornava públicos anualmente, cumprindo seu estatuto.

Keith Cooper, executivo da equipe pioneira de Dassler que se tornaria diretor de comunicações da Fifa, ao comentar, em 2005, as críticas à comercialização do esporte, disse que Havelange "não quis perder a oportunidade que teve de enriquecer o futebol" e enfrentou um dilema "incrivelmente difícil": de um lado, as tradições conservadoras do passado, sobre as quais a força do esporte estava baseada. Do outro, "a obrigação de ser progressista, de desenvolver o esporte, atrair gente jovem e continuar avançando":

"Era uma daquelas situações nas quais você é condenado por fazer e também por não fazer. Havelange preferiu fazer."

Fazer e agir, para Havelange, naquela ou em qualquer outra época da Fifa, como lembrou Sepp Blatter em 2005, entre o irônico e o fraternal, não era exatamente um problema. Blatter, a quem cabia a missão de convencer os membros do Comitê Executivo da Fifa de que os contratos eram bons, lembrou que Havelange não tinha necessidade de negociar:

"Ele só queria que o Comitê fosse convencido da decisão que iria tomar. Ele simplesmente dizia: esta é a solução. E pronto."

Filosoficamente falando, não se tratava exatamente do dilema "incrivelmente difícil" imaginado por Keith Cooper. O futebol, para Havelange, não tinha o que perder. Só a ganhar, como ele disse em uma entrevista à *Veja*, em dezembro de 1993, dez anos depois daquela revolução do *marketing* esportivo:

"O dinheiro dos patrocinadores é que dá a liberdade necessária ao esporte. Em qualquer atividade, o dinheiro liberta. Uma revista sem publicidade cai nas mãos dos governos e perde sua liberdade. Nossos patrocinadores nos dão os recursos que nos permitem ter a independência que temos. Em troca, nós lhes abrimos os mercados. Isso é o que conta."

O que contou, na Copa de 1982, foi um total de 40 milhões de dólares pelos direitos de marketing. Valor que saltaria para 325 milhões de dólares na Copa do México, em 1986. E o consórcio europeu de emissoras de televisão, cujos executivos chamaram Havelange de "louco" na primeira conversa que tiveram com ele em Zurique, em 1974, pagaria cerca de 70 milhões de dólares pelo direito das imagens da Copa da Espanha.

Tudo tinha começado quando, em uma conversa presenciada por Jean-Marie Weber, Horst Dassler deu um conselho a Havelange:

— As televisões pagam muito pouco para vocês. E vocês não imaginam o que eles faturam com publicidade. Todo mundo quer ver a Copa do Mundo. E eles não pagam o suficiente para vocês.

Weber não negou, em 2005, que seu finado patrão Horst Dassler tenha estado o tempo todo por trás da nova postura comercial da Fifa. Mas sorriu, vitorioso, ao ser convidado a comentar as acusações de que Dassler, a International Sports Leisure (ISL), substituta da SMPI, e a Adidas foram beneficiadas de forma eticamente condenável com o monopólio dos contratos da Fifa:

"O problema é que quando todo mundo se deu conta do quão importante para os negócios era ter uma boa relação com a Fifa, todo mundo queria entrar, mas a Adidas já estava lá."

Na lembrança de Weber, "algumas empresas que chegaram tarde" tentaram, primeiro, discutir contratos com Havelange e Blatter. Não conseguindo, começaram, segundo Weber, a se aproximar de integrantes do Comitê Executivo da Fifa, que, por sua vez, começaram a questionar Havelange. Até Havelange encerrar a conversa de uma forma que, na lembrança de Weber, não poderia ser mais clara:

— Esperem um momento. Está todo mundo esquecendo que, alguns anos atrás, quando começamos, ninguém estava com a gente, não havia dinheiro na Fifa e o senhor Horst Dassler me ajudou e me apresentou à Coca-Cola. Nossas relações com a Coca-Cola foram por causa do senhor Dassler.

Era o princípio do "amigo dos amigos", cristalinamente implantado no comando do futebol mundial. Para Paulo Godoy, o amigo e conselheiro de Havelange nos primeiros tempos de Zurique, a Fifa mexeu, nesta época, com "interesses imensos e valiosos dos postulantes que desejariam estar lá e não estavam":

— Era muito natural que houvesse todo esse sentimento. Nem todos têm o *fair-play* de um Matarazzo ou de um Antonio Ermírio de Morais. Havia uma legião de preteridos que se achava prejudicada. Encaravam o sigilo empresarial da Fifa com uma ótica segundo a qual "sujo é tudo aquilo de que não participo".

Para Keith Cooper, ninguém pode ser ingênuo a ponto de não achar que enormes interesses financeiros não estavam em jogo. Mas havia, segundo ele, uma diferença:

"Horst Dassler era uma pessoa extraordinária e sensível, que sabia como manipular, não importa quão negativamente vão interpretar esta palavra, os dirigentes e políticos do esporte, em benefício de sua empresa, sim, mas, o mais importante, também para o bem do esporte."

Keir Radnedge, embora um crítico do sigilo e da ausência do que chamou de "auditorias independentes" que predominaram na era Havelange, reconheceu o papel dos novos tempos inaugurados pelo brasileiro:

"O futebol estabeleceu o exemplo para os outros esportes sobre como fazer o casamento entre televisão e patrocínio. Foi revolucionário, foi como um Big Bang que sacudiu e recriou o esporte no mundo corporativo multinacional."

Ainda estavam bem longe, e completamente fora do mais otimista dos cenários, naquelas vésperas da Copa de 1982, os números impressionantes que os contratos da Fifa atingiriam nas décadas seguintes, quando, por exemplo, os direitos de televisão das Copas de 2002 e 2006 custariam ao grupo alemão Kirch o equivalente a 2,4 bilhões de dólares. Um valor seis vezes maior do que cobrado pela Fifa na Copa de 1990. E sempre com a Coca-Cola e a Adidas encabeçando a lista de patrocinadores, pelo menos até a Copa de 2014.

Faltando alguns dias para começar a Copa da Espanha, o cenário, na lembrança de Keith Cooper, era bem diferente:

"Havia um pequeno grupo de patrocinadores que não estava muito certo do que eles estavam comprando e o que poderiam esperar. Nem nós sabíamos exatamente o que estávamos vendendo."

CAPÍTULO 11

Viradas

No calor da Espanha

Aquilo era inaceitável para Havelange.

Os 400 delegados participantes do congresso da Fifa, na Copa de 1982, iam receber ingressos situados atrás dos gols, nos estádios da Espanha, tanto para o jogo de abertura quanto para a grande final no Santiago Bernabeu, em Madri. Os convidados eram os delegados do congresso da Fifa que se realizaria simultaneamente à Copa, e Havelange, sabendo não ser possível acomodar todos nas tribunas de honra, tinha pedido ao comitê organizador espanhol do Mundial as cadeiras situadas imediatamente à frente da área nobre dos estádios.

Faltavam poucos dias para o início da Copa e a notícia tinha sido dada a Havelange pelo secretário-geral Sepp Blatter. Ele a recebera, na sede do comitê espanhol, do dirigente Antonio Saporta, presidente da entidade. Blatter chegara a argumentar que os lugares, além de serem para os delegados da Fifa, tinham sido reservados com antecedência e, segundo Havelange, pagos. O dirigente, que não se dava bem com o grande aliado do presidente da Fifa no futebol espanhol, Pablo Porta, e estava envolvido pela intensa disputa de ingressos entre patrocinadores e organizadores, não quis saber.

No dia seguinte, 8h30 da manhã, Havelange estava na sala de Saporta, acompanhado de Blatter. O dirigente chegou meia hora depois. Em seu espanhol fluente, Havelange retomou a conversa. O diálogo, confirmado por Havelange e Blatter em 2005, foi o seguinte:

— Senhor Saporta, os ingressos que eu recebi não se coadunam com nosso pedido e nossa reserva. São atrás do gol.

— É o que eu tenho.

— Mas eu acho que comuniquei que eram ingressos na frente da tribuna.

— É o que eu tenho.

Havelange, sem se alterar, foi até a porta, trancou-a, pôs a chave no bolso, voltou à mesa, sentou-se calmamente de volta diante de Saporta e, queixo alinhado com o olhar, Blatter ao lado de olhos arregalados, decretou:

— Enquanto não vierem os novos ingressos, nem o senhor nem eu sairemos desta sala. E eu quero lhe dizer que eu agüento 72 horas sem dormir, sem comer, sem beber e sem ir ao toalete. E o senhor vai morrer porque não vai agüentar.

Saporta, surpreso e meio ofegante, ainda reagiu:

— Então o senhor telefona para...

— Não telefono para ninguém. Não sou seu empregado.

Na lembrança de Blatter, o próprio Saporta começou a fazer ligações. Ninguém entrava ou saía da sala. Até que Saporta pediu um tempo para resolver a questão dos ingressos ainda naquela manhã. Havelange concordou, entregou a chave, permaneceu na sala e, de acordo com Blatter, fez uma advertência:

— Se não trouxer os ingressos, não tem Copa.

Cerca de uma hora e meia depois, bateram na porta da sala de Saporta. Havelange abriu e um funcionário do comitê espanhol se apresentou. Ele vinha de uma sala onde, na lembrança de Keith Cooper, reinava o "caos completo" no processo de distribuição dos ingressos, "com centenas de *tickets* espalhados em pilhas pelo chão". O funcionário tinha um grande pacote na mão. Eram os lugares que Havelange queria, logo abaixo da tribuna de honra.

Vinte e três anos depois da saia justa, Havelange disse que não tinha outra opção:

"A Fifa é a dona da competição. E eu não abri mão do direito que era meu e do organismo que eu dirigia. Era meu dever proteger os meus delegados. Você tem de estar atento a tudo. A isso eu chamo administrar."

Dias depois do incidente, os ocupantes daquelas cadeiras em frente à tribuna de honra reelegeriam Havelange presidente da Fifa.

Terceiro mandato.

Por aclamação.

Dentro de campo, foi um pouco mais difícil para Havelange fazer a alegria dos delegados, principalmente o mais importante de seus aliados africanos na época, o etíope Ydnekatchew Tessema, presidente da Confederação Africana de Futebol. Tessema não se conformou com o espetáculo apresentado pelas seleções da Alemanha e da Áustria, no estádio El Molinon, em Gijon, no dia 25 de junho, ainda na primeira fase da Copa.

Para seguir em frente na competição e mandar a seleção da Argélia de volta para a África, os alemães, que perderam de 2 a 1 para os argelinos, precisavam vencer os austríacos que, já classificados, não tiveram, de acordo com a maioria das resenhas da Copa de 1982, nem o cuidado de disfarçar o escandaloso corpo mole que providenciaram para os vizinhos alemães, na derrota por 1 a 0.

Depois do jogo, Havelange recebeu uma carta de protesto de Tessema cujos termos classificou de "desagradáveis", ao lembrar o episódio em 2005. Deixou passar uma semana, convidou o dirigente africano para uma conversa e deu uma resposta misturada com um desafio:

— Li sua carta, respeito os dizeres, apesar de terem sido um pouco pesados, mas agora que nós estamos mais tranqüilos eu queria te propor o seguinte: faça um artigo para ser incluído no regulamento da Fifa, proibindo fatos como o ocorrido no jogo Alemanha e Áustria, que eu prometo encaminhar.

Ydnekatchew Tessema aceitou a oferta, mas, segundo Havelange, jamais mandou a sugestão contra o corpo mole no futebol. Havelange sabia o quanto era difícil. Já tinha estado em posição semelhante à de Tessema em 1964, nos Jogos Olímpicos do Japão, quando a seleção brasileira só não iria para as semifinais se o Egito vencesse a Coréia do Sul por 6 a 0. Pois o Egito venceu a Coréia do Sul por exatos 6 a 0, e Havelange, na condição de presidente da CBD e membro do COI, não fez nada. E por uma razão que repetiria, sem tirar uma vírgula, até 2005:

"As pessoas jogam como quiserem. O que eu vou fazer? Se o jogador chega na porta do gol e não quer chutar, o que eu posso fazer? Dar um tiro?"

Não chegou a ser um caso de uso de arma de fogo, mas naquela Copa Havelange teve de lidar com uma inusitada invasão de campo protagonizada por outro aliado. No jogo da França contra o Kuwait, já na fase classificatória, o árbitro soviético Miroslav Stupar anulou um gol dos franceses depois que o xeque Fahid Al-Sabah, inconformado e traído pelo cacoete autoritário do deserto, invadiu o campo, exigindo a anulação da jogada pelo fato de seu time ter parado em campo, ao som de um falso apito.

Embora a atitude do árbitro não tenha impedido a goleada da França sobre o Kuwait por 4 a 1, o vexame levou Havelange à desconfortável tarefa de enquadrar o aliado:

"Eu disse ao xeque, logo depois do jogo, que ele tinha o direito de reclamar, mas não de entrar em campo. E que eu não aceitaria uma repetição daquele gesto. Fiz ele ver que, dentro de campo, quem manda é o árbitro."

Não seria só naquela ocasião que Havelange marcaria sua posição na antiga polêmica da falibilidade técnica ou moral dos árbitros de futebol. Um de seus interlocutores neste tema, o comentarista e ex-árbitro Arnaldo Cezar Coelho, juiz da final da Copa da Espanha, resumiu em uma frase, em 2005, o conservadorismo de Havelange no campo das regras do futebol:

"O Havelange, se estiver de costas para o lance, o árbitro apitar pênalti e você perguntar o que ele achou, ele diz na hora: é pênalti, claro, sem discussão."

Apesar do destempero do xeque, da emparedada de Saporta nos bastidores do comitê organizador e do tumulto na estréia da equipe de *marketing*, ocorrido depois do rompimento entre Horst Dassler e Patrick Nally, a Copa da Espanha fez bem à imagem de Havelange. O clima era bem diferente do da Argentina, quatro anos antes. A Copa de 1982, de acordo com a maioria dos relatos jornalísticos, foi uma grande festa do futebol sob o sol do verão europeu, num país que ainda comemorava a volta da democracia, depois de quatro décadas de franquismo. Telmo Zanini, que trabalhou nas duas Copas, confirmou a diferença:

"A Espanha estava saindo do fascismo e entrando na modernidade. O clima era completamente diferente, num grande verão, com todas aquelas torcidas européias. E a figura do Havelange foi associada àquela atmosfera e à imagem simpática do rei Juan Carlos."

O dirigente carioca Medrado Dias, que acompanhou aquela Copa na condição de subchefe da delegação brasileira, foi testemunha de vários momentos em que Havelange "aproveitou as oportunidades do cenário espetacular da Copa da Espanha". E lembrou, em 2005, de um evento em que o presidente da Fifa acompanhou o rei Juan Carlos:

"Tinha uma rampa. É óbvio que a rampa era para o rei, que é uma figura muito simpática. Só que os dois subiam a rampa, juntos, e eu, que estava lá, posso dizer que era muito difícil, para quem não conhecesse, saber quem era o rei ali, tal a presença e a maneira como o Havelange ocupava seu espaço. Ao passar por mim, ao lado do rei, o João ainda deu uma piscadinha. Ele é um artista nisso."

Em campo, em vez dos tradicionais 16 finalistas na Copa, os 24 prometidos por Havelange: 14 seleções da Europa, 4 da América do Sul, 2 da África, 2 das Américas Central e do Norte, 1 da Ásia e 1 da Oceania. Os países estreantes eram Camarões, Argélia, Kuwait, Honduras e Nova Zelândia. E ao contrário do que previam os críticos que viam no aumento do número de finalistas uma decisão política que comprometeria o nível técnico do Mundial, as seleções da Argélia e de Camarões mostraram que não foram à Espanha para cumprir tabela.

De acordo com o relato da *Folha de S. Paulo*, os chamados "leões indomáveis" de Camarões foram a sensação da competição, antecipando o sucesso que fariam quatro anos depois, na Itália. Com três empates, o time só perdeu a vaga para a seleção italiana pelo saldo de gols. Um gol a mais e os "leões indomáveis" teriam eliminado o time que se sagraria campeão daquela Copa.

Foi um Mundial cheio de recordes: 2,1 milhões de torcedores foram aos estádios. Média de 40 mil pessoas por partida. Estatisticamente falando, de acordo com um cálculo publicado no livro *100 Years of Football – The FIFA Centennial Book*, cada pessoa no planeta ligou a televisão para assistir à Copa da Espanha pelo menos duas vezes.

Para os brasileiros, no entanto, seria uma grande decepção.

O empate no Sarriá

— Havelange, volto para a Itália com pelo menos uma vitória...

A frase do italiano Artemio Franchi, vice-presidente da Fifa, surpreendeu Havelange na tribuna de honra do estádio do Sarriá, em Barcelona, na tarde de 5 de julho de 1982, no intervalo do jogo entre Brasil e Itália.

— Que vitória, Franchi?

Uma das duas seleções seguiria em frente para as semifinais e a outra voltaria para casa junto com a Argentina, o outro time do grupo, já desclassificado. No placar provisório do estádio, lotado por 44 mil torcedores, a vitória parcial era italiana, e não brasileira. Dois gols de Paolo Rossi contra um de Sócrates. E Franchi explicou:

— Havelange, nossa vitória vai ser não perder para o Brasil. Vocês vão empatar esse jogo. O empate classifica vocês.

Até aquele momento, a seleção comandada por Telê Santana vinha correspondendo ao título de "melhor time do Brasil desde a Copa de 1970". A equipe estrelada por Leandro, Júnior, Cerezo, Falcão,

Sócrates e Zico, entre outros craques, tinha vencido os três adversários da primeira fase, União Soviética, Escócia e Nova Zelândia, com um futebol altamente técnico e ofensivo que empolgara a torcida, a crônica esportiva e as platéias da Espanha. A Itália, ao contrário, depois de passar de raspão pelos "leões indomáveis", tropeçava na competição, mergulhada em uma crise que reverberava na imprensa.

Qualquer que fosse a sorte do Brasil naquele segundo tempo, Havelange não apitava naquela seleção. A CBF, na época, já tinha saído das mãos do almirante Heleno Nunes para as do empresário Giulite Coutinho, um ex-aliado e agora adversário de Havelange no futebol brasileiro. Mas as rivalidades domésticas, segundo Medrado Dias, subchefe da delegação brasileira, e amigo de Havelange e de Giulite, tinham sido, se não esquecidas, pelo menos adiadas durante a Copa da Espanha. Após a vitória brasileira sobre a União Soviética por 2 a 1, por exemplo, Havelange cumprimentara Medrado pelo "time de arraso" que a CBF tinha montado. E, de acordo com Medrado, "estava ajudando muito a seleção":

"Qualquer problema que eu levasse a ele na Espanha, ele dizia para procurar alguém em nome dele e tudo se resolvia."

Aos 23 minutos do segundo tempo do jogo no Sarriá, quando Falcão empatou a partida, a previsão de Artemio Franchi pareceu se confirmar. Na cabeça do dirigente italiano, Telê Santana reforçaria a defesa para não deixar os italianos chegarem perto do gol de Valdir Peres. Não foi o que aconteceu.

O Brasil continuou atacando e, a 16 minutos do final, o mesmo Paolo Rossi aproveitou uma fração de segundo de oportunidade, na grande área, congestionada por brasileiros e italianos, e liquidou o Brasil. Aquele 3 a 2, para muitos, só não foi o pior desastre do Brasil nas Copas porque nenhum trauma poderia superar o da derrota para os uruguaios em 1950.

Havelange lembrou, em 2005, que, ao soar do apito final, foi imediatamente assediado por jornalistas na tribuna de honra, enquanto o presidente italiano Sandro Pertini, o dirigente Artemio Franchi e outros torcedores da Itália "iam à loucura", incrédulos com o resultado. Disse que sofreu em silêncio:

"Fiquei triste. O Brasil pensava que tinha um grande time. Hoje acho que não tinha. O goleiro Valdir Peres não era o melhor."

Ainda não eram as críticas mais agudas de Havelange ao trabalho de Telê Santana. Ele as faria, recebendo respostas igualmente contundentes, na segunda derrota do técnico à frente da seleção, quatro anos depois, no México.

Brasil de fora, o árbitro brasileiro Arnaldo Cezar Coelho, que já tinha garantido dois lugares, para ele e a mulher, na tribuna de honra da final daquela Copa, depois de apitar o jogo entre Alemanha e Inglaterra, em Madri, entrou novamente na disputa para comandar o jogo do título e acabou sendo o escolhido para apitar a final. Comandou o jogo em que a Itália venceu a Alemanha por 3 a 1. Ficou com a bola do jogo como lembrança e, no dia seguinte, ao se encontrar com Havelange para agradecer, ouviu dele, com a franqueza de sempre, que era hora de começar uma nova etapa em sua vida profissional:

— Arnaldo, você conseguiu o ponto máximo. Agora acabou Copa do Mundo para você.

Por trás da Linha Vermelha

A secretária de Havelange passou uma ligação do Palácio Guanabara. E quem ocupava o telefone, e a sede do governo fluminense, era Leonel Brizola, o líder trabalhista mais radical do governo Goulart, recém-chegado do exílio e empurrado goela abaixo do governo militar, um ano antes, por uma votação espetacular nas eleições de 15 de novembro de 1982. Os dois já se conheciam desde os tempos da guerra entre a Viação Cometa e a Expresso Brasileiro, no governo JK.

— Havelange, você poderia ir amanhã ao Palácio? Eu quero falar contigo.

— Vou. A que horas?

— 9h15.

Não foi exatamente às 9h15. Nem no Palácio Guanabara. Aconteceu no apartamento de Brizola em Copacabana, 13h15 do dia seguinte. Havelange, ao lembrar o episódio, disse que tinha intimidade suficiente com Brizola para não deixar passar o atraso de quatro horas:

— Meu Brizola, tu continuas o mesmo, não é? Eu tenho tanto o que fazer e você me deixa sentado numa cadeira.

Brizola se desculpou e foi direto ao assunto. Queria tirar do papel a então desconhecida Linha Vermelha, uma via expressa alternativa à Avenida Brasil, o principal e congestionado acesso viário à cidade do Rio de Janeiro:

— Eu quero fazer a Linha Vermelha, Havelange. Já mandei consultar o presidente, porque os recursos têm que vir do governo federal. Eu não tenho. E o presidente disse que não me dá absolutamente nada. Como eu sei que você é amigo dele, um pedido seu eu sei que tem muito valor. Você faria este pedido para mim?

O presidente da República era o general João Figueiredo, carioca, torcedor do Fluminense, realmente amigo de Havelange. Havelange disse, em 2005, que não hesitou na resposta:

— Me dê toda a documentação ou faça chegar ao meu escritório e eu vou a Brasília.

Dias depois, Havelange foi recebido no Palácio do Planalto por Figueiredo, sem que o presidente soubesse do motivo do pedido de audiência. Acompanhou Havelange até a porta do gabinete o amigo Antonio Salles, uma espécie de assessor informal dele para assuntos de Brasília. O abraço fraterno e o sorriso raro que o presidente costumava reservar só para os amigos, no entanto, deram lugar a uma atitude ríspida quando ele soube do motivo da viagem:

— Pra esse eu não faço nada!

Havelange, já prevendo a reação, começou então a pôr em prática o plano de persuasão que maturara no vôo do Rio para Brasília: fazer futurologia com o impacto do estrangulamento da Avenida Brasil na rotina do casal João e Dulce Figueiredo, entre o apartamento de São

Conrado, na Zona Sul do Rio, e o sítio em Nogueira, distrito de Petrópolis, na região serrana do estado do Rio:

— Posso dizer duas coisas?

Contrariado, o presidente aceitou:

— Pode.

— Muito bem: quando você terminar seu governo e estiver em São Conrado, você nunca mais vai ver seus cavalos lá em Petrópolis. A Avenida Brasil não vai dar vazão.

Figueiredo se surpreendeu com a argumentação. E Havelange arrematou:

— E se você estiver em Petrópolis com os seus cavalos, você nunca mais vai ver a Dulce, porque a avenida não vai deixar.

Balançado, Figueiredo apontou para as pastas que Brizola mandara entregar no escritório de Havelange e deu, ainda meio contrariado, o primeiro sinal:

— Deixa essa papelada aí que eu vou ver.

Na saída, ao abraçar Havelange, Figueiredo deu outro sinal positivo, ao falar com um assessor:

— Chama o italiano.

Era como Figueiredo tratava o ministro do Interior, Mario Andreazza, encarregado das obras viárias do governo federal. Naquela época, Brizola passou a defender a prorrogação por dois anos do mandato de Figueiredo, como estratégia para obter dos militares o compromisso de eleições diretas, após o fim do mandato do general.

Não deu certo, mas a obra da Linha Vermelha acabaria sendo inaugurada em outro governo Brizola, dez anos depois, com o apoio do presidente Fernando Collor, filho de Leda, freqüentadora da casa dos Havelange no Cosme Velho no início do século XX.

Oposição

O presidente Figueiredo e seu ministro da Fazenda, Ernane Galvêas, até tentaram, mas não conseguiram resolver um outro problema: o relacionamento entre Giulite Coutinho, presidente da CBF a partir de 1981, e Havelange. Em 2005, Galvêas lembrou-se de ter sido chamado, em 1983, ao gabinete do general Figueiredo no Palácio do Planalto. Encontrou-o "muito incomodado" com o rompimento dos dois dirigentes:

— Galvêas, o Havelange e o Giulite andam brigados, um está com raiva do outro. Sou muito amigo dos dois e esse negócio está me constrangendo muito. Eu sei que você também é amigo dos dois e queria te pedir um favor. Quem sabe você dá um jeito de juntar os dois novamente.

Galvêas procurou Havelange e Giulite separadamente, transmitiu a preocupação de Figueiredo e disse que não tinha cabimento os dois estarem brigados. Inútil. Na lembrança de Galvêas, "os ânimos estavam muito acirrados e ninguém concordou".

Ao longo das duas gestões de Giulite no comando do futebol brasileiro, de janeiro de 1980 a janeiro de 1986, o momento mais notório de divergência entre ele e Havelange aconteceu quando a Colômbia desistiu de sediar a Copa de 1986, reabrindo a temporada de candidaturas para a vaga. Giulite queria que o Brasil substituísse a Colômbia, mas Havelange foi contra. E quando o presidente João Figueiredo teve de tomar uma posição sobre a candidatura brasileira, no final de 1982, ele chamou Havelange ao Palácio do Planalto. Figueiredo, de acordo com Havelange, estava preocupado com o custo da empreitada:

— Quanto vai custar essa Copa do Mundo, João?

— Não tenho elementos para responder, mas dou uma sugestão: pergunte à Espanha.

— Você faz isso para mim?

Para atender ao pedido do presidente, Havelange disse que preparou "um documento, num fax imenso" para os ex-organizadores da Copa de 1982. A resposta, segundo ele, chegou dias depois e foi encaminhada imediatamente ao Palácio do Planalto. Em fevereiro de 1983, Figueiredo mandou um de seus assessores na presidência, coronel Coutinho, à Espanha, para verificar todos os itens. O relatório do militar, de acordo com Havelange, não recomendou a candidatura brasileira. Na mesma época, em entrevista à revista *Semana*, a mais importante da Colômbia, Havelange disse que "como brasileiro, gostaria que o Brasil fosse sede da Copa mais uma vez", mas:

"O país teria de investir 300 milhões de dólares, uma quantia impossível de se recuperar."

A mesma revista citava que, nas contas do adversário Giulite Coutinho, "com 20 milhões de dólares era possível o Brasil realizar o Mundial".

Argumentos à parte, em 2005, amigos comuns como Medrado Dias e André Richer, ao confirmarem as divergências entre Havelange e Coutinho, disseram que o presidente da Fifa esperava ter cooperação e influência maiores na CBF, o que era muito difícil, devido à notória determinação de Coutinho de criar seu próprio poder político no futebol brasileiro e internacional. O jornalista Paulo Cezar Vasconcellos, ao resumir os ingredientes daquela situação política desconfortável, disse:

"Na prática, o presidente da Fifa tinha, logo na presidência da CBF, e não na federação da Mauritânia, por exemplo, um dirigente com quem ele não podia conversar de braços dados, como costumava fazer com os amigos e aliados."

Ficou para Giulite, que não quis dar entrevista ao ser procurado em 2005, o constrangimento de ser o presidente da CBF na noite de 19 de dezembro de 1983, quando a Taça Jules Rimet, relíquia suprema das três Copas vencidas até então pelo Brasil, foi roubada da sede da entidade, no Centro do Rio, para ser derretida, como se revelou depois, por um receptador argentino, Juan Carlos Hernandes.

Para Havelange, ficou o direito de lamentar:

"É a única tristeza que tenho no futebol. O único país no mundo que teria a Copa do Mundo seria o Brasil. O maior troféu, conquistado na minha gestão, foi derretido. Acho que foi uma falta de atenção com um troféu que tinha um valor esportivo, mas também histórico."

Yankees, stay home

O então vice-presidente de Operações da TV Globo, José Bonifácio de Oliveira Sobrinho, o Boni, e a mulher eram os convidados de Guillermo Cañedo, alto executivo da poderosa rede Televisa e vice-presidente da Fifa, na mansão do empresário na praia de Cancún, no México. Era uma noite quente no início de maio de 1983. Faltavam dias para a decisão do Comitê Executivo da Fifa sobre que país substituiria a Colômbia como sede da Copa do Mundo de 1986: México, Canadá ou Estados Unidos. Cañedo, patrono supremo da candidatura mexicana, relatava a conversa que disse ter tido com Havelange dias antes:

— A Copa vai ser aqui no México.

Boni duvidou da convicção de Cañedo. Executivo de televisão, interessado em saber logo onde seria a Copa de 1986, Boni, como a maioria das pessoas que acompanhavam pela mídia os bastidores da disputa, sentia como era poderosa, pelo menos na mídia, a campanha que os americanos vinham fazendo, liderada pela Warner Communications e com o apoio de personalidades como Henry Kissinger, Pelé e Beckenbauer.

— Mas como, Cañedo? Com todo esse poderio americano e os interesses da Warner?

A certeza de Cañedo, acrescentada de algumas lágrimas nos olhos, segundo Boni, vinha de uma conversa tranqüilizadora que o dirigente mexicano tivera com Havelange dias antes. Boni terminou aquele jantar convicto de que nada que os americanos oferecessem à Fifa mudaria a posição do Comitê Executivo da Fifa e de Havelange. Em 2006, o filho de Cañedo, Guillermo White Cañedo, citando relatos do pai, falecido em janeiro de 2000, disse que Havelange e a maioria dos integrantes do Comitê sentiam que os Estados Unidos, naquele momento, não estavam preparados para ser a sede. Por outro lado, os dirigentes da Fifa, de acordo com o filho de Cañedo, "não estavam gostando nada da pressão que os americanos estavam fazendo por meio do governo deles".

Qualquer que tenha sido o grau de fantasia ou realidade nos planos feitos pelos americanos liderados pelo presidente da Warner, Steve Ross, antes da reunião da Fifa em Estocolmo, o fato é que os Estados Unidos, para boa parte da mídia internacional, eram imbatíveis na disputa com o México e com o Canadá. A revista colombiana *Semana*, edição de fevereiro de 1983, chegara a apontar, como evidência da decisão favorável aos poderosos americanos, um jantar que reunira, num restaurante de Madri, o presidente da federação americana, Gene Edwards, o então ex-secretário de Estado Henry Kissinger, o presidente da Fifa, João Havelange, e o presidente do comitê organizador do Mundial de 1986 pela Fifa, Hermann Neuberger.

Na semana da decisão, a quem tentasse arrancar de Havelange uma confirmação da vitória da candidatura americana, por conta do apoio de estrelas como Pelé e Beckenbauer, o presidente da Fifa respondia com um rápido questionário:

— O Pelé vota?

— Não.

— O Beckenbauer vota?

— Não.

— Então espera...

Franz Beckenbauer, em 2006, disse que foi avisado pelo compatriota Hermann Neuberger de que os americanos estavam sendo precipitados:

— Não vá com muita sede. Vocês não vão vencer.

E não venceram mesmo. Em 2006, Guillermo White Cañedo disse que se a votação em Estocolmo começasse pelos integrantes do Comitê que estavam sentados à esquerda do presidente Havelange, havia algum risco de um adversário da candidatura mexicana dentro do Comitê "puxar uma votação a favor dos Estados Unidos e levar junto o voto daqueles membros que não gostam nunca de perder e acabam aderindo". Mas:

"Havelange começou a votação pelos aliados do México que estavam sentados à sua direita e o que aconteceu foi que os que iam votar pelos Estados Unidos viram que estavam perdidos e levaram a votação para o México. Na metade da mesa, a questão já estava decidida."

Vinte e dois anos depois, com um sorriso compreensivo em relação à ingenuidade alheia, Sepp Blatter disse que "os Estados Unidos só eram favoritos da mídia". Para Blatter, dentro do Comitê Executivo da Fifa, na época com 21 membros, havia apenas "um ou dois a favor, mesmo, dos Estados Unidos". E um deles era Artemio Franchi, da Itália, "defendendo a proposta americana a pedido do Gianni Agnelli, o dono da Fiat":

"Eles queriam promover a Liga Americana de Futebol, mas não havia estádios. Pelé falava, Beckenbauer falava, Kissinger falava, mas jamais tive dúvidas, desde o início, de que não havia chance para os americanos. Eles não tinham uma boa proposta e não estavam preparados."

Keir Radnedge foi um dos jornalistas para quem "havia uma enorme dúvida sobre o real compromisso dos americanos com o evento". Em 2005, ele lembrou que, já na Copa da Espanha, os mexicanos faziam *lobby* para substituir a Colômbia, e que os americanos "foram muito ingênuos, apesar da apresentação perfeita e completa que fizeram para o Comitê":

"Era uma decisão de emergência. A Televisa estava em condições de assumir os custos e os americanos não tinham como garantir um esquema internacional de transmissão."

Para outro jornalista, Telmo Zanini, àquela altura já trabalhando na Divisão de Esportes da Central Globo de Jornalismo, "seria uma temeridade fazer a Copa de 1986 nos Estados Unidos, onde não sabiam nada de futebol". Ainda que Cañedo tivesse seus interesses, de acordo com Zanini, o México era uma alternativa "muito mais segura". Para Keith Cooper, na época já um executivo da empresa ISL de Horst Dassler, a escolha do México foi "perfeita", diante da certeza dele, Cooper, de que o Mundial de 1986, nos Estados Unidos, seria "um desastre".

Todos os registros jornalísticos sobre a reunião de 20 de maio de 1983, em Estocolmo, indicam que a equipe da candidatura americana ficou revoltada com o resultado, particularmente seu mais notável articulador, Henry Kissinger, responsável por um discurso inútil de uma hora e vinte e sete minutos, no tempo que coube aos representantes da candidatura americana.

Colaborador dos presidentes Lyndon Johnson, Richard Nixon e Gerard Ford, e considerado o mais influente arquiteto da política externa americana na segunda metade do século XX, Kissinger foi protagonista de episódios históricos e também controvertidos. Com todo esse currículo, fez, ainda no calor da derrota de Estocolmo, um comentário que ficaria famoso:

"Depois deste breve envolvimento com a política do futebol mundial, senti saudades das negociações de paz no Oriente Médio."

Em fevereiro de 2006, vinte e três anos depois da derrota em Estocolmo, Kissinger, estrela do lucrativo circuito mundial de conferencistas, continuava impressionado com a "habilidade de Havelange em comandar todas aquelas confederações e os negócios da Fifa". E reconheceu:

"Hoje eu acho que o Havelange estava certo e nós estávamos errados. Realmente, nós não estávamos preparados para 1986 e acho que posso entender por que escolheram outro país."

Franz Beckenbauer, em 2006, disse que também se convenceu de que a decisão foi correta:

"Foi bom ter ido para o México. Aliás, como jogador, eu tinha disputado lá a mais bonita das Copas da minha carreira. E a Copa de 1986 foi uma grande Copa."

Sepp Blatter, sucessor de Havelange a partir de 1998, não teria a liderança que o antecessor demonstrou em Estocolmo. Na definição da disputa entre a África do Sul e a Alemanha para sediar a Copa de 2006, por exemplo, Blatter, que apoiava os sul-africanos, sofreria com um placar apertado de 12 a 11. Para os alemães.

O sonho de um implante milionário do futebol nos Estados Unidos não decolaria nem uma década depois daquela reunião do Comitê Executivo, com a realização, no país, da bem-sucedida Copa de 1994. Ao definir o tipo de audiência e de público que restou para o futebol na terra do beisebol, o ex-jogador Carlos Alberto Torres, outro cabo eleitoral da fracassada candidatura americana, retirou, das profundezas da decepção, uma frase:

— Virou coisa só pra fanático.

Cañedo

Conhecida a derrota dos "imbatíveis" americanos na reunião do Comitê em Estocolmo, as teorias elaboradas sobre a suposta entrega do futebol aos interesses da maior potência capitalista do planeta foram pulverizadas. A mídia, no entanto, não demorou muito para começar a imprimir novas desconfianças. O alvo agora era a amizade entre Havelange e Guillermo Cañedo. E o fato de Cañedo ser, além de integrante do Comitê Executivo, vice-presidente da Televisa, a rede que seria detentora dos direitos de transmissão pela tevê de duas Copas, 1986 e 1990.

Em 2006, Guilhermo White Cañedo confirmou que o posto que o pai ocupava na Fifa ajudou a Televisa a adquirir os direitos de televisionar as Copas de 1986 e 1990. Mas disse que as reais dimensões do negócio de direitos de transmissão, na época em que foi tomada a decisão sobre o Mundial de 1986, eram outras:

"Na verdade, acho que meu pai criou foi um ambiente de negócios que não existia. As televisões, naquela época, não estavam dispostas a pagar muito pelas Copas do Mundo. E em alguns casos fizeram operações em que os direitos foram muito baratos."

Sepp Blatter confirmou que, a exemplo do que Horst Dassler fez no *marketing*, foi Guillermo Cañedo quem estabeleceu o novo modelo de negociação dos direitos de televisão da Fifa. Mas também ressalvou que, em 1986, ao contrário do crescimento geométrico que se verificava nas cifras do *marketing* esportivo, "os contratos de televisão ainda eram modestos, considerando, já naquela época, a importância e o desenvolvimento do futebol".

E Havelange? O que ele disse a respeito de seu papel na decisão sobre o México?

"Eu nem votei, como presidente, na reunião do Comitê. O Guillermo Cañedo era membro do Comitê Executivo e tinha amigos dentro do Comitê. Eu apenas encaminhei a votação. E foi uma votação absolutamente correta, sob todos os aspectos."

E sobre suas supostas relações com Cañedo e a Televisa?

"Não tive qualquer ligação com a empresa. Mas se resolvesse estar financeiramente ligado, isso seria inteiramente legítimo. É preciso dizer que eu já era amigo do Cañedo antes mesmo de ele se casar, quando eu ainda estava na CBD. Depois, fizemos, juntos, a primeira Copa com mais de 16 times, na Espanha. E foi um sucesso fenomenal, sob todos os aspectos. Foi bom para a Fifa, antes de tudo, como ficou comprovado."

Keith Cooper, ex-diretor de Comunicação da Fifa e conhecedor, como poucos, do comportamento padrão dos jornalistas europeus em relação à entidade, viu, na onda de suspeição alimentada na mídia pelos adversários e críticos de Havelange, um outro ingrediente decisivo:

"Para muita gente, foi um choque que a Europa não estivesse mais controlando o esporte."

CAPÍTULO 12

Sem bola

Clássicos da periferia

— Atenção, senhores passageiros da Laos Aviation...

Minutos depois do aviso do sistema de alto-falantes do Aeroporto Internacional de Bangcoc, na Tailândia, em julho de 1983, o jornalista carioca Sérgio Cabral, colunista do jornal *O Globo*, estava dentro de um ônibus, passando por Boeings 747 e Douglas DC-10 de grandes companhias internacionais, a caminho de um pequeno bimotor de fabricação soviética que ele apelidou imediatamente de "pau-de-arara aéreo".

No avião, ele procurou compatibilizar seus mais de 100 quilos com as pilhas de bagagem jogadas na cabine e com pelo menos um cabrito, vivo, sentando em uma poltrona que tinha a largura de uma cadeira de botequim. Atrás dele, acompanhado de Anna Maria, João Havelange, de terno, metade do corpo sobrando para o corredor, semblante de passageiro da primeira classe da Air France, perguntou, solidário:

— Você está bem? Está confortável?

Sérgio Cabral não gostava muito de Havelange. Solidário e simpático a Giulite Coutinho, então presidente da CBF, embalado pelas críticas que ouvia de colegas como João Saldanha, Cabral desconfiava do presidente da Fifa, considerava-o "quase um politiqueiro, capaz de qualquer coisa para vencer uma disputa" e chegara a criticar duramente o presidente da Fifa, em sua coluna de *O Globo*, recebendo, como resposta, uma "surpreendente enxurrada de cartas de protesto".

A condição de passageiro do vôo Bangcoc-Vientiane da Laos Aviation, logo à frente de Havelange, era decorrência de um diálogo despretensioso que ocorrera dias antes, durante a tradicional festa junina em que o médico Lídio Toledo reunia dirigentes, técnicos, jogadores e jornalistas do futebol, em seu sítio nos arredores do Rio. Cabral, impressionado com o desempenho dos times da Argélia e de Camarões na Copa da Espanha, pedira a Havelange "um *briefing* das potências emergentes do futebol mundial". A resposta foi o ponto de partida de uma reportagem especial sobre um dos muitos giros mundiais que Havelange fez como presidente da Fifa:

— No lugar de fazer um *briefing*, vou te levar lá.

A escala no Laos mostrou, para Sérgio Cabral, um Havelange muito diferente do hóspede exigente de hotéis de luxo que costumava se ocupar mais das platéias poderosas e engravatadas da Europa. E também um país que, apesar de estar a anos-luz da condição de "potência emergente" do futebol, era um exemplo do terreno onde Havelange irrigou, anos a fio, simultaneamente, duas sementes: a do futebol e a de sua liderança política.

Depois de serem recebidos pelo vice-ministro de Educação, Khamphong Phanvongda, Havelange, Anna Maria e Sérgio foram levados ao principal estádio de Vientiane, onde a guerra interrompera o esporte, fazendo com que o gramado virasse capim disputado por vacas. A necessidade básica da comunidade do futebol, no Laos, era surpreendentemente simples: bolas.

Havelange, na lembrança e no texto de Sérgio Cabral para *O Globo*, exibiu naquela viagem uma técnica de trabalho que desenvolvera em seus contatos com autoridades, jornalistas e dirigentes esportivos dos países que visitara. A regra principal era permanecer menos de 48 horas no lugar:

"A prática indica que dois dias é o tempo ideal para permanecer em cada país. Depois de 48 horas, a gente passa a representar um fardo para eles e eu passo a receber pedidos que não posso atender, como ajuda para construção de estádios de futebol e cessão de material esportivo."

O que Havelange oferecia, segundo Cabral, eram os cursos da Fifa: técnicas e táticas do futebol, administração esportiva, preparação física e arbitragem. Se em alguns países como o Laos faltavam bolas, em outros, como Brunei, sobravam dólares. Como os 50 milhões de dólares gastos para construir o estádio do minúsculo e riquíssimo sultanato, com pista de atletismo, salas de massagem e de sauna, restaurante, gramado perfeito e capacidade de receber 30 mil pessoas, um sétimo da população do país.

Ao longo da viagem, que incluiu ainda o Vietnam, a China Comunista, Hong Kong, Birmânia, Bangladesh e Paquistão, Sérgio Cabral disse ter visto Havelange cumprir, de forma disciplinada e rigorosa, "uma programação que esteve longe de representar uma excursão turística".

Acostumado aos grandes clássicos e craques do futebol mundial, o presidente da Fifa acompanhou, sem reclamar, no Paquistão, dois clássicos locais: uma partida dos portuários contra os servidores da prefeitura de Karachi, "pelada muito ruim", na lembrança de Sérgio, acompanhante compulsório. O outro jogo foi entre o time de um banco, o campeão paquistanês, e o dos trabalhadores da imprensa, campeão de Karachi, "este um pouquinho melhor", segundo Cabral.

Em Bangladesh, logo depois de desembarcar na capital, Dhaka, Havelange teve a mais calorosa recepção daquela viagem, ao dar por iniciado, num estádio com capacidade para 70 mil pessoas, um campeonato de 80 equipes formadas por jogadores de 14 a 16 anos de idade. E nem sempre era futebol. Na Birmânia, os visitantes brasileiros assistiram a uma curiosa mistura do esporte com a cultura local: uma jovem de 20 anos de idade fez malabarismos impossíveis com uma bola de futebol, enquanto pulava cordas e se envolvia com argolas.

Nem sempre, também, havia gente. Em Hong Kong, a visita de Havelange foi uma espécie de alento que serviu para agitar o futebol de Hong Kong, cuja má fase se expressava no público pagante do jogo entre o Tung-Sung e o Rangers: 789 espectadores no estádio.

Em Hanói, Cabral viu Havelange ser tratado como chefe de Estado e acompanhar, com "aquela saúde insuportável dele", num estádio lotado por 25 mil pessoas, o que o colunista classificou de "mais uma pelada, uma correria sem fim atrás da bola" entre Vietnam e Camboja, dois países que ainda se reerguiam da Guerra do Sudeste Asiático e do genocídio patrocinado pelo regime do Khmer Vermelho.

O significado político da partida fez Cabral esquecer completamente a pobreza técnica dos jogadores. Principalmente quando Havelange e ele ficaram sabendo que, mesmo durante a guerra, quando a capital do então Vietnam do Norte era diária e incessantemente bombardeada pela força aérea americana, os vietnamitas continuaram praticando futebol. Só que as partidas, por causa das bombas, duravam apenas 70 minutos, em dois tempos de 35. Ao revelar a adaptação aos tempos de guerra, o dirigente vietnamita fez um pedido:

— Esperamos que o presidente da Fifa não nos puna por essa infração ao regulamento.

Com a ajuda de um intérprete, Havelange respondeu:

— Em vez de punir pela supressão de 20 minutos, eu os louvo pelos 70 jogados.

Aplausos gerais.

Na visita a um estádio abandonado do Laos que teria capacidade para mais de 15 mil pessoas se as obras fossem retomadas, Sérgio Cabral testemunhou Havelange no exercício de sua conhecida franqueza. Quando o dirigente local pediu dinheiro para a obra, ele disse logo que a Fifa não tinha verba para aquele tipo de iniciativa. Mas prometeu incluir o Laos nos cursos e programas da entidade, e, conhecedor da geopolítica mundial, propôs:

— Os árabes ajudam uns aos outros na instalação de centros esportivos. A China está colaborando com a África. Por que vocês não pedem uma colaboração da União Soviética?

Vinte e dois anos depois, Sérgio Cabral disse que aquela viagem deixou claro para ele por que Havelange tinha quase a totalidade dos votos da Ásia. Para Cabral, Havelange, "como um bom político", conhecia os problemas relacionados ao futebol de cada país, e, mesmo estando no poder, "continuava em campanha eleitoral, deixando claro que era a Fifa que ele presidia que estava ajudando e apoiando aquelas pequenas federações".

Junto com a descoberta do político aplicado e determinado, Sérgio Cabral, embora ficasse sempre contrariado quando Havelange falava bem do general Médici, conheceu uma pessoa que existiu, sempre, só para os amigos. E nunca para jornalistas:

"A convivência com o João foi fantástica. Ele foi muito atencioso, engraçado, um sujeito completamente diferente da impressão que eu tinha de figura metida a besta e cheio de empáfia."

Ao desembarcar com Havelange no Aeroporto Internacional do Rio de Janeiro, depois daquela viagem em que vira o presidente da Fifa ser recebido como estadista em vários países da Ásia, Cabral testemunhou o que chamou de "uma humilhação":

"Na passagem pela alfândega, abriram e ficaram revistando a mala do João Havelange. A mala do presidente da Fifa. Um homem que podia ser um embaixador do Brasil no mundo. E o Havelange, numa boa, nem fez cara contrariada. Até ajudou os agentes a abrir a mala e a revistar tudo."

Amor e ódio em Paris

— Estamos roubados. Visto para a França, nunca mais...

A reação foi do empresário Antonio Carlos Coelho, um dos amigos de Havelange que o acompanhavam na viagem para a reunião do Comitê Olímpico Internacional realizada em Berlim, em 1985, e que deliberou sobre onde seriam as Olimpíadas de 1992. Antonio acabara de ouvir o relato de Havelange sobre o tenso café-da-manhã que ele dividira, no hotel, com o então prefeito de Paris, Jacques Chirac, líder máximo da candidatura francesa.

O problema era que Havelange, na condição de maior eleitor do COI, já estava comprometido com a candidatura de Barcelona, encabeçada pelo amigo e aliado político Juan Antonio Samaranch, presidente da entidade. E Chirac não se conformava. Além do próprio Chirac, amigos de Havelange, entre eles Samaranch, confirmaram que foi uma reunião muito difícil. Naquele café-da-manhã, na verdade, Havelange disse que se limitou a repetir uma posição que já manifestara por telefone, dias antes, quando Chirac o convidara para um almoço na prefeitura de Paris:

— Doutor Havelange, eu estou lhe convidando porque gostaria de ter o seu voto para Paris 1992.

— Senhor Chirac, não entre na disputa que o senhor vai perder. Peço que o senhor não apresente Paris porque eu já me comprometi com Barcelona, com a Espanha e com meu amigo Samaranch.

— Doutor Havelange, eu preciso do seu voto.

— Senhor Chirac, em contrapartida, a França tem toda a possibilidade de realizar a Copa de 1998. A decisão será tomada em 1992 e eu lhe adianto mais um pensamento: hoje o senhor é prefeito, mas no dia da Copa do Mundo o senhor será o presidente e vai entregar a taça ao vencedor.

Chirac, de acordo com Havelange, preferiu não levar em conta, naquele momento, aquela mistura de profecia com compromisso político. Pegou um avião e foi para Berlim, disposto a disputar com Barcelona no voto. Antes de perder feio, na votação dos delegados do COI, aconteceu o café-da-manhã num hotel berlinense, que, Havelange reconheceu, foi "difícil":

"Lógico que ele ficou triste. Na hora e depois, quando não teve os votos. Na vida, o mais difícil não é saber ganhar. É saber perder. Mas Chirac soube."

Em entrevista ao jornal *L'Équipe*, em 1998, o já presidente Chirac atribuiria àquela conversa com Havelange, em 1985, o nascimento da candidatura vitoriosa da França para sediar a Copa de 1998. Com uma diferença: diria que a idéia de trocar a Olimpíada pela Copa foi dele.

Para Keir Radnedge, a maior força de Havelange sempre foi a capacidade que ele teve de ser "um dos homens mais bem relacionados de todos os tempos". Relações que sempre tiveram, como tecido básico, o poder do futebol, independentemente de líderes, como Jacques Chirac, ideologias, regimes políticos, idiomas, crenças religiosas, prontuários de imposto de renda ou interesses, louváveis ou não, que não fossem os da Fifa, os do COI e os dos dirigentes mais ou menos poderosos das duas entidades.

Para aumentar ainda mais seu leque de relações, Havelange surpreendeu os adversários que apostavam que ele ia pisar no pescoço dos europeus, no rastro da consolidação de sua liderança das confederações periféricas da Fifa. E uma das maiores surpresas que eles tiveram, de acordo com Peter Pullen, foi a posição contrária de Havelange a um discreto e persistente movimento que existia na entidade para acabar com o antigo privilégio das cinco federações britânicas, transformando-as em uma só, a da Grã-Bretanha. Pullen foi o tradutor do compromisso de Havelange com os britânicos, durante uma reunião do International Board, em Londres:

— Vocês não devem se preocupar. Eu garanto a independência de cada uma das federações britânicas. Não vou deixar que ninguém mande que elas se juntem.

Outro movimento surpreendente de Havelange, e também um afago nos órfãos de *sir* Stanley Rous, foi sua decisão de manter a independência do International Board em relação à Fifa. Não eram poucos os dirigentes europeus que davam como certo que ele aproveitaria a reeleição em 1982 para mudar completamente o International Board ou simplesmente abolir o órgão, fazendo com que a Fifa incorporasse todas as suas funções.

O dirigente escocês David Will lembrou, em 2005, como os temores foram desfeitos, em outra reunião de Havelange com os membros do International Board, em Belfast, na Irlanda do Norte. Ali, o presidente da Fifa antecipou uma posição que manteria até deixar o cargo, em 1998:

"Havelange fez um longo e apaixonado discurso de apoio ao Board, à sua independência em relação à Fifa e à importância de manter essa independência. Disse que o Board era o guardião do jogo e das regras do jogo e, por isso, não deveria sofrer interferência da política."

Aplausos gerais.

Magnânimo, mas também precavido, Havelange tratou de construir uma ponte segura e confiável para dialogar com os dirigentes ingleses. E a maneira pela qual escolheu o mesmo David Will como seu interlocutor na Grã-Bretanha foi, para o escolhido, uma lição de habilidade política.

Will, definido por Keir Radnedge como um "advogado escocês modesto" pertencente à categoria "família, futebol e golfe", hábil nos bastidores e não muito apegado "ao estilo gastador e luxuoso da maioria dos dirigentes da Fifa", teve certeza de que Havelange começou a apostar nele num jantar que tiveram na sala reservada de um restaurante de Glasgow, ainda em 1980, na presença de Marcel Citherlet, secretário particular de Havelange e, no caso, tradutor da conversa.

O prato era filé e David Will inclinava-se o tempo todo na mesa para se desviar de Havelange e poder ver e ouvir Marcel com sua tradução. Will acabou puxando sem querer o filé para o colo. Constrangido, devolveu a carne ao prato, enquanto Havelange não dizia palavra, simplesmente ignorando o embaraço. Não houve nenhum tema específico da Fifa no jantar, mas, para Will, Havelange queria mesmo era saber como ele era fora das reuniões formais da entidade, conversar cara a cara.

"Conversamos sobre tudo: futebol mundial, futebol escocês, Rio de Janeiro, jogos do passado. Mas o que ele queria era me conhecer melhor. Não tinha outro motivo para estar em Glasgow."

Quando Havelange se convenceu de que David Will era confiável, começou a articular para que o escocês fosse o representante da Grã-Bretanha na vice-presidência da Fifa. O amigo Peter Pullen, mais uma vez, a pedido de Havelange, se encarregou de trabalhar o nome de Will junto aos representantes da Inglaterra, da Irlanda do Norte e do País de Gales.

Seis anos depois daquele jantar em Glasgow, Will entraria para os quadros da Fifa. E dois anos depois, de acordo com ele mesmo, começaria o processo de substituição de Harry Cavan, vice-presidente e representante das quatro federações britânicas no Comitê Executivo da Fifa por 28 anos. Will lembrou que, tecnicamente, a indicação do substituto era das quatro entidades britânicas, mas:

"Havelange já comandava o processo para ter alguém de sua confiança naquele delicado posto político. E persuadiu os dirigentes de Inglaterra, Escócia, Irlanda do Norte e País de Gales a convencer Harry Cavan de que a hora da aposentadoria havia chegado. Não sei como ele conseguiu. O que sei é que ele conseguiu."

David Will se tornaria um dos vice-presidentes da Fifa e integrante do Comitê Executivo a partir de 1990.

Estabelecidas as relações, Havelange sempre as manteria, na alegria e na tristeza, mesmo quando seus aliados não se comportassem como deviam ou estivessem em apuros. Em 1990, por exemplo, quando o presidente comunista da Bulgária, Todor Zhivkov, foi deposto na onda democratizante que se seguiu à queda do muro de Berlim, depois de governar o país com mão-de-ferro por 35 anos, seu genro Ivan Slavkov, presidente da televisão estatal, da Federação de Futebol e do Comitê Olímpico da Bulgária, caiu junto e foi preso. Aliado de Havelange no COI e na Fifa, Slavkov pediu socorro.

"Ele era meu amigo, corretíssimo comigo. O Comitê Olímpico Internacional mandou uma carta. Outras federações mandaram cartas e não adiantava. Um dia o presidente Samaranch pediu uma carta da Fifa. Eu fiz e, dez dias depois, recebi uma carta belíssima do presidente da Bulgária, dizendo que Slavkov já estava em casa e que ninguém nunca mais ia mexer com ele."

Não mexeriam mais com Slavkov.

Em julho de 2005, no entanto, o próprio COI afastou o dirigente, depois de ele ter sido flagrado pela rede BBC cobrando de repórteres que se fingiam de lobistas 200 mil euros pelo voto da Bulgária a favor de Londres na disputa pela sede das Olimpíadas de 2012. Destino semelhante teria Ismail Bhamjee, dirigente de Botsuana, um ex-aliado de Havelange que acabou expulso da Fifa em 2006 por vender ingressos que havia recebido de graça para o jogo entre Inglaterra e Trinidad e Tobago, na Copa da Alemanha.

A inoxidável relação de lealdade e de pragmatismo de Havelange com seus aliados do futebol internacional não era diferente da que ele desenvolveu e manteve publicamente, sem hesitação, com dirigentes brasileiros, mesmo quando alguns deles, como o falecido Castor de Andrade, contraventor e ex-presidente do Bangu, e Eurico Miranda, presidente do Vasco da Gama, ambos do Rio, foram processados na Justiça. Ou quando protagonizaram negócios suspeitos na gestão dos clubes e viradas de mesa na política esportiva. Para quem nunca entendeu ou criticou esse tipo de compromisso, Eurico Miranda deu, em 2005, uma pista:

"O verdadeiro amigo não causa problemas aos seus amigos. Você não vai encontrar isso com facilidade. Eu nunca pedi nada ao Havelange que eu sentisse que ele não podia fazer. Também nunca pedi ao Havelange algo que contrariasse a maneira dele de ver as coisas, sua linha de comportamento. Ele sabe disso."

A ida do presidente da Fifa ao presídio onde Castor de Andrade estava preso, fartamente documentada pela imprensa em 1993, foi, para o amigo comum e companheiro de visita José Bonifácio de Oliveira Sobrinho, o Boni, então vice-presidente de operações da TV Globo, um exemplo perfeito da "lealdade absoluta" que Havelange sempre teve com os amigos, independentemente dos problemas que eles estivessem enfrentando.

Boni, que costumava se encontrar com Castor, Havelange, o cirurgião Ivo Pitanguy e o dentista Olympio Faissol, entre outros proprietários de casas em Angra dos Reis, no bar do Luís Rosa, um pescador humilde que preparava um peixe famoso no litoral preferido da elite carioca, disse que teve até de dar explicações ao dono da TV Globo, Roberto Marinho, para o gesto que começou com um pedido de Havelange pelo telefone:

— Boni, eu sei que a relação que você tem com o Castor está ligada à Mocidade Independente, mas o Castor tem um grande apreço por você. E eu vou visitar o Castor e gostaria que você fosse comigo.

E foram.

Assim que soube, Roberto Marinho chamou Boni à sua sala, no décimo andar da sede da TV Globo:

— Boni, eu estou muito aborrecido com o fato de você ter ido visitar o Castor.

— Mas, doutor Roberto...

— Não precisa explicar, não. Eu sei que você foi lá por causa do carnaval.

— Eu não fui lá por causa do carnaval, não, doutor Roberto. Eu fui lá por causa do João Havelange.

Pausa e surpresa na sala.

— Bom, então pelo menos nós temos aí uma boa desculpa pra eu não me zangar com você. Eu adoro o João Havelange.

Ao lembrar a repercussão negativa na opinião pública da ida à cadeia para visitar Castor, Boni disse que nunca perguntou a Havelange se ele tinha feito, antes, uma avaliação sobre o impacto que o gesto teria. Sabia que era uma decisão "incondicional". E já tinha ouvido Havelange dizer:

— Eu não sou juiz pra julgar ninguém. Uma coisa que eu sei é que ele é meu amigo e eu não vou julgar o Castor.

Havelange, ao comentar, em 2005, a importância da lealdade ao longo de sua carreira de dirigente, levou a mão direita à altura do canto direito da boca, esfregou o polegar no indicador como se entre eles existisse um fio de bigode e deu a sua pista:

"Aqui é que conta. Não adianta assinar. Com nossos avós e nossos pais ainda era assim, mas hoje em dia o sujeito assina, não cumpre e depois vem o advogado. Mas eu acho que a gente não deve mentir para as pessoas. Se eu lhe disser que vou fazer, pode dormir que eu faço. Também se eu não puder, eu digo. Foi essa a minha força: ter a coragem de dizer sim e não."

Não foi por outro motivo que as alianças costuradas por Havelange no chamado bloco soviético, poderosas o suficiente para lhe garantir até um raro passe para atravessar livremente o Muro de Berlim pelo famoso *Checkpoint Charlie,* não foram afetadas pelas profundas mudanças políticas e econômicas que sacudiram a região a partir de 1989. O sistema mudaria, o Pacto de Varsóvia acabaria, a União Soviética desmoronaria, e outro aliado de Havelange, Yacheslav Koloskov, principal puxador de votos das 15 repúblicas do bloco soviético, também precisaria do apoio do presidente da Fifa para continuar tendo poder no futebol da Rússia.

Koloskov teve. Em 2005, apesar de estar sob fogo cerrado de dirigentes de oposição ligados ao presidente Vladimir Putin, ele mantinha não só a posição de membro do Comitê Executivo da Fifa, conquistada por eleição em 2000, já no período de Sepp Blatter na presidência, como a condição de puxador de votos dos dirigentes esportivos das ex-repúblicas soviéticas, a maioria deles mantidos no poder, Koloskov explicou como:

"Os dirigentes continuaram, desta vez não com orientações do partido, mas por consenso. As votações continuaram unânimes como nos tempos da União Soviética."

Para Keith Cooper, que passou quase duas décadas atuando no mundo do futebol, primeiro como executivo de marketing da ISL e depois como diretor de comunicação da Fifa, Havelange foi um dirigente à parte. E para explicar o que Havelange foi, Cooper começou explicando o que muitos dirigentes que o rodearam, para ele, nunca foram:

"Às vezes os dirigentes esportivos acham que são mais importantes do que realmente são. Está certo, o futebol é uma força social, mas, ainda assim, não é mais do que isso, não é mais do que um jogo. Movimenta bilhões de dólares, sim, mas ainda assim não é tão importante. É apenas um esporte que as crianças podem jogar na rua, onde Havelange provavelmente não seria reconhecido. É mais importante saber se a perna do goleiro melhorou do que se Blatter ou Havelange foram reeleitos. Administradores do esporte não têm, enfim, importância para o fã de futebol. Ainda assim, eles muitas vezes se sentem inflados por uma noção errada do que são."

Ao explicar por que achava que Havelange, apesar de ter sido também um dirigente esportivo, foi uma personalidade bem diferente, Cooper contou o que presenciou no famoso número 10 da Downing Street, sede do governo britânico, em Londres, em 1998, quando acompanhou, como intérprete, um encontro de Havelange com o então primeiro-ministro Tony Blair, em plena disputa entre a Inglaterra e Alemanha para sediar a Copa de 2006.

"Havelange apoiava os ingleses e queria que eles soubessem. Por isso, pediu uma reunião com Tony Blair. Para Havelange, Blair era apenas mais um chefe de governo. No encontro, Blair falou um pouco em francês, mas eu traduzi nas horas em que Havelange, falando em francês, queria que Blair soubesse exata e precisamente o que ele estava dizendo."

Cooper disse que se convenceu de que Havelange era um "estadista" no momento em que o ex-presidente da Fifa dava uma explicação sobre as perspectivas que a Copa de 2006 abriria para a Inglaterra, a importância que o evento teria para Blair como líder político e como a competição teria influência na vida dos britânicos. Havelange falava e Blair, fã de futebol, olhava para Cooper deslumbrado e com os olhos arregalados, como quem dissesse: "Uau!"

Em fevereiro de 2006, Franz Beckenbauer, presidente do comitê organizador da Copa da Alemanha, cada vez mais citado como provável futuro presidente da Fifa, dizia que Havelange, passados oito anos de seu último mandato na entidade e às vésperas de completar 90 anos de idade, ainda tinha força:

"Quaisquer que sejam os seus planos, não é bom ter João Havelange contra você."

Prejuízo

A amizade, no caso o fim de uma, esteve na raiz de uma das grandes dores de cabeça da vida de Havelange. Em 1966, o empresário Mariano Marcondes Ferraz propôs vender a empresa Werco a David Moscovitch, amigo, parceiro de negócios e assessor de Havelange na CBD. A empresa funcionava num grande galpão no bairro do Caju, na zona portuária do Rio, e, além de fabricar incineradores de lixo domésticos, tinha uma linha de produtos químicos para galvanoplastia.

David Moscovitch propôs a Havelange uma sociedade para comprar a empresa. Havelange disse que só aceitaria se José Roberto Haddock Lobo, outro amigo e protegido de muitos anos, também fizesse parte do negócio. A venda foi feita, a empresa passou a se chamar Orwec, uma troca de posição das letras do nome original, e ficou sob comando administrativo de Moscovitch e Lobo. Menos de um ano depois, no entanto, já estava em situação difícil, o que levou o sócio majoritário Havelange a ter que usar o prestígio pessoal para levantar empréstimos bancários.

Em 1973, os três sócios decidiram vender o controle da Orwec. Passaram a ter, juntos, 49%, passando os 51% do controle à Empar, um consórcio de investidores portugueses cujo executivo, Luís Maria Teixeira Pinto, chegara ao Brasil comprando participação em empresas, principalmente no ramo de explosivos e na área de seguros, como aconteceu com a Atlântica, a seguradora de Almeida Braga, e com o banco Itaú.

Mesmo minoritários, os três sócios brasileiros não se entendiam. Haddock Lobo acabou entrando com uma ação na Justiça contra os outros sócios, reivindicando 10% da empresa. Nas contas de Havelange, porém, o percentual era de 5%.

A disputa jurídica em torno do percentual societário se arrastaria por três décadas, entre sentenças, recursos ao Supremo Tribunal Federal, diligências, apelações, perícias técnicas e novas sentenças, enquanto a situação da empresa se tornava cada vez mais fragilizada por uma letal combinação de problemas de gestão com a política de juros altos em vigor no mercado brasileiro.

Em 1995, Havelange contaria com a assessoria do amigo Antonio José Carneiro, experiente nas áreas financeira e jurídica, para se desligar definitivamente da Orwec. E em maio de 2005, depois de recusar várias propostas de um acordo judicial, Haddock Lobo, que se tornou inimigo declarado de Havelange, aceitou receber 300 mil reais, parcelados em dez vezes, por seu pedaço na empresa.

Havelange, em 2005, não deixava dúvidas sobre sua decepção com o ex-amigo e a empreitada:

"É melhor nem lembrar. Já passou, não tem mais nada. Saí da empresa em 1995. Me deram um conselho. Disseram para deixar cair que aquilo morria. Eu deixei e morreu."

À prova de terremoto

O caderno de encargos da Fifa deixou de ter tanta importância nove meses antes da Copa de 1986, a partir das 7h19 da manhã do dia 19 de setembro de 1985, hora do México, quando um terremoto de 8,1 graus na escala Richter, seguido de outro sismo de intensidade semelhante, ocorrido na noite do dia seguinte, provocou a morte de mais de 10 mil pessoas e a destruição total de cerca de mil prédios e construções, entre elas o edifício-sede da Televisa, o Hospital Juárez, o shopping Nuevo León, o Centro Médico Nacional e o luxuoso Hotel Regis.

Ao desembarcar no aeroporto da Cidade do México e ser recebido por Guillermo Cañedo, presidente do comitê organizador mexicano da Copa, e por Rafael Castillo, presidente da federação mexicana de futebol, Havelange foi cercado por mais de uma centena de jornalistas do mundo todo que cobriam a tragédia, um deles, mexicano, com a pergunta em forma de conclusão na ponta da língua:

— Senhor Havelange, depois do que aconteceu, certamente não haverá Copa no México...

— Isso é o que você está dizendo. Não sou eu nem a Fifa. Não estou aqui para causar mais sofrimento. Vocês já sofreram um terrível infortúnio e eu não vou piorar a situação tirando a Copa do Mundo de vocês. Ela vai acontecer e vai ser um sucesso.

Alguns jornais mexicanos, insatisfeitos com a simples confirmação do compromisso com a Copa, publicaram artigos nos dias seguintes, reclamando da ajuda de 25 mil dólares que a Fifa havia oferecido. Em resposta, Havelange chegou a avaliar a idéia de pedir contribuições aos 24 países que participariam da Copa, na base de 225 mil dólares por seleção, mas a idéia não prosperou. O que ele garantiu mesmo foi a realização do Mundial, ainda que a decisão dependesse de uma reunião do Comitê Executivo da Fifa no mês seguinte, ali mesmo na Cidade do México.

Nove meses depois, no dia 31 de maio de 1986, diante de uma platéia de 95 mil torcedores reunidos no Estádio Azteca, na mesma Cidade do México, Itália e Bulgária faziam o jogo de abertura do Mundial. Quatro estádios foram construídos e acrescentados aos que tinham sido usados na Copa de 1970. O país ainda tinha marcas da tragédia do ano anterior, mas a infra-estrutura básica para a realização do torneio, segundo o jornal *Folha de S. Paulo*, não fora afetada.

Ironicamente, a estrutura que se revelou mais afetada pelo terremoto foi a transmissão do áudio dos jogos, a cargo da Televisa, a grande avalista daquela Copa e empresa da qual era vice-presidente Guillermo Cañedo. Na lembrança do filho dele, Guillermo White Cañedo, um complexo de transmissão, ou *switcher*, de última geração, adquirido pela empresa, foi a causa:

"O *switcher* caiu, deixou de funcionar de uma hora para outra. E poucas emissoras puderam transmitir corretamente."

Entre as emissoras que escaparam do problema estava a TV Globo, que, segundo seu então diretor de engenharia, José Ricardo Mello, tinha adquirido um sistema de coordenação de transmissão e produção de áudio muito moderno, superior aos outros. Entre as prejudicadas, várias emissoras européias. O consórcio European Broadcasting Union (EBU), aproveitou para reclamar muito.

Na raiz daquelas críticas, porém, de acordo com Keir Radnedge, colunista da revista *World Soccer* presente na Copa do México, estava a mudança profunda e irreversível que Havelange estava promovendo no futebol. Para Radnedge, com a expansão da Fifa, o aumento do número de integrantes do Comitê Executivo e a "mudança do equilíbrio" entre esporte e negócio, "começou um novo tipo de administração na entidade":

"Não eram mais apenas dirigentes esportivos trabalhando para o bem do esporte. Eram pessoas que também tinham um olhar para o poder e para o que poderiam ganhar, não necessariamente para eles, embora para alguns isso tenha sido muito importante. Muitos deles, para ser justo, conquistaram o poder e foram capazes de usar este novo poder para o bem do esporte."

Naquela Copa, exatamente por causa da citada mudança na relação entre o esporte e o negócio, o que deu trabalho não foi exatamente a renegociação dos contratos, mas os conflitos que eles começaram a gerar. Na lembrança de Jean-Marie Weber, braço direito de Horst Dassler e executivo da ISL, detentora dos direitos de *marketing* da Fifa, "havia sempre muita inveja, armadilhas e *marketing* pirata".

No caso da Copa de 1986, segundo Weber, o problema foi o choque de interesses criado pela comercialização conjunta feita, de um lado, pela ISL, em nome da Fifa, e, do outro, pelo comitê organizador mexicano:

"Quem paga mais, quer mais. E como havia muitas queixas dos patrocinadores reunidos pela ISL, começou a haver muita discussão entre ISL e a Fifa."

Até que um dia, segundo Weber, Havelange disse:

— Ficam me dizendo que eu não posso fazer isso, que não posso fazer aquilo. Eu sei o que tenho de fazer. Tenho de conversar com o senhor Horst Dassler. Nós acharemos a solução.

Sempre achavam.

"Eu ajudo você no seu esporte e você me ajuda no meu negócio."

Era o prosseguimento do trato entre Havelange e Dassler, tirado do fio do bigode no início da década de 1970 e turbinado por um sistema de orçamento proposto em 1982 pelo então vice-presidente de finanças da Fifa, almirante Alberto Lacoste, aumentando de 5% para 20% a parcela dos contratos destinados aos programas e ao próprio funcionamento da entidade.

Àquela altura, a Fifa já estava acertando a venda, para a ISL, dos direitos da publicidade estática em todos os estádios, da exportação do filme oficial, e também do uso de símbolos e mascotes das Copas de 1990, 1994 e 1998 por um valor, segundo Havelange, em torno de 600 milhões de dólares. Era muito dinheiro para não aparecer um concorrente querendo ser fornecedor. Apareceria e, por coincidência, teria também três letras.

IMG.

Pênaltis e cotoveladas

O estádio era o Jalisco, de Guadalajara, de boa memória para os brasileiros, tomado por 65 mil torcedores. Mas naquele 21 de junho de 1986, até Zico tinha perdido um pênalti. E o jogo contra a França, no tempo normal, terminara num nervoso empate de 1 a 1.

A seleção, mais uma vez dirigida por Telê Santana e montada com alguns dos craques do time brilhante que tropeçara diante dos italianos em 1982, nem todos eles no melhor de sua forma, fizera uma boa campanha na primeira fase, vencendo a Espanha, a Argélia e a Irlanda do Norte. No primeiro jogo das oitavas-de-final, os brasileiros tinham derrotado a Polônia por 4 a 0, mas a França de Michel Platini, autor do gol de empate, mostrava-se um adversário técnico e difícil.

Havelange estava na tribuna de honra do Jalisco, mas nunca estivera tão distante, politicamente falando, da seleção brasileira. A CBF, àquela altura, saíra das mãos de um adversário que ele até procurava respeitar, Giulite Coutinho, para as de Otávio Pinto Guimarães e Nabi Abi-Chedid, presidente e vice, uma dupla de dirigentes que vencera o candidato apoiado por Havelange, Medrado Dias, de forma controvertida na eleição realizada em janeiro daquele ano.

Para completar o desconforto de Havelange, um brasileiro corretor de seguros, tentando ser gentil com ele na tribuna de honra, fez uma confusão mortal:

— Doutor João, o senhor é belga, não é? Está torcendo para o Brasil ou para a França?

Almeida Braga, que estava do lado, presenciou uma bronca antológica de Havelange, um carioca orgulhoso de suas origens:

— O senhor levaria uma vida inteira para fazer o que eu fiz em apenas um dia da minha vida no Brasil.

Quando, logo depois, Guillermo Cañedo se aproximou de Havelange para informar que um jatinho aguardaria a disputa de pênaltis para depois levá-lo para o jogo México e Alemanha, em Monterrey, ele agradeceu, levantou-se para ir embora e explicou:

— Me perdoe, Guillermo, mas sou presidente da Fifa e não da Confederação Brasileira de Futebol.

Havelange não viu nem Michel Platini ajudar o Brasil, perdendo uma cobrança de pênalti, nem Júlio César e Sócrates, este de forma displicente, perderem as suas, despachando a seleção para casa, na Copa que seria vencida pela Argentina de Maradona, em uma final contra a Alemanha de Rummenigge, apitada pelo brasileiro Romualdo Arppi Filho.

Depois de ver o *replay* da disputa de pênaltis, Havelange até criticou Sócrates por sua postura em campo e suas declarações, mas responsabilizou Otávio e Nabi pela desclassificação brasileira. E criticou o que chamou de "calendário político", elaborado pelos adversários da CBF na base dos compromissos assumidos por eles na eleição da entidade, além do que chamou de "desorganização da seleção na fase preparatória":

"Perderam muito tempo com a eleição e cometeram um erro."

Daquela vez, Telê Santana, quase uma unanimidade para a imprensa esportiva brasileira, não escapou das críticas de Havelange, que via qualidades no técnico, mas não reconhecia nele a capacidade de preparar um time não apenas bom do ponto de vista técnico, mas capaz, também, de vencer sete vezes seguidas, "que é o que se exige de um campeão de Copa do Mundo".

Havelange também criticou Telê pelo "erro técnico" de escalar Zico, num momento em que o craque ainda não estava totalmente recuperado de uma lesão. Telê Santana, de volta ao Brasil, já demissionário do cargo de técnico, devolveu de primeira:

"João Havelange é um grande da Fifa, mas entende pouco de futebol. Nunca o vi assistindo a uma partida de futebol ou dando um chute na bola."

Dez anos depois, em entrevista à revista *Interview*, Havelange mantinha as restrições ao trabalho de Telê:

"Treinar clube é uma coisa, treinar seleção é outra. No clube, você começa um campeonato no alto, desce e depois volta a subir para ser campeão. Na Copa do Mundo, se você sair do alto, você morre. O Telê foi duas vezes à Copa pelo Brasil e não ganhou nada."

A desclassificação brasileira nos pênaltis desencadeou, na época, uma discussão sobre o uso das cobranças em decisões de Copa do Mundo. E Havelange defendeu o sistema com empenho e intensidade, em todas as entrevistas que deu. Em uma delas, para o jornal *El Nacional*, da Colômbia, o repórter criticou o sistema. E Havelange aceitou a provocação:

— Uma equipe tem que saber definir uma partida por pênaltis porque o regulamento diz isso claramente. Você tem alguma proposta melhor?

— Sim, presidente. Jogar outra partida.

— Pois muito bem, você sabe quanto a Fifa pagou por cada partida da Copa do México?

— Não.

— Duzentos e setenta mil dólares por equipe, além de 32 passagens de ida e volta, estadia em hotel de quatro e cinco estrelas e 125 dólares de diária para cada membro de cada uma das delegações, mais um ônibus e dois carros para cada dirigente. Tudo isso equivale a um gasto aproximado de 600 mil dólares em cada partida. Você então multiplique isso pelas 52 partidas da Copa e acrescente todas as obrigações da Fifa com quem comprou os ingressos e quem pagou os contratos de publicidade e os direitos de televisão. É por isso que a partida tem de terminar.

O repórter continuou ouvindo. E Havelange, fazendo o que mais sabia fazer, continuou:

— Mas vamos supor que aceitemos sua sugestão e se jogue outra partida. No espaço de quantas horas?

Sem esperar resposta, Havelange continuou:

— Você sabe o que o comitê médico do México informou? Impossível antes de 72 horas. Mas continuemos. França e Brasil voltam a jogar. E até diminuímos o descanso entre as partidas. Então, na revanche, ganha um dos dois. E o rival que o espera com uma recuperação de quatro ou cinco dias? Como fazemos? O que diremos?

O repórter continuou acompanhando:

— Diremos que não é justo.

Novo intervalo de silêncio e a conclusão:

— Temos resposta para tudo porque tudo já foi pensado por nós. E, enquanto a lei for igual para todos, ela será justa.

Pelo telefone

O fato de Havelange ser uma espécie de entidade difusa e cada vez mais cercada por lendas de poder levava muita gente a imaginar que, toda vez que ele se trancava em uma sala com alguém, era para tratar dos destinos do futebol mundial ou dos milhões de dólares do *marketing* esportivo. Nem sempre. Muitas vezes ele estava resolvendo problemas de amigos e aumentando ainda mais sua extensa rede de relacionamentos.

Naquele ano de 1986, por exemplo, Havelange tinha tratado como prioridade o problema de um certo Dan Pinciu, médico romeno e irmão de sua geriatra no Rio, Mariana Jacob, atingido por um câncer causado pelo vazamento da usina nuclear de Chernobyl, na Ucrânia. Dan precisava com urgência de injeções de um remédio impossível de ser adquirido no mercado romeno. Na lembrança de Mariana Jacob, Havelange cuidou pessoalmente para que o remédio, decisivo para a sobrevivência de Dan, chegasse a ele em menos de uma semana.

Situação semelhante acontecera a partir de um almoço com Manoel Francisco Nascimento Brito, dono do *Jornal do Brasil*, em 1983. Havelange foi levado à sala de um dos executivos do jornal, para ser informado de um pedido do então ministro Delfim Netto, o mesmo que, anos antes, desafiara o governo Geisel, cedendo a embaixada brasileira em Paris para a cerimônia de entrega da Legião de Honra a Havelange.

Um amigo de Delfim em Porto Alegre, operador do mercado de capitais, tinha um genro preso em Zurique, com 5 quilos de cocaína. A primeira reação de Havelange foi a de sempre:

— Eu faço esporte, mas vou ver o que posso fazer.

E fez. Em Zurique, Havelange procurou o advogado, *maître* Rene Simon, que em seguida convocou um *maître nicolier* para acompanhar o caso do brasileiro. Havelange deu assistência, fez visitas regulares e providenciou para que o genro do amigo de Delfim recebesse, além da boa assistência jurídica que propiciaria a redução da pena de nove para três anos, jornais brasileiros, biscoitos e chocolate.

Valeu para o sobrinho do amigo de Delfim Netto, valeu também para a sobrinha de um amigo de Havelange, presa na Grécia. Filha da elite do Rio, praticante de hipismo, ela começara a namorar um grego que também freqüentava a Sociedade Hípica do Rio de Janeiro. No meio do romance, o rapaz encomendou um par de botas de montaria e pediu que a namorada levasse as botas para Atenas. Estavam cheias de cocaína.

Havelange telefonou para Lambis Nikolaou, o colega grego do COI, também integrante do gabinete do primeiro-ministro grego, e obteve uma resposta preocupante, segundo Havelange:

"João, isso é a coisa mais grave que temos em nosso país."

Dias depois, a brasileira já tinha advogado e, tempos depois, receberia, segundo Havelange, autorização para voltar ao Brasil, sem nunca mais poder pisar na Grécia. Para Havelange, "mais uma vez a força do futebol ajudou".

Também no início dos anos 1980, usando suas conexões que sempre misturaram as fronteiras do esporte com as da política e da economia, Havelange atuou, a pedido do amigo Manoel Francisco Nascimento Brito, como intermediário de um negócio que, na definição de Paulo Machado de Carvalho Filho, "misturava política, interesses comerciais e gratidão pessoal".

Havelange apresentou Jorge Gerdau Johannpeter, do grupo Gerdau, a Paulo Machado de Carvalho. A idéia era o *Jornal do Brasil* assumir o controle acionário da TV Record, com apoio financeiro de Gerdau e político do então governador do Rio, Chagas Freitas, que devia favores a Nascimento Brito. A operação chegou a prosperar, mas desandou quando Gerdau descobriu que a situação da Record era bem menos atraente.

Havelange até se anteciparia, como no caso do vice-presidente de operações da TV Globo, José Bonifácio de Oliveira Sobrinho, o Boni, no início dos anos 1990, quando o executivo perdeu a queda de braço com a executiva Marluce Dias da Silva pelo poder na emissora.

Boni lembrou, em 2005, que, assim que soube do desfecho da guerra interna na TV Globo, Havelange, que se tornara amigo de Boni e contara com ele em vários momentos à frente da Fifa, entre eles o do desafiador esquema de transmissão dos jogos da Copa de 1978, ligou para Guillermo Cañedo, vice-presidente da Televisa.

Pediu ao amigo e vice-presidente da Fifa uma posição à altura do currículo de Boni na emissora mexicana. Boni, montado num contrato milionário de cinco anos de exclusividade com a TV Globo, não precisou, mas Cañedo, como o filho Guillermo confirmou em 2006, queria levá-lo para o México.

Alguns amigos de Havelange contribuiriam para aumentar ainda mais sua mística de poder e as especulações sobre o tamanho do seu cofre. Sylvio Kelly, por exemplo, ao tomar em 1999 a frente da realização de um jantar comemorativo dos 50 anos da conquista da Taça Olímpica pelo Fluminense, procurou Havelange. Que levantou, na hora, com um telefonema para o empresário Luiz Antonio de Almeida Braga, sem tirar um tostão do bolso, os 30 mil reais necessários para a festa. Kelly organizou o jantar sem dizer a ninguém quem estava dando o dinheiro:

"Todo o mundo pensava que era o Havelange. E eu fiquei quieto, não disse que não era."

Havelange telefonava e conseguia porque sabia que, do outro lado da linha, tinha sempre alguém a quem ele tinha prestado algum tipo de ajuda. Almeida Braga, ao definir a importância da rede de "amigos dos amigos" liderada por Havelange, brincou:

"Se o João fosse fazer uma Copa do Mundo no Brasil, a tribuna de honra teria de ser o Maracanã inteiro."

CAPÍTULO 13

Domínios

A retomada

Antes de Lúcia, foram dois meninos. O primeiro não resistiu a sete meses de gestação. O segundo não passou dos cinco meses. Depois de Lúcia, nascida em 1º de outubro de 1949, João e Anna Maria não desistiram. E um novo bebê, desta vez outra menina, depois de nascer prematuro, no sexto mês de gravidez, não resistiu três horas. As três perdas fizeram o casal Havelange se render a um problemático déficit hormonal de Anna Maria e desistir de continuar tentando um filho homem.

Quatro décadas depois, em 8 de janeiro de 1989, faltando nove dias para a eleição do sucessor de Otávio Pinto Guimarães na presidência da CBF, Havelange, em entrevista ao jornal *O Estado de S. Paulo*, fez uma declaração de voto que era também um testamento político e afetivo. O beneficiário era Ricardo Terra Teixeira, marido de Lúcia Havelange desde janeiro de 1971, pai dos netos Ricardo, Joana e Roberto, operador do mercado financeiro e cabeça de chapa do grupo de Havelange para a retomada do poder no futebol brasileiro:

"Ricardo Teixeira é o filho que não tive."

Havelange e o mineiro Ricardo, filho de Expedito Teixeira, ex-interventor do Banco Central no Banco Mineiro do Oeste, tinham sido apresentados um ao outro por Lúcia, durante o baile de carnaval do clube das Yucas, em Teresópolis, região serrana do Rio, no início de 1966. A recepção fria de pai ciumento de filha única, de acordo com Ricardo, durou pouco e realmente evoluiu, segundo todos os amigos íntimos da família, para uma relação mais de pai para filho do que de sogro para genro. Havelange, que chegaria a ser sócio minoritário na financeira de Ricardo, a Minas Investimento, não via defeitos no genro:

"Marido da minha única filha, Lúcia, Ricardo tem sido também boníssimo como pai, é meu amigo e estamos sempre juntos. Ele é conhecido de todos os dirigentes sul-americanos e europeus e todos o querem bem. Se eleito, fará um grande trabalho."

Aos olhos de boa parte dos jornalistas e dirigentes esportivos brasileiros, no entanto, o único esforço de Ricardo Teixeira para se tornar presidente da CBF e, futuramente, um dos integrantes do Comitê Executivo da Fifa, foi o de sentar, confortavelmente acomodado no parentesco, e aguardar o momento em que Havelange decidisse transferir para ele todo o patrimônio de poder e liderança acumulado em décadas no comando do futebol mundial. Eurico Miranda, por exemplo:

"Eu nem conhecia Ricardo Teixeira, nunca convivi com ele. A única coisa que eu soube é que ele era genro de João Havelange. A pedido do Havelange, eu participei decisivamente na campanha."

Ou o jornalista Telmo Zanini:

"Ninguém, no mundo do futebol, sabia quem era Ricardo Teixeira. Não tinham idéia."

Em 2005, ao lembrar o início da carreira como dirigente esportivo, Teixeira reconheceu que seria impossível dissociar sua trajetória da condição de genro de João Havelange. Mas insistiu que começou a aprender o caminho quando transformou o escritório de sua corretora, no Rio, no quartel-general das candidaturas do gaúcho Rubens Hoffmeister contra Giulite Coutinho em 1983, e de Medrado Dias contra Otávio Pinto Guimarães, em 1986.

Foram duas derrotas que, de acordo com Teixeira, lhe deram experiência e oportunidade de construir relações com os dirigentes que o elegeriam, por aclamação, em janeiro de 1989. Para Telmo Zanini, no entanto, aquela eleição por aclamação teve outro significado:

"Eles não estavam elegendo o Ricardo, mas o genro do Havelange. Na prática, era o Havelange de volta ao comando do futebol brasileiro."

Fernando Carvalho, filho de Ney Carvalho, um dos maiores amigos de Havelange, disse acreditar que Ricardo Teixeira criou, com o tempo, um caminho próprio, mas ressalvou que a grande força da campanha vitoriosa de Teixeira foi a atuação de Havelange junto aos dirigentes brasileiros, no Brasil e durante a Copa de 1986, no México.

Havelange, como sempre, cuidou bem dos aliados. E entrou mordido na campanha do genro, até porque tivera um encontro constrangedor com Otávio Pinto Guimarães, inadvertidamente convidado para a audiência em que Havelange entregaria uma taça da Fifa ao presidente José Sarney, no Palácio do Planalto. Tão constrangedor que Havelange esperou o adversário sair da sala para fazer um pedido a Sarney:

— Presidente, eu queria lhe dizer uma coisa. Quando eu vier novamente a uma audiência com o senhor, sozinho, não quero ninguém aqui dentro. Eu não venho pedir nada. Só não quero que me misturem com determinadas pessoas.

No dia 16 de janeiro de 1989, Havelange e seus aliados levaram Ricardo Teixeira à vitória esmagadora contra o que Telmo Zanini chamou de "combinação esdrúxula entre Otávio Pinto Guimarães e Nabi Abi-Chedid". Otávio, doente de câncer e apaixonado por futebol. Nabi, um político que, de acordo com Zanini, "usava o futebol para se eleger como deputado e para aparecer na mídia".

Havelange tinha, de novo, tudo sob controle no Brasil.

Menos o casamento da filha.

Música e medo

Nessun dorma! Nessun dorma!

Quando o tenor Luciano Pavarotti começou a cantar o trecho mais famoso da ópera *Turandot*, de Giacomo Puccini, diante de uma platéia de milhares de pessoas, nas ruínas grandiosas das termas de Caracala, em Roma, em junho de 1990, festa que marcou a abertura da Copa da Itália, nem Pavarotti nem Havelange nem os organizadores italianos da competição poderiam imaginar que estava começando ali a súbita transformação do espetáculo "Os três tenores" num dos maiores fenômenos da cultura popular do final do século XX.

Havia também, naquela noite, no ar e na cabeça de Havelange e dos organizadores, misturada à beleza daquele surpreendente casamento do esporte com a música, uma silenciosa pergunta sobre como se comportariam as torcidas européias durante a Copa, na volta da competição ao continente. Duas palavras assustavam: Heysel e Hillsborough.

Cinco anos antes daquele histórico *Nessun dorma*, em 29 de maio de 1985, no estádio de Heysel, em Bruxelas, a minutos do início da partida entre Juventus e Liverpool pela final da Liga dos Campeões da Europa, 34 pessoas tinham morrido e outras 300 ficado feridas, quando cerca de cem torcedores ingleses, em sua maioria embriagados, invadiram o setor da arquibancada destinado aos belgas e italianos, provocando tumulto, correria e morte. Antes, os chamados *hooligans* ingleses já tinham aprontado no centro de Bruxelas: enfrentaram a polícia, praticaram assaltos com facas e punhais e até tentativas de estupro.

Pouco mais de um ano antes da abertura da Copa da Itália, em 15 de abril de 1989, na semifinal da Copa da Inglaterra entre o mesmo Liverpool e o time do Nottingham Forest, no Estádio de Hillsborough, em Sheffield, duas mil pessoas sem entrada tinham invadido o estádio, esmagando contra as grades os torcedores que já estavam acomodados, provocando a morte de 96 pessoas e deixando cerca de 300 feridos.

Na condição de presidente da Fifa, Havelange foi enérgico, mas não deu sinais públicos de que pretendia usar a tragédia de Heysel para um imaginado acerto de contas com os fiéis adversários que tinha na Grã-Bretanha. E em 2005, ao lembrar as preocupações que teve com a segurança na preparação da Copa na Itália, lançou até um olhar sociológico para o problema dos *hooligans*, começando por Southampton e terminando nas favelas do Rio de Janeiro, com uma alfinetada no general Ernesto Geisel:

"Se acompanharmos o que a Inglaterra representou para o mundo, temos que ver que, durante quase cem anos, o porto principal da Europa foi o de Southampton. E tinha também Manchester, onde estavam as grandes indústrias. Com as mudanças que se fizeram, Manchester e Southampton deixaram de ter o poder que tinham e aí nasceram os *hooligans*. São filhos de doqueiros, acostumados a ter uma vida agradável, e que se tornaram violentos. Não acho que seja decadência. É perda de recursos, como a que assistimos na cidade do Rio, depois da fusão dos estados do Rio de Janeiro e da Guanabara, um dos pecados do governo Geisel."

Para Keith Cooper, a Europa se preparou para a Copa da Itália com medo e vergonha pelas tragédias de Heysel e Hillsborough. E foi neste clima que, segundo ele, espalhou-se uma onda de descrença e desânimo no mundo do futebol em relação a duas competições que Havelange defendeu e realizou com entusiasmo: os Mundiais Sub 20 e Sub 17. Havia, na época, uma corrente de dirigentes e jornalistas que consideravam prematuro e danoso submeter os jogadores jovens às pressões do futebol internacional:

"Na primeira competição de Sub 17, na China, em 1985, disputada logo depois da tragédia de Heysel, todo o mundo do futebol estava deprimido e triste. A gente se perguntava qual o sentido daquilo tudo. Mas quando viajei para a China e vi garotos do Chile, Nigéria, Bolívia e de outros países, muitos deles sem nunca terem entrado num avião, disputarem o Mundial, aquilo levantou todos nós. Devemos isso a Havelange."

A Copa da Itália, cujo organizador local foi Luca de Montezemolo, executivo ligado à Ferrari e que anos depois se tornaria presidente da Fiat, foi um sucesso financeiro, comercial e de organização, mas não deixaria de ter a marca da violência entre *hooligans* ingleses, holandeses e a polícia. Só que os incidentes aconteceram fora dos estádios, resguardados por severas medidas impostas pela Fifa. Explodiram nas ruas de cidades como Cagliari e Milão.

O problema da violência das torcidas continuaria nas décadas seguintes e, vinte e cinco anos depois daquela Copa, a questão adquiriria, mais uma vez na Inglaterra, contornos ainda mais preocupantes: uma reportagem do jornal *Guardian,* de julho de 2005, revelou que os serviços de segurança britânicos estavam monitorando atividades de grupos de extrema-direita e de *hooligans,* que estariam articulando uma onda de ataques contra muçulmanos. E que facções rivais estavam usando um mesmo *slogan*: "União contra o Islã."

As duas mãos de Diego

Dentro de campo, a violência dos times e uma coleção de erros de arbitragem também foram destaques na Copa de 1990. A própria final, disputada entre Alemanha e Argentina no dia 8 de julho, no Estádio Olímpico de Roma, foi um emblema do nível técnico da competição: um jogo descrito pela maioria dos cronistas como "difícil de ser assistido", com muita pancadaria, poucas jogadas bonitas e um pênalti que o próprio Havelange considerou "um erro lamentável", marcado pelo árbitro uruguaio naturalizado mexicano Edgardo Codesal Mendez e convertido pelo alemão Andréas Brehme, aos 35 minutos do segundo tempo:

"Era um jogo para ir para uma prorrogação e não para se definir como foi definido. Eu assisti ao lance e tive de ficar calado, mas foi um erro terrível que poderia ter sido evitado."

Ao se unir aos que lamentaram a arbitragem de Mendez, o primeiro árbitro a expulsar dois jogadores em uma final de Copa do Mundo, no caso os argentinos Pedro Monzón e Gustavo Dezzoti, Havelange disse que a atuação dos juízes na Copa da Itália o levou a pedir providências à Comissão de Arbitragem da Fifa. E os resultados seriam, segundo ele, surpreendentes:

"Mandei fazer um estudo completo sobre o assunto e os médicos informaram que, nos últimos 15 minutos de jogo, o árbitro já não tinha mais a mesma oxigenação e não conseguia mais raciocinar da mesma maneira. Descobrimos também que, ao final de uma partida, ao contrário dos 6 ou 7 quilômetros dos tempos antigos do futebol, o árbitro estava completando, em média, 15 quilômetros, o que era carga muito pesada. Depois desse estudo, reduzimos a idade máxima dos árbitros do quadro da Fifa para 45 anos."

Tarde demais para Diego Maradona, que jogava o que pretendia que fosse a sua última Copa e entrou em desespero com a derrota para os alemães liderados por Lothar Matthaus. Ele chorou em campo, junto com os outros jogadores da seleção argentina, todos indignados com o árbitro uruguaio-mexicano. Depois, recusou-se a apertar a mão estendida por Havelange, na tribuna de honra do Estádio Olímpico, na hora da entrega das medalhas de vice-campeão.

Em inúmeras entrevistas que se seguiram, Maradona, que na Copa do México, quatro anos antes, fizera contra a Inglaterra um histórico gol de mão que só o árbitro tunisiano Ali Bennaceur não viu, denunciaria o que para ele era "uma conspiração contra a Argentina". E elegeu Havelange e os outros dirigentes do esporte os alvos prediletos de seus ataques cada vez mais agressivos contra praticamente todas as formas de poder existentes do planeta.

Só Guevara e Fidel Castro seriam poupados.

À moda Lazzaroni

— Eu vi a convocação. E digo que você não vai ter sucesso.

A previsão de Havelange para o genro, às vésperas da primeira Copa de Ricardo Teixeira como presidente da CBF, se confirmou no dia 24 de junho, no Estádio Delle Alpi, em Turim. Aos 35 minutos do segundo tempo, Maradona descobriu uma brecha entre Ricardo Gomes e Dunga e deu um passe espetacular para Claudio Caniggia, que driblou Alemão e o goleiro Taffarel para marcar 1 a 0 para a Argentina. O Brasil perdia, na Itália, sua quinta Copa consecutiva desde o tricampeonato no México.

Vinte anos sem sequer chegar a uma final.

A ironia, de acordo com as crônicas da Copa de 1990, era que o Brasil, que tinha entre seus titulares Jorginho, Dunga, Mauro Galvão, Careca e Müller, jogava melhor. O time estivera perto de marcar várias vezes e colocara três bolas na trave do goleiro Goycochea, na melhor partida de uma campanha até ali medíocre, sob o comando de Sebastião Lazzaroni, técnico apoiado pelo então diretor de futebol da CBF, Eurico Miranda.

A seleção, que tinha no comando da delegação o empresário e colunável Olavo Monteiro de Carvalho, benemérito do Vasco e ex-cunhado do então presidente Fernando Collor, além de não convencer tecnicamente nas três vitórias magras da primeira fase — contra Suécia, Costa Rica e Escócia —, viveu problemas disciplinares relacionados com os prêmios de patrocínio e com a presença das mulheres de alguns jogadores na concentração.

Passada a ressaca da derrota na Itália, Lazzaroni, que já tinha contrato para comandar o time da Fiorentina, deixou o cargo de técnico da seleção e foi substituído por Paulo Roberto Falcão. Que seria demitido dez meses depois, na volta de uma vitória de 2 a 0 contra o Chile, em Santiago, com o título amargo de vice-campeão da Copa América, vencida pela Argentina. Num almoço no hotel Meridien, no Rio, às vésperas da saída do Falcão, Havelange, de acordo com o relato de José Antonio Nascimento Brito, resolveu ser mais enfático com o genro:

— Ricardo, você viveu uma experiência traumática de indisciplina na Copa de 1990 e pagou o preço da inexperiência. Você está se organizando de uma maneira bastante profissional na CBF, mas presta atenção porque você vai passar por uma eliminatória complicadíssima e precisa ter experiência do teu lado.

Ricardo Teixeira, segundo José Antonio, era só ouvidos. E Havelange continuou:

— Eu sei que você vai rir, mas eu digo: pega a turma de 1970. Pega o Zagallo como supervisor e bota o Parreira como técnico. É jogo retrancado, mas é jogo pra ganhar; eles vão jogar com a tabela e o Parreira vai chegar à Copa, você vai ver.

Em 2005, Havelange confirmou, sem chegar aos detalhes lembrados por José Antonio, que aconselhou mesmo Teixeira a chamar a "turma de 1970" para o comando da seleção. Na mesma época, Zagallo e Parreira, com ressalvas cuidadosas para destacar a importância de Teixeira no processo, também confirmaram o papel de Havelange. As palavras de Parreira:

"Eu soube que o Havelange teve uma influência muito grande. Ele não me contou, nem eu perguntei, nem perguntei ao Ricardo Teixeira, mas parece que ele convenceu o Teixeira, segundo me disseram amigos em comum."

Só Ricardo Teixeira, ao ser entrevistado na mesma época, disse que não se lembrava do episódio.

Aclamações

"Havelange tem apenas duas ambições a realizar. A primeira é tornar-se o primeiro presidente póstumo da Fifa. A segunda, organizar a copa mundial dos embriões."

Provocações como esta, de autoria do jornalista inglês Brian Glanville, surgiam regularmente na imprensa européia, particularmente a britânica, a cada reeleição de Havelange na presidência da Fifa. Candidatos ou plataformas de oposição para enfrentar o brasileiro e satisfazer seus críticos, no entanto, não foram sequer apresentados nos congressos da entidade que coincidiram com as Copas de 1978, 1982, 1986, 1990 e 1994. Nas palavras de Sepp Blatter, em 2005:

"Havelange só foi colocado sob pressão em 1978, na Argentina. Depois, nunca teve oposição até o congresso da Fifa em Chicago, em 1994."

As reeleições de Havelange foram todas por aclamação e sempre adornadas por discursos formais em que ele prestava contas dos balanços financeiros cada vez mais estimulantes da entidade e reafirmava seus compromissos com a internacionalização do futebol. Apenas no congresso de 1982, realizado em Barcelona, a poucos dias da final da Copa da Espanha, ao fazer uma saudação em francês aos delegados, ele se viu traído pela raríssima iminência de uma lágrima e deu o discurso por encerrado, antes que ela escorresse.

Nos outros congressos, o que se viu foi um ritual da reafirmação de seu poder, quase sempre precedido por menções a uma aposentadoria próxima que, perto da data dos congressos, era invariavelmente adiada, segundo Havelange, "atendendo aos pedidos dos amigos". Rituais à parte, até os críticos mais severos não discutiram que Havelange consolidou seu poder porque cumpriu de forma consistente e contínua o compromisso de distribuir os recursos da Fifa de forma equânime pelas confederações do planeta, independentemente de tradição futebolística, nível técnico, títulos conquistados ou número de praticantes em cada país. O que os adversários de Havelange questionavam, mas nunca transformaram em plataforma de candidatos de oposição, era o sistema "um país, um voto". E o que algumas federações fizeram com os recursos.

Além das verbas cada vez maiores, provenientes do geométrico crescimento da arrecadação dos direitos de *marketing* e de televisão, Havelange também se garantiu por meio do que muitos consideraram a principal arma de suas cinco reeleições: o aumento de vagas para os países africanos e asiáticos. Como disse, em 2005, o dirigente camaronês Issa Hayatou:

"Quando eu entrei na Fifa, a África tinha duas vagas. O doutor Havelange nos deu mais três. Isso foi muito importante e a África jamais esquecerá."

Hayatou falava de cadeira. A África não esqueceria Havelange nem em 1998, quando o próprio Hayatou, na condição de presidente da Confederação Africana de Futebol, se colocou contra o brasileiro, tentando, sem sucesso, levar os votos do continente para a candidatura oposicionista do sueco Lennart Johansson à presidência da Fifa.

O técnico Carlos Alberto Parreira, que trabalhou de 1976 a 1988 no futebol do Oriente Médio e participou de muitas competições na África, foi testemunha da importância do aumento de vagas para o continente. Como técnico da seleção colocada em primeiro lugar no *ranking* da Fifa em 2005, ele discordou dos que criticaram o aumento do número de finalistas da Copa:

"Uma vaga era muito pouco. Com quatro, a Fifa mobilizou todo um continente, com mais de 50 países. A decisão pode até ter tido também um efeito político, mas eu vejo pelo lado técnico, promocional, de divulgação e expansão do futebol, que foi muito favorável. Além disso, a verdadeira Copa começa na hora em que 16 seleções vão para casa e outras 16, as melhores, ficam na competição."

Entre uma e outra reeleição, quando surgiam críticas na imprensa e manifestações de pessoas ou entidades defendendo a renovação no comando da Fifa, Havelange sempre respondia com um conselho:

"Está de fora? Quer modificar? É simples. É só entrar para uma federação e se candidatar, respeitando o estatuto da Fifa. Se não respeitar, a federação fica fora da entidade, não pode comprar ou vender jogador nem fazer jogos internacionais."

Ninguém quis arriscar.

Bernie, o solitário

Em pelo menos um importante e poderoso personagem do esporte mundial Havelange inspirou imagens e despertou sentimentos radicalmente opostos à aura de autoritarismo e poder absoluto que sempre o envolveu no comando da Fifa:

"Eu sentia uma inveja do Havelange, no bom sentido. Ele sempre teve mais gente em volta dele na hora de tomar as decisões. Eu me sentia muito mais sozinho que ele."

O autor da frase, dita em Londres, em setembro de 2005, foi Bernie Ecclestone, presidente da Formula One Management, a empresa detentora dos direitos de *marketing* e de televisão do bilionário Campeonato Mundial de Fórmula 1, a segunda maior audiência esportiva do planeta.

Ecclestone, considerado um dos executivos mais poderosos do mundo do entretenimento e do esporte do século XX, referia-se ao fato de ter de decidir os destinos da Fórmula 1 em seu escritório no centro de Londres ou dentro do luxuoso *motohome* com o qual acompanhava as corridas do "circo" da velocidade.

Havelange, ao saber da comparação de Ecclestone, primeiro ressalvou que, na Fifa, era um administrador, ao passo que Bernie era um empresário praticamente dono da categoria mais importante do automobilismo mundial. Depois, chamou atenção para outra diferença fundamental:

"Na Fórmula 1 não tem congresso."

Poder e beijos

Seria necessária uma frota de *motohomes* para transportar os cerca de 820 delegados, quatro por país, que, pelo menos estatutariamente, ao longo dos anos 1980 e 1990, estiveram tecnicamente aptos para julgar os atos do Comitê Executivo da Fifa e eleger ou não Havelange presidente. Por esta razão, e também pelo fato de o Comitê Executivo ser formado com as indicações das seis confederações continentais, que por sua vez sempre foram eleitas pelas federações nacionais, Havelange defendia uma tese paradoxal em relação a tudo que diziam dele e da Fifa:

"A Fifa se tornou uma das organizações mais democráticas do mundo. Hoje o mundo todo está dentro das comissões da Fifa. Não existe o veto, como no Conselho de Segurança da ONU. Todos têm o mesmo voto. Se o membro é chamado à sede, a Fifa paga a passagem, a estada, dá o automóvel e a diária, para que ele não fique dependendo de ninguém e tenha liberdade de dar seu voto. Antigamente, quem era da Ásia, para votar, tinha de ser rico. De um país pobre, sem dinheiro, você não sai."

A senha para entender como Havelange se manteve hegemônico à frente do conglomerado de diferenças e interesses de mais de 800 delegados estava nos artigos 71 e 78 do estatuto da Fifa. Eles determinam que a entidade, seus membros e as confederações são os proprietários originais de todos os direitos relativos às competições e eventos futebolísticos realizados em suas respectivas jurisdições. E que o Comitê Executivo, além de ser a instância final encarregada de decidir como e até que ponto esses direitos deveriam ser utilizados, teria sempre a palavra final sobre qualquer assunto não previsto nos estatutos e em casos de "força maior".

Bastava, portanto, ter maioria no Comitê Executivo. E em seus 24 anos de poder na Fifa Havelange montou uma base tão sólida de apoio no órgão que a letra dos artigos 71 e 78 do estatuto da entidade, se não se tornou morta, pelo menos adormeceu profundamente por duas décadas, por falta de uso.

Como em uma manhã de 1997, em Zurique, quando o jornalista francês Richard Porre, do *L'Équipe*, teve o privilégio de saber, no escritório de Havelange, como ele ia acabar com um princípio de crise com as confederações.

— Vamos aumentar o número de países participantes da Copa, de 24 para 36.

— É mesmo, doutor Havelange? E qual foi a posição do Comitê Executivo?

— Eles ainda não sabem. Vou dizer amanhã.

O Comitê Executivo, de 24 membros, tinha oito integrantes da Europa, quatro da África, quatro da Ásia, três da América do Sul, três das Américas Central e do Norte, um da Oceania e mais o presidente da Fifa. Ao lembrar, em 2005, como mantinha a maioria, Havelange disse que nunca perdia os europeus de vista:

"Se um continente se aliasse à Europa, ganhava. Ela é decisiva, mas eu tinha paciência e fui levando durante 24 anos. Eu me dava bem com alguns europeus como o Neuberger, da Alemanha, o Carraro, da Itália, e o Pablo Porta, da Espanha. E os quatro da chamada zona inglesa me respeitavam. E eu também não levava para casa. Qualquer falta de atenção, eu fazia sentir a eles."

"Autoritário", logicamente, foi o adjetivo mais empregado para definir o estilo de comando de Havelange.

O mais importante e consistente adversário na Fifa, o sueco Lennart Johansson, por exemplo, ao comentar, em 2005, a mão pesada de Havelange na presidência da entidade, fez primeiro uma ironia em forma de trocadilho que só tem sentido em inglês:

"He is not God. Perhaps a godfather..."

Depois, mais sério, Johansson disse que aprendeu a entender muitas decisões de Havelange quando se tornou presidente da confederação européia, a Uefa, e se viu tendo de ser "um pouco ditador para comandar o processo". De acordo com Johansson, muito da autoridade de Havelange também vinha de seu carisma:

"Quando Havelange entra numa sala, você sente. Ele domina, tem carisma e a capacidade de fazer as pessoas ouvirem o que ele tem a dizer."

Opinião semelhante à do jornalista Mike Collett, editor de esportes da agência *Reuters*, que não gostava da forma como Havelange controlava o Comitê Executivo, mas reconhecia:

"Se você tem uma visão e acredita no que está fazendo, às vezes você não pode mesmo ficar ouvindo outras pessoas."

Para o dirigente Eurico Miranda, fiel aliado no futebol brasileiro, "Havelange foi o sujeito mais autoritário que existiu no futebol". Não se tratava de uma crítica:

"Ele foi autoritário até botar as coisas nos eixos como tinham de estar. O órgão máximo do futebol tem que ser absolutamente autoritário. Se a nossa Constituição tiver uma lei que interfere com a lei da Fifa, problema da nossa Constituição. Ou então a gente está fora do futebol. Existe algo mais autoritário do que isso?"

Keith Cooper, que acompanhou de perto muitas decisões importantes da Fifa e conheceu, como poucos, o perfil dos membros do Comitê Executivo, considerou os métodos "ditatoriais" de Havelange "uma solução válida em uma comunidade que infelizmente não era capaz de se organizar":

"Havelange era o único com uma linha clara. Conseqüentemente, as pessoas o acusavam de ser muito poderoso. Mas é melhor uma pessoa poderosa do que 20 fracas."

Paradoxalmente, Havelange embalava seu poder, suas decisões autocráticas e seus remédios amargos em gestos, maneiras e tons de voz delicados e suaves como os de um pai zeloso formado no Instituto Rio Branco ou na Sorbonne. De acordo com os íntimos, até nos momentos de ruptura, para responder a uma eventual agressão do interlocutor e mandá-lo a destinos impublicáveis, Havelange fazia a sugestão ser precedida de um franciscano pedido de desculpas.

Com boas ou más notícias na bagagem, Havelange também cativou e conquistou aliados no mundo do futebol com uma inesgotável paciência para se adaptar a rituais étnicos, culturais e religiosos. Onde quer que desembarcasse, trocava beijos, abraços e reverências em profusão, nunca discutindo o *script* do cerimonial local. E quando abria a boca, demonstrava o que Keith Cooper chamou de "extraordinária capacidade de lembrar das pessoas e de coisas que eram importantes para elas":

"Ele abraçava você ou te cumprimentava e imediatamente perguntava como estavam seu filho, sua filha e sua mulher. Essa capacidade fazia as pessoas se sentirem importantes, orgulhosas. Era uma arma de político, tudo bem, mas era muito valiosa."

Uma extensão do estilo educado e envolvente era a maneira especial como Havelange sempre tratou as mulheres, em especial as mulheres de dirigentes ou autoridades com quem tinha de lidar. Françoise Zweifel, que se formou em estudos clássicos e se especializou em turismo antes de ser secretária-geral do COI de 1985 até 2002, testemunhou por muitos anos os modos de "um cavalheiro naturalmente polido":

"Havelange fazia as mulheres sentirem que estavam sendo o que sonhavam ser. Não no sentido de envolvimento afetivo, é claro. Era o cavalheirismo de um lado e a vaidade feminina do outro."

Correio aéreo

Havelange sempre considerou uma grosseria não responder cartas. Tanto a correspondência normal como os cartões natalinos ou de aniversário. Fossem de quem fossem. Na lembrança de Edy Sarmento Borges, sua primeira secretária na CBD, e que também trabalhou no escritório do Rio onde Havelange despachava como presidente da Fifa, o patrão fazia questão de responder tudo de próprio punho:

"Eu preparava direitinho, botava na mesa dele e ele respondia. Houve um Natal em que eu contei. Foram 2.500 respostas pessoais, de próprio punho, assinadas."

Para zelar pelo costume, prática que lhe rendeu muita simpatia e votos na Fifa e no COI, Havelange aproveitou os mais de três anos que passou no ar, somados os tempos das viagens, cruzando o planeta em aviões de carreira, tenso de medo nas poltronas da primeira classe e incapaz de pregar os olhos.

Medrado Dias, companheiro de algumas viagens internacionais, foi testemunha de que Havelange "era muito fluente e conversador enquanto o avião estava no chão". Nas alturas, disse Medrado, Havelange se instalava sempre na primeira poltrona da primeira classe, lado direito, janela — geralmente sem ninguém do lado por cortesia da companhia aérea —, abria a mesinha de refeições e não parava de escrever. Até Medrado Dias dormir:

"Eu nunca soube até que horas o João ia porque eu dormia antes. Ele passava grande parte da viagem com uma pilha de cartões na mesinha. E quando chegava na Europa, botava aquilo tudo no correio."

Em 2005, Havelange confirmou que realmente sempre tentou unir o útil ao necessário, a dez mil metros de altitude:

"Tenho medo de voar. É a única coisa de que eu tenho medo, mas viajo por necessidade. Leio livros, faço palavras cruzadas e, quando era presidente da Fifa, cuidava da correspondência. Procurava sempre estar ocupado. Aquilo me absorvia lá em cima."

Na bucha

— Chega de vídeos e revistas de propaganda. É hora de trabalhar sério.

O comportamento de Havelange na crise que resultou na desistência da Colômbia de sediar a Copa de 1986 foi um dos momentos em que seu estilo autocrático se impôs. Em 1982, durante a Copa da Espanha, impaciente com a falta de um apoio mais firme do governo do presidente Bellisario Betancour, Havelange ignorou as 33 toneladas de material publicitário que o comitê organizador colombiano tinha enviado à Espanha, entre livros, discos, viseiras, cassetes e um audiovisual de 40 minutos, além de 400 mil caixas de fósforo com motivos colombianos. E cobrou definições e compromissos dos organizadores.

Trabalhar sério para sediar a Copa significava a Colômbia garantir livre entrada e saída no país para jogadores, funcionários da Fifa e jornalistas, livre importação de material esportivo, equipamentos de televisão e de instrumentos médicos, segurança total para seleções, dirigentes e imprensa, livre circulação de moedas durante a competição, construção de um centro de imprensa, rádio e TV, aeroportos dentro de especificações internacionais, congelamento de tarifas hoteleiras no ano da Copa, impostos não superiores a 15% no preço dos ingressos, dez escritórios para os executivos e árbitros da Fifa e 70 carros.

O comitê organizador colombiano, sem o apoio do presidente Bellisario Betancour, não deu conta.

Outra federação, a alemã, começou a demorar a cumprir a suspensão de um jogo imposta ao craque Lothar Matthaus, expulso em uma partida da seleção alemã contra a Áustria. Havelange, ao lembrar o episódio, disse que os dirigentes alemães não queriam suspender o jogador:

"Respondi que eles tinham 24 horas para cumprir o regulamento. Do contrário a Alemanha não jogaria a Copa de 1994. Cumpriram. O Matthaus não jogou a partida seguinte da seleção alemã."

Na mesma época, o Olympique de Marselha se envolveu em um grave caso de suborno que levou a Fifa a exigir o afastamento do presidente do clube. Um dirigente francês fez então o que menos se recomendava que se fizesse com Havelange: ligou para ele dizendo que as leis da França davam amplos direitos de defesa ao clube. A resposta de Havelange foi ainda mais dura do que a que tinha sido dada à federação alemã:

— Felicito-o, mas a lei da Fifa manda punir já. Se não punir, a seleção francesa não participará mais de Copas do Mundo.

Afastaram o presidente do Olympique.

Ao comentar, em 2005, seu estilo de administrar nas horas críticas, Havelange reconheceu:

"O estilo é uma necessidade. Se você não tiver mão-de-ferro e não for seguro do trabalho que está fazendo, você não chega a coisa nenhuma. Se eu era duro, eu também demonstrei que sabia compreender e respeitar."

O apego de Havelange à disciplina manifestava-se até em episódios sem grande importância, como o que ocorreu naquela mesma Copa, durante o jogo do Brasil contra a Argentina no Estádio Sarriá.

O jornalista Carlos Leonam acompanhava a partida ao nível do campo, em companhia de Carlinhos Niemeyer, Nélson Motta, Sérgio Cabral e outros brasileiros quando Daniel Passarela deu uma entrada violenta em Zico. Leonam não se conteve e berrou um palavrão para o argentino.

Passarela ouviu, olhou para Leonam e reagiu com um gesto igualmente cabeludo. No intervalo, depois de até receber cumprimentos de um dos integrantes da comissão técnica da seleção por ter lavado a alma da torcida brasileira, Leonam ouviu uma voz grave e inconfundível:

— Senhor Carlos Leonam, venha cá!

Obediente, Leonam se aproximou de Havelange, que descascou:

— O senhor não pode torcer, estando a trabalho na tribuna de imprensa e credenciado pelo comitê da Copa.

— Mas, doutor João...

— Não pode!

Anos depois, em 1991, o presidente Patricio Aylwin quis aproveitar uma viagem particular de Havelange ao Chile para convencer o presidente da Fifa a suspender a punição imposta ao país depois da farsa ocorrida num jogo disputado dos chilenos contra o Brasil, no Maracanã, pelas eliminatórias da Copa de 1990. O goleiro Rojas fingiu ter sido atingido pela torcida e se cortou com um estilete que carregava na luva, levando a seleção chilena a abandonar o campo quando perdia o jogo por 1 a 0.

Para quem conhecia o presidente da Fifa, no entanto, Aylwin fez tudo o que não deveria fazer: estabeleceu, como exigência para se reunir com Havelange, a garantia de que a punição seria retirada pela Fifa. Ainda no Rio, antes de embarcar para Santiago, Havelange avisou:

— Não vejo razões para suspender a punição.

E desembarcou no Chile, sendo recebido com faixas de "ladrão" e "vendido" no aeroporto. Ficou três dias em Santiago, não deu entrevistas à imprensa e voltou para o Brasil, depois de batizar o filho do dirigente chileno Miguel Nasur. Punição mantida, a seleção do Chile perderia duas Copas do Mundo.

"Eu achei isso ótimo."

O autor da frase, Carlos Alberto Parreira, não era o técnico da seleção brasileira no episódio do goleiro Rojas, mas sempre apoiou o que chamou de "força ditatorial" da Fifa, sob o comando de Havelange:

"Foi uma punição exemplar. Afinal, a Fifa tem mais de 200 federações. Se nas remotas ilhas do Pacífico, na África ou na Ásia as pessoas começassem a invadir campos, anular jogos e bater no juiz, o que seria do futebol?"

Declarações de renda

"Eu fiquei um pouco assustada no início."

A suíça Marie-Madeleine Urlacher tinha lido a respeito de Havelange. E ficou apavorada em 1983, quando soube que seria secretária do presidente da Fifa. Os primeiros dias, como encarregada da correspondência e da logística das viagens de Havelange, foram apavorantes. Marie-Madeleine tinha sido informada de que o presidente brasileiro da Fifa não suportava imprevistos ou improvisações, e que era obsessivamente exigente com a pontualidade — a dele mesmo, a dos que trabalhassem com ele e a dos que fossem encontrá-lo. E era tudo verdade.

O que Marie-Madeleine não sabia e foi descobrindo aos poucos, ela e boa parte dos funcionários da sede da Fifa em Zurique, era que, se fosse pontual, discreta e eficiente, um outro tipo de chefe — doce, paternal e generoso — surgia, segundo ela, no lugar daquele presidente sério, solene e inexpugnável que sorria pouquíssimo e fazia questão de ver a bandeira brasileira hasteada sempre que estava no prédio das colinas de Sonnenberg.

Estilo à parte, Havelange fez questão de ser um chefe generoso, transformando uma vaga no escritório antes artesanal dos tempos de

Helmut Käser num dos melhores empregos de Zurique. Em março de 2005, a imprensa européia forneceu duas referências sobre a remuneração dos dirigentes da Fifa. Em entrevista ao jornal *Bild*, o presidente da federação alemã, Gerhard Mayer-Vorfelder, revelou que os 24 dirigentes do Comitê Executivo da entidade duplicariam seus salários, de 38 mil euros para 76 mil euros anuais. Algo em torno de 10 mil dólares por mês.

Em outra entrevista, na mesma época, o presidente da Fifa, Sepp Blatter, defendeu um salário de 100 mil euros por ano para os árbitros da entidade, cerca de 14 mil dólares por mês, "como forma de evitar futuros escândalos de corrupção".

E qual teria sido o salário de Havelange como presidente da Fifa?

Muitos, na imprensa e no mundo dos negócios, fazendo contas e suposições baseadas unicamente nas cifras poderosas dos contratos de *marketing* e de televisão da Fifa, apostavam ou especulavam livremente que o presidente da Fifa tinha honorários e benefícios equivalentes aos de um executivo de grande multinacional. Junto com a aposta e a especulação, a maioria acrescentava que era justo, legal e legítimo que assim fosse, por tudo que Havelange fazia pelo futebol, como administrador e responsável pela revolução que transformou o esporte mundial. Para o estilo reservado de Havelange, no entanto, não fazia diferença: a política de salários da Fifa era e continuaria sendo assunto privado, como em qualquer entidade ou empresa de direito privado.

Era perda de tempo, em 2006, querer dimensionar o patrimônio de Havelange, qualquer que fosse o seu tamanho, buscando propriedades e outros bens registrados em seu nome, além da problemática e extinta metalúrgica Orwec. A observação em forma de conselho foi feita pelo próprio Havelange. Sua justificativa:

"Meu pai um dia me chamou e disse: 'Meu filho, você vai ser um homem de negócios e, se casar, case com separação de bens. Põe tudo no nome da sua mulher porque um dia você pode ter uma concordata, ir à falência e perder tudo.'"

Na resposta à pergunta imediata, sobre qual seria, então, o patrimônio de Anna Maria, Havelange descreveu um cenário muito diferente da imagem criada e consolidada na mídia brasileira e internacional, à sua revelia, ao longo dos anos:

"A última compra que fiz aconteceu em 1976. Foi um apartamento em São Conrado. Minhas propriedades são uma meia dúzia de coisas para não morrermos de fome. E não sou sócio de coisa nenhuma."

A mídia internacional, embora não se conhecesse, até 2006, nenhum documento ou reportagem que confirmasse a suposta fortuna de Havelange, sempre o considerou um milionário. A maioria, como no perfil feito por Naom Abramovich para a agência *Associated Press*, o definia, já em 1974, época da candidatura à presidência da Fifa, como "um advogado e diretor principal de seis empresas nas áreas de transporte rodoviário, processamento de dados, indústria química, metalurgia, seguros e ensino".

Até na área acadêmica, certos estudiosos partiam do pressuposto de que Havelange sempre foi muito rico. Num trabalho de *sir* Norman Chester para o Centro de Pesquisas do Futebol, citado no site da Universidade de Leicester, Inglaterra, em 16 de maio de 2002, Havelange foi descrito como um "magnata da mídia" que "fez fortuna nos setores da química, dos seguros e dos transportes".

Lendas à parte, era possível saber, em 2006, a partir de declarações do próprio Havelange, que ele já tinha feito parte dos conselhos de administração do banco Bradesco, da seguradora Atlântica e da agência MPM propaganda, além de ter sido diretor-presidente da Viação Cometa por mais de cinqüenta anos:

"Eu nunca fui dono da Viação Cometa. Apenas tinha uma posição na empresa."

Ainda de acordo com Havelange, o que muitos acharam que era um escritório dele ou da Fifa, situado num prédio empresarial da Candelária, coração do centro financeiro do Rio, era um imóvel cedido a ele pelo amigo Almeida Braga, então um dos principais acionistas da Bradesco Seguros:

"Quando eu fui para a Fifa, como eu era do conselho de administração do Bradesco Seguros, o Braga me cedeu meio andar no prédio da seguradora. Ali eu fazia o meu escritório para poder atender as pessoas. A Fifa não tinha nada a ver com isso, mas todo mundo chamava de escritório da Fifa."

O patrimônio de Havelange em 2006, ao completar 90 anos de idade, era, segundo ele, formado pelo apartamento de Ipanema em que passou a morar a partir de 1994, em busca de mais segurança e de proximidade com o Country Club; a casa de fim de semana em Angra dos Reis, comprada da família do amigo Ney Carvalho na década de 1980; um conjunto de salas no edifício empresarial Manhattan, no centro do Rio, onde ele mantinha seu escritório com cinco empregados; e mais quatro apartamentos que na época estavam alugados, dois deles no mesmo condomínio de Ipanema, um em Copacabana e um no bairro do Engenho Novo, Zona Norte da cidade. Os carros da família eram uma perua Variant Passat e um sedã da mesma marca, ambos fabricados em 2004.

Contas no exterior? Havelange confirma uma, na União de Bancos Suíços, em Zurique. Nela, de acordo com ele, adormeciam, em 2006, intocados desde o início dos anos 1980, 15 mil dólares americanos. Havelange, na época, não escondia sua mágoa com a obsessão e as especulações da imprensa sobre sua renda e suas posses. E continuava, como sempre, determinado a não entrar em detalhes sobre o assunto, sem se importar, também como sempre, com o uso que seus críticos poderiam fazer do seu silêncio.

Amigos próximos informaram, na época, que ele recebia diárias de presidente de honra da Fifa; usava um cartão de crédito corporativo, pago em Zurique, para as despesas de suas viagens em nome da entidade; e era beneficiário, juntamente com Anna Maria, de um seguro de vida também pago pela Fifa, por decisão do então presidente Sepp Blatter. Um tipo de ajuda semelhante, aliás, à pensão que o então presidente Havelange providenciara para Stanley Rous, seu predecessor no cargo. Ainda de acordo com os amigos próximos, Havelange, na época, estava propenso a vender o conjunto de salas do edifício Manhattan.

Com base nos referenciais fornecidos em 2005 pelo presidente da federação alemã, Gerhard Mayer-Vorfelder, e pelo próprio presidente da Fifa, Sepp Blatter, e a partir de uma projeção para o passado, tendo como referência a média de salário de grandes executivos, seria então correto imaginar que Havelange, juntando os 24 anos de trabalho na presidência da Fifa aos ganhos de sessenta anos como diretor e depois presidente da Viação Cometa, pode ter recebido um total de salários de cerca de 9 milhões de dólares, algo em torno de 19 milhões de reais, em valores corrigidos de 2006, fora seus negócios como empresário, certo?

A reação de Havelange ao cálculo foi acompanhada de um sorriso de quem ri de piada:

"Quem dera!"

E mais não disse.

CAPÍTULO 14

Abalos

O vírus de Barcelona

"Pensei que ele fosse morrer."

Almeida Braga estava num apartamento do mesmo andar do hotel Princesa Sofia, em Barcelona, onde também ficaram os dirigentes do COI durante as Olimpíadas de 1992. Chegou a ouvir a voz de Havelange quando ele deixou, contrariado, o apartamento de Juan Antonio Samaranch, presidente da entidade. Antonio José Carneiro, um outro amigo que estava no saguão, testemunhou o momento em que Havelange deixou o hotel a caminho do estádio do Barcelona:

"Foi uma discussão e tanto."

Menos de uma hora depois, na tribuna de honra do estádio, Havelange ainda estava contrariado. O principal motivo da discussão no hotel, ele lembrou em 2005, era o baixo prestígio do futebol na competição. Samaranch vivia um momento de glória pessoal. Sua Barcelona, transformada por obras milionárias, era o palco da maior festa até então realizada para uma Olimpíada e atraía uma audiência que beirava os 3 bilhões de telespectadores em todo o planeta. O presidente da Fifa, no entanto, não estava satisfeito com o tratamento que estava sendo dado ao futebol:

"Na Espanha, começam a trabalhar às 11 horas da manhã e param às 5 horas da tarde. E os jogos de futebol começavam às 4 horas. Resultado: no estádio tinha pouca gente e a hora era de muito calor."

Para completar, o comitê organizador dos jogos não estava atendendo a todos os pedidos de convites e ingressos feitos pela Fifa e tinha dado a Havelange um carro cujo motorista não era um profissional, mas um dos 35 mil moradores de Barcelona que trabalharam como voluntários naquela Olimpíada. Havelange achava que não merecia aquele tratamento do homem que ele tanto ajudara dentro do COI.

Nem Samaranch discutiria o direito de Havelange ficar aborrecido. Além de ter sido o principal aliado do espanhol em mais de vinte anos de COI, foi Havelange quem convenceu os membros da entidade a estender a idade-limite para o cargo de presidente, para que Samaranch fosse reeleito mais uma vez. Como responsável pela organização das reuniões do COI, sempre presente nas horas em que as grandes decisões da entidade eram tomadas, Françoise Zweifel também foi testemunha do poder de influência de Havelange sobre os delegados:

"A votação era secreta, mas Havelange, com elegância e as palavras certas, trabalhava tão bem os votos que era sempre capaz de prever o resultado, fosse para a eleição de um delegado ou na escolha de uma cidade para sediar as Olimpíadas."

A exemplo do que acontecia na Fifa, Havelange e Samaranch, segundo Françoise, discutiam previamente o encaminhamento das questões, em jantares ou reuniões a dois, antes que elas fossem levadas ao Comitê Executivo do COI. Na interpretação do jornalista Keir Radnedge, os dois presidentes formaram, com Primo Nebiolo, o presidente da Federação Internacional de Atletismo, "a mais poderosa aliança do esporte mundial", com estilos e conceitos similares.

E críticos similares, diriam os que reclamavam do estilo autoritário de Samaranch, do espaço que ele abriu para o *marketing* nos esportes olímpicos e de sua opção pelos mesmos parceiros comerciais da Fifa. A exemplo também do que aconteceu na Fifa, no entanto, os adversários de Samaranch jamais conseguiram articular o que Françoise Zweifel chamou de uma "oposição real" dentro do COI. Aquela dobradinha política, na visão do jornalista Paulo Cezar Vasconcellos, era muito difícil de ser vencida:

“Samaranch e Havelange souberam fazer isso muito bem. Até divergiram privadamente, mas nunca em público.”

Naquela tarde em Barcelona, depois da dura discussão com Samaranch no hotel, Havelange, apesar do estresse, estava disposto a cumprir a agenda de compromissos. Até o momento em que tentou se levantar para ir ao bar do estádio e não conseguiu. Ele tremeu e começou a passar mal. Era o primeiro sinal de sua mais grave enfermidade desde o tifo que quase o matara após a travessia do Tietê, em 1943, quase cinqüenta anos antes:

— Vou embora. Não estou me sentindo bem.

Havelange deixou o estádio, abatido, não para o hotel Princesa Sofia, mas para um hospital de Barcelona onde ele foi atendido e teve de ser internado, acompanhado de Anna Maria. Samaranch apareceu antes de Havelange se transferir para uma clínica na Suíça:

— João, eu quero pedir desculpas e dizer que em assunto seu ninguém mais se mete. É para ser atendido.

A amizade dos dois dirigentes resistiria a pelo menos mais duas decepções. A primeira, seis anos depois, quando Samaranch, alegando a necessidade de se manter neutro, se negaria a atender ao pedido de Havelange de apoiar Sepp Blatter na disputa com Lennart Johansson pela presidência da Fifa. A outra, em 2005, quando Samaranch, em vez de apoiar Paris, como lhe pediu Havelange, fez campanha para Londres, na disputa pela sede das Olimpíadas de 2012.

Em 2005, ao confirmar que não pôde mesmo atender a Havelange naqueles dois momentos, Samaranch disse que a amizade dos dois “foi maior”.

O círculo

— Nós temos de sair daqui.

Com o agravamento do problema, diagnosticado inicialmente pelos médicos espanhóis como uma virose originária de bactérias de sistemas de ar-condicionado, Anna Maria pediu ao suíço Marcel

Citherlet, então estreando como secretário particular do presidente da Fifa, que providenciasse a transferência do marido de Barcelona para Zurique. Havelange, segundo ela, ainda teimava em não ficar doente, tomando banhos seguidos, mas logo sucumbia, fraco e com febre alta. Dois amigos foram visitá-lo em Zurique logo depois da transferência e ficaram preocupados. Antonio Carlos Coelho nunca o tinha visto tão abatido. E Antonio José Carneiro o achou "péssimo".

Com o agravamento de seu estado, Havelange foi transferido para uma clínica situada a 100 quilômetros de Zurique, onde permaneceu internado por cerca de dois meses, entre sessões de fisioterapia, hidroginástica e outros tratamentos paralelos à medicação, já que, além de emagrecer muito, ele teve o sistema nervoso debilitado, chegando a ficar com dificuldade de caminhar dentro do quarto.

A imagem que veio à mente do amigo Peter Pullen em 2005, ao lembrar a impressão que os dirigentes da Fifa deixaram ao visitar Havelange na clínica suíça, não foi muito boa:

"Os europeus começaram a falar em sucessão. Eu não gostei daquilo."

Treze anos depois daquele momento difícil, Anna Maria também se confessou incomodada com as conversas sobre sucessão que aconteceram ao alcance de seus ouvidos, na clínica, enquanto o marido se recuperava. Ao lembrar os dias de internação, Anna Maria disse ter tido a certeza de que uma funcionária da Fifa que começou a passar na clínica com muita freqüência, alegando que jogava golfe perto dali, não estava apenas preocupada com o estado de saúde de Havelange: queria levar notícias frescas para Zurique.

Mas Havelange tinha gente de confiança nas colinas de Sonnenberg. Sabia que era até natural que seu afastamento desencadeasse conversas e movimentos relacionados à sucessão. Não havia o que fazer.

Por enquanto.

Foca na piscina

Na definição de um veterano jornalista da equipe de esportes da TV Globo, o motivo da reportagem era um só:

— O mundo precisa saber que João Havelange não está morrendo.

Pouco mais de três meses tinham se passado desde a internação do presidente da Fifa, após o mal-estar em Barcelona. Havelange, que desembarcara no Rio dando ao assessor Sérgio Martins a impressão de que emagrecera cerca de 30 quilos, era outro. Depois de dois meses na clínica da Suíça, ele voltara a nadar todas as manhãs na piscina do Country Club, em Ipanema.

Aos amigos, enquanto completava sua recuperação, Havelange deixara a impressão de que estava muito bem-informado sobre tudo o que acontecia na Fifa em sua ausência. Inclusive sobre os rumores de que Sepp Blatter estaria se movimentando como quem se preparava para sucedê-lo. A retomada do comando da Fifa, portanto, parecia ser mais do que um ritual estatutário. E a reportagem da TV Globo, encomendada pela direção da emissora à Divisão de Esportes, estava relacionada a uma atmosfera de incerteza sobre o que ia acontecer na Fifa.

O repórter encarregado de cumprir a pauta foi o então novato Décio Lopes. A idéia era gravar tudo na parte da manhã e gerar o material para uma agência de imagens da Europa, que a distribuiria normalmente para centenas de clientes ao redor do mundo, como um item normal do cardápio diário de notícias.

Décio, então com 21 anos, recebeu da chefia a recomendação expressa de que teria de estar pronto para entrevistar Havelange às 7 horas da manhã. Quinze minutos antes, ele e o cinegrafista Cléber Schettini estavam na porta do prédio de Havelange, em frente à praia de São Conrado. Um empregado do presidente da Fifa já os esperava e os levou para a beira da piscina do condomínio. Exatamente às 7 da manhã, Havelange surgiu do outro lado da piscina. Décio continuava impressionado, catorze anos depois:

"Era uma figura imperial. Passava poder em cada centímetro quadrado do corpo. Parecia haver uma aura de poder em volta dele."

Depois de tirar o roupão, Havelange caminhou até onde estavam Décio e Cléber, acompanhado do empregado, que entregou a Décio um pedaço de papel. Quando ele ainda tentava entender o que estava acontecendo, Havelange explicou:

— Estas são as perguntas que você vai me fazer. Eu vou responder primeiro em português, depois em inglês. Não faça nenhuma pergunta que não esteja no papel.

Décio ainda tentava ler o que estava escrito no papel quando Havelange completou:

— As imagens vocês fazem agora.

Instantes depois, Havelange dava braçadas solenes e solitárias na piscina do condomínio, acompanhado cuidadosamente pelas lentes de Schettini. Cerca de dez minutos depois, saiu da água e sentou numa das mesas da piscina. A um sinal, Décio e Cléber se aproximaram para a entrevista.

O *script* foi rigorosamente cumprido. As perguntas versavam sobre o costume de Havelange de nadar todas as manhãs, seu nível de preparo físico e sua eterna paixão pelo futebol e pela natação. Não havia qualquer menção à palavra doença. Encerrada a entrevista, Havelange se levantou, vestiu o roupão e subiu de volta para o apartamento sem dar uma palavra. Décio nunca mais viveria situação semelhante com qualquer outro entrevistado:

"A voz, aquele semblante assustador, uma autoridade impressionante."

No final de setembro, Havelange decidiu que era hora de voltar. Telefonou para Sepp Blatter e pediu que ele convocasse uma reunião do Comitê Executivo da Fifa. Ao chegar à Suíça, antes da reunião na entidade, resolveu fazer uma visita de cortesia ao médico que cuidara dele. Nas palavras de Havelange, o médico "parecia ter uma mola sob a cadeira" quando levantou, assustado. E Havelange brincou:

— O senhor pensou que eu tivesse morrido?

Na sede da Fifa, na lembrança de Havelange, não foi muito diferente:

"Quando eu cheguei, totalmente refeito, queimado de sol, eles ficaram surpresos. A reunião teve um desenrolar tranqüilo, perfeito, e não se falou mais em sucessão."

Até o início de 1994, quando, nas palavras do vice-presidente David Will, Havelange começaria a se dar conta de que "as crianças tinham crescido".

Conselho inútil

— Meu filho, você tem que ter calma, ter mais tranqüilidade. A responsabilidade que você tem é imensa.

O conselho tinha sido dado a Fernando Collor, no gabinete do Palácio do Planalto, em Brasília, no segundo semestre de 1990, durante uma visita de cortesia para entregar ao presidente brasileiro uma medalha comemorativa da Copa da Itália. Naquela época, não se falava em *impeachment* ou renúncia, mas Havelange já sentia que o filho de Leda, grande amiga de sua irmã, Paule Emilie Adrienne Helene Havelange, a Popola, teria problemas:

"Ele, como moço, incomodava os políticos. Mas tinha de ter mais paciência com os deputados, com os senadores mais velhos, atendê-los de maneira diferente. E aceitar os pedidos que faziam."

Em 2005, quinze anos depois, Fernando Collor confirmou fraternalmente o encontro e o diálogo com Havelange. Mas disse que o então presidente da Fifa não era uma pessoa que conhecesse "o jogo político do Congresso". Na lembrança de Collor, Havelange estava "preocupado", ao aconselhá-lo a ouvir e atender mais aos políticos.

A resposta, segundo Collor:

— Doutor Havelange, o senhor tem toda a razão, mas esse Congresso é um pouco diferente dos outros. De qualquer maneira, muito obrigado pelo conselho.

Um ano e meio depois daquele encontro, em maio de 1992, um conflito empresarial entre Pedro, irmão de Fernando, e Paulo César Farias, tesoureiro da campanha e homem-forte dos bastidores do governo Collor, tinha levado Pedro a dar documentos e declarações à revista *Veja* que comprometeriam gravemente a situação do irmão na Presidência da República.

Em 2005, Havelange continuava considerando Fernando Collor "um moço vindo de uma família da melhor qualidade" que tinha cultura, era estudioso, "falava línguas e era bem preparado". E que se fosse "menos agitado e menos temperamental", teria sido um "grande presidente":

"Prometi votar nele e votei, em respeito a um passado e uma juventude. Fiquei triste com o *impeachment*, mas também tinha e tenho convicção de que aquilo foi muito mais um ato político do que qualquer outra coisa. Fatos graves iguais àqueles nós tivemos e nada aconteceu."

Ao deixar o gabinete de Collor depois daquele encontro de 1990, Havelange tinha sido visto pelo então vice-presidente da República Itamar Franco. Os dois se conheciam desde que Itamar, na condição de prefeito de Juiz de Fora, oferecera à Viação Cometa um espaço nobre na nova rodoviária da cidade. Itamar se aproximou com o jeito carente que transformaria em estilo de governo:

— Você nunca veio me ver aqui.

Havelange, de primeira:

— Você nunca me convidou.

— Então está convidado.

Dois anos depois, em 29 de dezembro de 1992, Collor renunciou, tentando escapar a uma condenação de inelegibilidade. E horas depois, Itamar, aquele da provocação fraterna na porta do gabinete, era o novo presidente.

Mais um na longa lista de Havelange.

Vegas

Barry Manilow tinha cantado "Could it be magic", mas havia uma tensão no ar do Centro de Convenções de Las Vegas, Estados Unidos, na tarde do dia 19 de dezembro de 1993. Quando o ator Robin Williams, convidado para ser o mestre-de-cerimônias, surgiu no palco de *smoking* e luvas de borracha, como quem estivesse prestes a executar uma missão delicada, parte dos 4.500 convidados reunidos para o sorteio das chaves da Copa de 1994 entendeu a piada. Os bastidores da cerimônia já tinham sido agitados pela decisão de Havelange de proibir a participação de Pelé, presente na platéia, no tradicional sorteio das bolinhas.

Os organizadores americanos da Copa estavam surpresos com o veto. O vice-presidente do Comitê World Cup USA 1994, Jim Trecker, cercado pelos jornalistas antes da cerimônia, não quis polemizar com a Fifa, mas ainda manifestava esperança de poder contar, pelo menos na Copa, com o único jogador de futebol que, em suas palavras, os americanos eram capazes de reconhecer. A posição de Havelange, no entanto, era clara:

— Michel Platini é o nosso convidado. Pelé, não.

Entre os dirigentes da Fifa, além de Blatter, vários membros do Comitê Executivo também haviam tentado, sem sucesso, convencer Havelange a suspender a proibição. O aliado Jack Warner era um deles. Também entre os amigos brasileiros do presidente da Fifa havia muita preocupação, mas não surpresa: uma semana antes da festa de Las Vegas, em entrevista à revista *Veja*, Havelange já tinha dado o aviso:

"Dei todas as atenções e fiz gentilezas a esse moço, o Pelé. Gosto muito dele. É um mito do futebol. Um jogador inesquecível. Mas jogar futebol é uma coisa, ser empresário é outra. Não é porque perdeu uma concorrência que ele pode ir atacando violentamente os outros."

Os "outros" eram o genro Ricardo Teixeira, presidente da CBF. Em outro trecho da entrevista, Havelange desabafara:

"É preciso saber que, na vida, a gente ganha e perde. Esse moço não podia me fazer o que fez. O Ricardo é casado com minha única filha, é pai de meus netos e tudo o que ele precisa eu faço."

Pelé não esperava flores da Fifa. Estava em guerra aberta com a CBF, inconformado com a perda, por sua empresa, a Pelé Sports & Marketing, dos direitos de transmissão do Campeonato Brasileiro para a empresa Traffic. Fizera denúncias de favorecimento e a resposta de Teixeira, na época, fora a abertura de um processo na Justiça contra o ex-jogador. Para José Antonio Nascimento Brito, amigo de Teixeira e de Havelange, o que estava acontecendo em Las Vegas tinha um motivo muito claro:

"Muita gente não entendeu o rigor do Havelange. Eu sei exatamente como funcionou a cabeça dele. Só tem uma coisa mais importante para o Havelange do que a Fifa: a família dele."

Havelange tinha uma razão de ordem administrativa que não era contestada por nenhum dos dirigentes e amigos que pediam para ele revogar a proibição: Pelé estava em Las Vegas também a trabalho, fazendo publicidade para a Mastercard, que não tinha contrato com a Fifa. Em 2005, Havelange continuava dizendo que esta razão era suficiente para justificar a proibição:

"Eu disse ao Blatter quem ia participar do sorteio e ponto final. O Pelé vinha como publicidade da Mastercard. E se era para fazer publicidade, que ele fizesse fora. Eu disse: não vai entrar. E não entrou. É como se tivesse um jantar em sua casa e eu quisesse entrar de qualquer maneira. Você me põe para fora e eu tenho que sair. O sorteio não era para fazer publicidade de ninguém."

No palco do Centro de Convenções de Las Vegas, Robin Williams, ainda de luvas, arrancou risadas da platéia ao tratar Sepp Blatter o tempo todo de "Mistah Bladdah!". Mas Pelé, que tinha dado uma entrevista reafirmando suas críticas a Ricardo Teixeira duas horas antes da festa, não ficou para ver o final. Quando começou a chamada dos astros do esporte e do *show business* para o sorteio das chaves, ele se levantou do lugar que ocupava na platéia e foi embora. Na entrevista que deu logo depois, a queixa:

"Quando você passa a maior parte da vida jogando, promovendo e apoiando o futebol pelo mundo afora, você não precisa ser convidado por ninguém para um evento do qual você tomou parte por trinta e seis anos."

Depois, fez ressalvas, dizendo que o "problema" dele não era com Havelange nem com a Fifa, mas com a CBF. O estrago, no entanto, estava feito. E nos dias que se seguiram, o episódio de Las Vegas seria assunto nos jornais e revistas do mundo. Um prato cheio para os que não gostavam de Havelange. Uma onda de críticas que ele jamais sofrera na mídia internacional.

Nenhum dos amigos de Havelange entrevistados em 2005 discorda da interpretação de que ele respondeu mais como um pai zeloso aos ataques de Pelé ao genro. José Antonio Nascimento Brito, por exemplo:

"Como pai, como avô e como homem de família, Havelange é uma coisa espetacular. E, por conta disso, acabou dando um passo a mais na defesa do Ricardo."

Um velho companheiro dos tempos difíceis da chegada à Fifa, Paulo Godoy, não teve dificuldade de entender aquele gesto em Las Vegas:

"O João não é uma personalidade encouraçada. É uma pessoa sensível à ofensa. E se tiver que usar a arma da retaliação, não hesita em usá-la."

Entre todos os entrevistados em 2005 e 2006, o único que disse não acreditar que o veto a Pelé em Las Vegas decorreu da forte ligação que Havelange tinha com Ricardo Teixeira foi o já ex-genro Ricardo Teixeira, ainda presidente da CBF. Para ele, a atitude era apenas um gesto coerente de Havelange com o cuidado que ele sempre teve com a hierarquia e com as federações de futebol em geral, toda vez em que elas eram atingidas. Para Teixeira, "não tinha nada escrito dizendo que Pelé deveria participar do sorteio". E mais:

"Era um litígio da CBF com o Pelé. Eu garanto que se fosse um litígio da federação argentina com o Maradona a atitude dele seria a mesma."

Keir Radnedge se disse "triste por ver aquilo acontecer entre duas grandes figuras do futebol brasileiro". Keith Cooper descreveu o episódio como "muito desconfortável" e disse que a atitude em Las Vegas foi uma das poucas decisões de Havelange que não conseguiu entender.

Treze anos depois de Las Vegas, nem Havelange nem Pelé tinham muita disposição de lembrar a crise mais exposta que tinham tido. No caso de Havelange, a insistência no assunto resultou num desabafo veemente:

"O senhor esquece o Pelé, que é a melhor coisa que pode fazer. Eu me dou com ele. Ele, como jogador, foi nota 10, mas como ministro acho que cometeu um erro grave para o futebol brasileiro. Ele foi à Copa de 1958 com 17 anos porque eu garanti. Ninguém queria levá-lo porque tinha 17 anos e era uma criança. Isso ninguém fala porque é positivo. Com isso, ele ganhou quatro anos na vida dele. Isso é o que conta! Isso é o que vale!"

No caso de Pelé, em vez de desabafo, houve um intenso esforço de minimizar, o quanto fosse possível, o que ele passou a chamar de "mal-entendido" que provocou o episódio de Las Vegas, considerado por ele o "pior momento" de sua relação com Havelange. Pelé também mostrou grande dificuldade para lembrar detalhes exatamente do dia em que praticamente toda a comunidade do futebol mundial correu para o seu lado, solidária, após o veto no sorteio das chaves da Copa de 1994. Disse ainda que o episódio recebeu uma dimensão que não merecia na imprensa:

"Eu acho que o Havelange foi mal-informado, esse foi o erro dele. Porque, se nós pudéssemos ter conversado antes, não haveria problema. Depois, nós continuamos com a amizade, somos amigos até hoje. Eu agradeço tudo o que ele me deu de conselho. Respeito ele. Adoro o Havelange. Eu ainda o tenho como meu paizão. Foi chato pra mim também. Somos dois brasileiros, o Ricardo também, e nós brigando por uma bobagem."

A bobagem, de acordo com Pelé, foi ele ter acusado Ricardo Teixeira e seu diretor financeiro de corrupção, a partir de "informação falsa" dada por dois ex-sócios de sua empresa, a Pelé Sports & Marketing:

"Só depois do rompimento com os sócios eu soube que não foi nada daquilo. Inventaram aquilo e eu embarquei. Depois, tentei falar com o Havelange duas ou três vezes, mas não consegui. Eu queria explicar para ele que não tinha nada a ver."

O ensaio de Blatter

O comentário de Sepp Blatter para Peter Pullen foi feito durante o coquetel que se seguiu a uma reunião do International Board da Fifa na Inglaterra, no início de 1994. O então secretário-geral da Fifa estava preocupado com rumores que o amigo de Havelange na Inglaterra já ouvira:

— Estão dizendo que sou candidato. Estão fazendo isso contra o que eu pedi para eles. Me ajude nisso e diga também, por favor, ao doutor Havelange, que não sou candidato.

Àquela altura, um movimento difuso e nunca formalizado para o lançamento de Blatter, ou outro candidato europeu, à sucessão de Havelange já virara fumaça. Mas Keith Cooper, na época ainda executivo da ISL, confirmou em 2005, sem citar nomes, que Blatter foi mesmo "encorajado" a se candidatar ao cargo de Havelange:

"As pessoas começaram a querer saber quem seria o próximo presidente."

O tema "sucessão" também tinha surgido na pauta e nas conversas da imprensa. Na lembrança de Telmo Zanini, por exemplo, havia "uma pressão muito forte para que algum europeu voltasse a mandar no futebol mundial". Entre os membros do Comitê Executivo, o clima, na lembrança do escocês David Will, também era outro:

"As pessoas queriam fazer mais parte do processo de decisões. E estavam mais críticas."

O episódio mais citado na imprensa como emblema daquele movimento foi a participação de Blatter em uma reunião da comissão executiva da Uefa em Nordwijk, perto de Amsterdã, na Holanda, em maio de 1994, apontado por alguns como cenário de uma articulação de candidatura.

Onze anos depois daquele episódio, Havelange deixou claro que soube não apenas dos rumores sobre a reunião da Holanda, mas de outros movimentos que fizeram parte de uma espécie de ensaio de candidatura de Blatter. Mas disse que jamais perdeu de vista o fato de que o adversário principal não seria Blatter, mas os velhos rivais da Uefa, Lennart Johansson à frente:

"Se articularam em Amsterdã e quem me fez conhecer que isso havia ocorrido foi o Cañedo, meu vice-presidente. Mas eu não fiz o jogo deles."

Havelange não fez o jogo dos adversários, mas aliados como Jack Warner se disseram testemunhas de sua contida tristeza pelo fato de Blatter ter, segundo Warner, contemplado, pelo menos por algum tempo, a possibilidade de se lançar candidato antes da hora. No Brasil, também não foi difícil para amigos como Almeida Braga e Antonio José Carneiro perceberem a tristeza de Havelange com as conversas que Blatter teve com Lennart Johansson e com o presidente da Confederação Africana de Futebol, o camaronês Issa Hayatou, às vésperas da Copa de 1994.

Na lembrança de Keith Cooper, porém, Havelange não teve muito trabalho para interceptar e abater, na decolagem, o projeto de candidatura oposicionista, embora houvesse, segundo ele, entre os europeus, uma notória impaciência com o fato de a Fifa estar àquela altura completando vinte anos sob o comando de um dirigente sul-americano. O prazo para qualquer movimento naquele sentido, às vésperas do congresso de Chicago, ficara apertado. De acordo com Cooper, "não havia nada organizado, apenas idéias circulando":

"O resultado foi que Havelange continuou sem oposição. Não havia um candidato natural. Era uma grande confusão. E sempre que tinha confusão, Havelange se fortalecia."

Chicago

Ainda assim, o congresso da Fifa em Chicago, em junho de 1994, seria diferente de todos os anteriores da era Havelange. Nas reuniões do Comitê Executivo, pela primeira vez, na lembrança de David Will, houve não exatamente uma guerra civil, mas "muita discussão". O grupo europeu, segundo ele, queria ter mais influência em todas as deliberações do congresso, incluindo as relacionadas com os contratos de televisão e *marketing*.

"Havelange teve até dificuldade de acreditar que aquilo pudesse estar acontecendo: ele estava sendo criticado. Aquilo não tinha acontecido por vinte anos."

Mesmo com discussão no Comitê, Havelange tinha como trunfo as sólidas alianças e lealdades que construíra nas federações não-européias. Para esses aliados, entre outros compromissos, ele tinha prometido atender a uma antiga reivindicação: aumentar, de 24 para 32, o número de seleções finalistas da Copa do Mundo, a partir de 1998, na França.

Foi reeleito mais uma vez.

Por aclamação.

Em 13 de janeiro de 1995, Guido Tognoni, diretor de Comunicação, e Miguel Galan, diretor de Competições da Fifa, dois dos colaboradores mais próximos a Blatter, seriam demitidos. Pelo próprio Blatter. De acordo com o jornal *Herald Tribune*, as demissões estavam relacionadas à fracassada candidatura oposicionista. Na mesma época, Ricardo Teixeira seria eleito para o Comitê Executivo, substituindo Abílio de Almeida. A oposição a Havelange, na análise do mesmo jornal, "simplesmente se derreteria".

O próprio Blatter reconheceu, em entrevistas posteriores, o esfriamento temporário de sua relação com Havelange antes, durante e depois da Copa de 1994, exatamente por causa do ensaio de candidatura. Uma frieza que só diminuiria no final de 1996.

Keith Cooper, o substituto de Guido Tognoni no cargo de diretor de Comunicação da Fifa, sentiria logo os novos tempos. Na sua lembrança, Havelange passou a fazer questão de que todos soubessem o que ele estava fazendo para o futebol. E um episódio ocorrido no hotel Sheraton de Estocolmo, em 1995, seria emblemático da realidade política que ele encontrou na Fifa. Foi uma reunião da força-tarefa encarregada pela entidade de desenvolver e estudar maneiras de tornar o futebol mais atraente.

O comando da força-tarefa tinha sido entregue a Lennart Johansson e o encontro, descrito como "muito positivo" por Cooper, coincidia com a realização da Copa do Mundo de futebol feminino. Johansson presidiu os trabalhos, mas Havelange também participou. Depois da reunião, Cooper redigiu, com cuidado extremo em cada linha e palavra, um *release* de uma página com as principais decisões e sugestões da força-tarefa, todas com algum impacto jornalístico, e mencionou no texto que o encontro tinha sido presidido por Lennart Johansson.

Minutos depois de mandar uma cópia do *release* para o escritório de Havelange no hotel, Cooper recebeu uma ligação dele, convocando-o para uma conversa. Subiu alegre, certo de que tinha feito um bom trabalho e encontrou Havelange à mesa com o *release* nas mãos e uma pergunta.

— Você estava no encontro esta manhã?

— Claro.

— Eu estava lá?

— É claro que o senhor estava.

Sem raiva, mas determinado, Havelange pegou uma caneta, fez um risco no trecho onde estava o nome de Johansson e determinou:

— Por favor, coloque meu nome aqui.

Keith considerou o episódio uma lição:

"Nunca mais cometi aquele erro novamente. Ele era o chefe. E queria que você soubesse que ele era o chefe."

Sepp Blatter não diria diferente.

CAPÍTULO 15

Desafios

No centro do mundo

O funcionário encarregado do acesso à tribuna de honra do estádio Rose Bowl, em Pasadena, Califórnia, no jogo entre as seleções dos Estados Unidos e da Romênia pelo grupo A da Copa, tinha alguma noção do que era o *soccer*, mas não conhecia o presidente da Fifa. Era o dia 26 de junho de 1994. Faltavam cerca de 15 minutos para o início da partida quando Havelange chegou, acompanhado do secretário particular Marcel Citherlet.

Sem credencial, os dois foram impedidos de entrar. De nada adiantou Marcel argumentar que se tratava do presidente da Fifa, a entidade responsável pela competição. Sem credencial, o americano não deixava passar. Havelange, então, entrou em ação.

— Está muito bem.

Mandou que Marcel ligasse para um dos dirigentes da Fifa que estavam no estádio e determinou:

— Enquanto eu não chegar à tribuna de honra, os times não entram em campo.

Havelange não perderia um minuto da partida. Instantes depois da ordem, um funcionário da federação americana desceu até a roleta de acesso à tribuna, desfez o mal-entendido, pediu desculpas e o conduziu ao seu lugar. Passados onze anos do incidente que escapou da cobertura jornalística daquela Copa, Havelange não demonstrava o menor constrangimento ao lembrar o gesto imperial, prato cheio para seus críticos, como uma afirmação do poder da Fifa, acima de qualquer instância, regime político, religião ou índice de desenvolvimento humano:

"Fiz aquilo para mostrar que o dono da festa, quer queiram ou não, é a Fifa."

O eterno adversário político Lennart Johansson, mesmo fazendo a ressalva de que "Havelange talvez tenha se excedido algumas vezes, pensando que a Fifa era o centro do mundo", reconheceu, em 2005, que o brasileiro foi um rigoroso guardião das regras, tradições e estatutos da Fifa:

"Havelange sempre se baseou nas regras e estatutos e teve a determinação de tê-los como guia. Pouca gente ousaria seguir os caminhos que ele seguiu. E isso fez dele um líder."

Àquela altura, já era lugar-comum, na mídia internacional, a descrição da Fifa de Havelange como um organismo que tinha mais afiliados que a ONU, uma entidade que era respeitada por qualquer chefe de Estado, fosse ele Saddam Hussein, o rei Fahd da Arábia Saudita, os burocratas do partido comunista que dominavam a Coréia do Norte, os coronéis que subiram ao poder nas antigas colônias européias da África, ou Al Gore, vice-presidente da maior e mais poderosa democracia do planeta:

— Doutor Havelange, eu queria muito que o senhor organizasse uma partida de futebol entre israelenses e palestinos. Seria muito importante para o processo de paz no Oriente Médio.

A sugestão em tom de pedido, feita por Al Gore na área "vip" do mesmo estádio Rose Bowl, minutos antes da final entre as seleções do Brasil e da Itália, em 17 de julho, foi recebida, segundo José Antonio Nascimento Brito, testemunha do encontro, com a tradicional reserva:

— Presidente, a Fifa trata de futebol e não de política.

Al Gore, mesmo surpreso com a resposta inicial de Havelange, não desistiu:

— Minha idéia era as duas seleções jogarem em Nova York, sede da ONU, diante de mandatários de todo o mundo.

Havelange conhecia a octanagem do assunto. Vinte anos antes, em setembro de 1974, ainda tomando pé da presidência da Fifa, tinha sido testemunha de um encontro dramático do futebol com o ódio étnico e religioso. Dividira a tribuna de honra do estádio de Teerã com o filho de 12 anos do xá Reza Pahlevi, para assistir à mais explosiva final possível da Copa da Confederação Asiática: uma decisão entre as seleções do Irã e de Israel.

Antes do jogo, judeus iranianos ricos tinham ido ao hotel onde estava hospedada a seleção israelense, no centro de Teerã, para pedir, encarecidamente, que eles perdessem o jogo. Estavam assustados com as pichações que tinham sido feitas em suas lojas e empresas, prometendo uma destruição bem pior do que a da "Noite dos Cristais", a brutal ofensiva de nazistas contra a comunidade judaica alemã, em novembro de 1938. O recado dos xiitas, segundo o jogador israelense Schweiter, era simples: Israel não poderia vencer a partida.

Em campo, os jogadores israelenses foram recebidos por uma chuva de objetos em que predominaram centenas de cabeças de galinha. Durante o jogo, não passaram do meio de campo. E um providencial gol contra de Itzhak Schum, dando a vitória e o título à seleção iraniana, evitara o que poderia ser um massacre sangrento. Na lembrança de Schweiter, "nunca um jogador que fez gol contra foi tão abraçado pelos companheiros do próprio time". Uma experiência também inesquecível para Havelange:

"Por felicidade de Deus, Israel perdeu por 1 a 0, porque, num estádio com 65 mil pessoas, ia ser uma tragédia."

A confederação asiática votara pela expulsão de Israel da entidade, com o argumento de que países não-asiáticos não poderiam pertencer a ela. Em uma carta para o presidente da confederação, Tuanku Abdul Rahman, Havelange advertiu que a decisão de excluir Israel era ilegal:

"Nenhuma confederação pode, por si própria, impedir que uma associação nacional afiliada à Fifa exerça todos os direitos garantidos por sua afiliação ao corpo mundial."

A experiência do jogo em Teerã, no entanto, fora tão forte que Havelange viajou em seguida para Israel. E acabou promovendo a transferência da federação daquele país para a tranqüila e descomplicada Confederação de Futebol da Oceania:

"Depois fui a todos os países do Golfo, inclusive o Iraque. Todos me receberam muito bem, mas o Iraque foi mais contundente. Saddam Hussein foi muito atencioso, mas achava que eu estava indo longe demais. Acabou concordando. Israel saiu e foi para a Oceania."

Aquele pedido do vice-presidente Al Gore, na tribuna de honra na Copa de 1994, significaria, portanto, uma quebra no acordo pelo qual os israelenses e árabes continuaram participando das competições da Fifa, sem se cruzarem. Havelange, seguindo o velho estilo, dissera ao vice-presidente americano que faria o que fosse possível.

Três anos depois, em 1997, os dirigentes israelenses já tinham concordado com o jogo em Nova York. Havelange queria, então, aproveitar o Mundial de Sub 17 no Egito para se encontrar com Yasser Arafat na Faixa de Gaza, mas, dois dias antes, o encontro seria adiado por motivo de segurança: um ônibus de turistas alemães voou pelos ares, num atentado com mais de 50 mortos. Um novo encontro ainda seria intermediado pelo rei Hussein, na Jordânia. Mas, novamente, dois dias antes, Arafat foi chamado para um dos históricos encontros em Camp David, nos Estados Unidos:

"Foi uma pena. Não realizar aquele jogo da paz foi uma das coisas que mais lamentei não ter conseguido fazer à frente da Fifa."

A Copa dos Estados Unidos, embora disputada num país que era alvo de uma temida coleção de ódios políticos, étnicos e religiosos, não seria cenário de nenhum incidente relevante envolvendo bandeiras políticas ou interesses geopolíticos. O futebol, no entanto, faria pelo menos uma vítima fatal: o zagueiro Escobar, da Colômbia, assassinado em seu país por marcar um gol contra, no jogo contra a seleção dos Estados Unidos, na primeira fase da Copa. Neste caso, Havelange não teve tempo de tentar nada:

"É para a gente ver até onde vai a paixão pelo futebol. Aquilo foi de uma tristeza e de uma maldade muito grande."

A turma de 1970

Carlos Caetano Bledorn Verri ou João Havelange? Passados 11 anos desde o dia 17 de julho de 1994, quando Havelange entregou a taça de campeão ao vice-presidente americano Al Gore, para que ele a passasse às mãos de Carlos Caetano, o Dunga, capitão do time que deu ao Brasil seu quarto título mundial, continuava difícil saber qual dos dois admirava mais o outro.

O fato de Dunga ter sido eleito pela maioria da imprensa esportiva brasileira um símbolo do que os cronistas consideravam ser a mediocridade e a falta de ousadia da seleção que partiu para aquela Copa sob comando de Carlos Alberto Parreira fez a admiração mútua se transformar em profunda solidariedade. Para Dunga, Havelange foi "um exemplo a seguir", e "um homem que revolucionou o esporte de forma profissional, empresarial e com muito planejamento, sem deixar o futebol perder a sua essência". Para Havelange, Dunga foi "um exemplo inigualável de respeito, dignidade e consciência, como profissional do futebol".

Boa parte da imprensa, principalmente os jornalistas e radialistas de São Paulo, criticara intensamente o carioca Parreira e o gaúcho Dunga desde a difícil fase de classificação, quando o Brasil perdeu um jogo pela primeira vez em eliminatórias, 2 a 0 para a Bolívia, garantindo a vaga para a Copa apenas no último jogo, um dramático 2 a 0 contra o Uruguai no Maracanã, dois gols de Romário.

A solidariedade de Havelange a Dunga, Mazinho e outros jogadores daquele time só era comparável, em intensidade, à que ele sentia e demonstrava abertamente pelos que ficavam à beira do campo: Parreira e o coordenador técnico Zagallo, a dupla que Havelange sugerira a Ricardo Teixeira para o comando da seleção depois da derrota na Copa de 1990.

No que dizia respeito a Zagallo, titular de 1958 e 1962 e técnico sempre prestigiado por Havelange a partir da crise que precedeu à conquista do tricampeonato, em 1970, falar mal do presidente da

Fifa perto dele era quase um caso de briga, como Zagallo mesmo disse em 2005:

"Quando uma pessoa é amiga, a gente tem que defender com unhas e dentes. Se alguém for falar mal do Havelange, eu estou pronto para cortar, seja qual for o momento. Não deixo prosseguir."

No caso de Parreira, a lealdade a Havelange começara com uma interrupção de lua-de-mel. Parreira tinha acabado de se casar, em setembro de 1971, quando foi alcançado por Havelange, pedindo que ele fosse ao pré-olímpico na Colômbia:

— Meu filho, eu estou precisando de você. É importante o Brasil conquistar uma vaga para as Olimpíadas de 1972.

Importante para Havelange.

Impossível de negar para Parreira.

Inacreditável para Leila, a noiva:

"Quando eu contei, a Leila quase desabou. Seriam 25 dias para adaptação à altitude e mais 20 dias competindo. Uns 40 dias de ausência. E nós estávamos casados havia dois meses."

Três décadas depois, em 2005, o título do tetracampeão mundial na sala de visitas e uma bem-sucedida carreira internacional de técnico de futebol, sempre apoiada por Havelange, o casal Parreira não tinha queixa alguma da abstinência imposta pelo pré-olímpico. Muito menos Havelange, que, um ano antes da Copa de 1994, já dizia à revista *Interview*:

"Parreira é o melhor técnico do mundo. É um estudioso, um homem muito bem preparado e está assessorado pelo Zagallo, um sujeito extraordinário. A fórmula de 1970 continua perfeita."

Parreira, no entanto, liderou a conquista do tetracampeonato nos Estados Unidos em meio a críticas de que estava obrigando a seleção brasileira a abandonar suas características de alta qualidade técnica e beleza para jogar "como os europeus", com ênfase na marcação, de forma pragmática e defensiva, e de olho na tabela, para vencer sete partidas seguidas. Exatamente da maneira que Havelange dissera a

Ricardo Teixeira que tinha de ser, em 1992, na crise em que o técnico Paulo Roberto Falcão foi afastado do comando do time.

Havelange, apesar de completamente solidário aos ícones da chamada "era Dunga", dentro e fora do campo, deu as mãos à torcida e à maioria da imprensa brasileira no que dizia respeito a Romário, um atacante que ele admirava muito, principalmente pela "fabulosa impulsão". Fez até uma previsão, na edição do *Jornal do Brasil* de 8 de junho daquele ano:

"Romário estará para este Mundial como Maradona esteve para a Copa do México."

Na mosca. O famoso "baixinho" foi eleito unanimemente o craque daquela Copa. Marcou gols em cinco dos sete jogos, e ainda serviu Bebeto, que marcou outros três. O Brasil passou à segunda fase depois de duas vitórias, 2 a 0 na Rússia e 3 a 0 em Camarões, e um empate de 1 a 1 com a Suécia. Depois, venceu os Estados Unidos por 1 a 0, a Holanda por 3 a 2, e a Suécia, na semifinal, por 1 a 0. A final, mais uma vez contra a Itália, foi a primeira decidida nos pênaltis na história das Copas, depois de um empate de 0 a 0 em 120 minutos, com vários gols perdidos pelo Brasil, um deles por Romário, na pequena área, de cara para o goleiro italiano Pagliuca.

Na tribuna de honra do Rose Bowl, junto com o abraço, Dunga ganhou de Havelange um beijo afetuoso como o de um pai e um recado de Anna Maria, admiradora solidária dos tempos em que ele fora esculhambado na imprensa. Nascia ali uma amizade sem limites até de fuso horário. Três anos depois, em 1997, para atender a um pedido de Havelange para que participasse do jogo comemorativo da devolução de Hong Kong à China, Dunga faria uma viagem estonteante:

"Eu joguei à noite contra a Bolívia, em La Paz, na vitória de 3 a 1 que nos deu o título da Copa América. Cheguei no Brasil às 4h, em São Paulo, via Porto Alegre. Saí às 19h, dei a volta ao mundo e fui jogar em Hong Kong no dia seguinte."

Para Havelange, aquela Copa não poderia ter sido melhor. O triunfo da seleção brasileira fora conquistado num momento em que a CBF voltava a ficar sob sua influência direta. E a Copa contrariara previsões de que a competição seria um fiasco, num país que não tomava conhecimento do futebol.

Os americanos realmente não prestaram muita atenção à Copa. E parte dos atletas e jornalistas reclamou do horário de alguns jogos, marcados para a hora do almoço, sob forte calor, para facilitar a audiência das transmissões de televisão para outros fusos do planeta. Ainda assim, aquela Copa registrou a maior média de público da história da competição, 69 mil pessoas por jogo, e o maior público em números absolutos, 3,6 milhões, desde a Copa da Espanha, em 1982, a primeira com 24 times e 52 partidas.

A Copa de 1994 só não foi perfeita para Havelange por causa de alguns resíduos de uma substância química.

O nome é efedrina.

Droga

Quarta-feira, 29 de junho de 1994. Havelange tinha assistido à vitória da seleção da Arábia Saudita por 1 a 0 contra a Bélgica, pelo grupo F da Copa, no estádio Robert Kennedy Memorial, em Washington, e estava a caminho de um jantar com o embaixador brasileiro Paulo Tarso Flecha de Lima. Uma notícia, no entanto, o fez cancelar o compromisso e seguir direto para o aeroporto da capital americana, onde estava o jato executivo que ele usou para atravessar o país várias vezes durante aquele Mundial.

À sua espera, para uma reunião em Dallas, estavam Guillermo Cañedo, presidente do comitê organizador da Fifa para a Copa dos Estados Unidos; Julio Grondona, presidente da Associação de Futebol Argentina, o secretário-geral Sepp Blatter; e um trio de médicos formado por um espanhol, um chileno e um americano vinculados a um laboratório de análises clínicas de Los Angeles. Um forte temporal que caiu em Washington atrasaria sua chegada ao Texas em cerca de três horas.

A notícia era o resultado do exame de *doping* feito na urina de Diego Armando Maradona, colhida logo depois da vitória da Argentina contra a Nigéria por 2 a 1, no estádio Foxboro, em Massachusetts, no dia 25 de junho, pelo grupo D da Copa.

Dera positivo.

E a reunião que Havelange presidiria em Dallas apreciaria o resultado da contraprova, exigência automática do regulamento da competição.

Também positivo.

Antes daquela Copa, Maradona já vinha ocupando as manchetes por incidentes relacionados ora às suas tentativas de se livrar do vício da cocaína, ora às recaídas. Em fevereiro, agredira um fotógrafo do jornal *Clarín*. Na mesma época, fora acusado de disparar uma espingarda de ar comprimido em direção aos jornalistas que faziam plantão em frente a sua casa, em Buenos Aires. Em maio, a própria federação argentina decidira colocar um médico especializado em recuperação de drogados à disposição de Maradona e do atacante Claudio Caniggia.

O próprio Havelange tinha participado de pelo menos uma tentativa de afastar Maradona das drogas. A transferência do craque do time do Napoli para o Sevilla, em setembro de 1992, uma forma engendrada por amigos para o manter longe das perigosas relações com o círculo napolitano da cocaína, foi facilitada com a suspensão, por Havelange, de uma proibição de participação em jogos internacionais imposta a Diego. Em abril de 1991, ele tinha sido suspenso por 15 meses pela federação italiana, em decorrência de outro resultado positivo de teste de *doping*, neste caso acusando a presença não de efedrina, mas de cocaína mesmo.

Keith Cooper, à época ainda um executivo da ISL, foi testemunha do gesto de Havelange a favor do craque que lhe havia recusado um aperto de mãos dois anos antes, na entrega da medalha de vice-campeão da Copa da Itália.

"Foi um envolvimento incomum de Havelange, já que ele nunca quis misturar suas funções com a vida dos jogadores de futebol. Ele achava que os jogadores já tinham seus representantes e agentes, e nunca foi de querer pegar carona no sucesso deles. No caso de Maradona, porém, Havelange estava ciente da exposição pública que a questão tivera e queria ser visto como alguém que estava tentando ajudar a grande estrela."

A ajuda à grande estrela foi formalizada em 22 de setembro de 1992 na própria sede da Fifa, em Zurique, onde, depois de uma reunião de cinco horas, representantes do Napoli e do Sevilla assinaram um contrato pelo qual Maradona se transferia para o clube espanhol, então dirigido pelo técnico argentino Carlos Billardo, por 7,5 milhões de dólares. Uma das exigências impostas pelo clube napolitano na operação era a de que Maradona não poderia se transferir para a Itália nos dois anos seguintes ao contrato. Na conta da transferência estava incluída a dívida que Maradona tinha à época com o Napoli: 4,3 milhões de dólares.

Em entrevista ao repórter Aydano André Motta, da revista *Interview*, em 1993, Havelange se referira ao envolvimento de Maradona com as drogas de forma fraterna e preocupada:

"Foi como se tivesse acontecido com um filho ou um neto meu. Pessoalmente, senti muito porque ele é um rapaz jovem, uma estrela, um fenômeno. Perdê-lo para as drogas seria muito triste. Procurei reabilitá-lo de todas as maneiras, porque erros, mesmo graves, são naturais."

A "solução Sevilla" durou pouco tempo. Maradona deixou o campo machucado no primeiro jogo pelo time, em outubro daquele ano, contra o Atlético de Bilbao. Em junho de 1993, ao ser substituído por ordem de Billardo em uma partida contra o Burgos, Diego saiu do gramado insultando o técnico. Dias depois, o Sevilla rescindiu o contrato, alegando indisciplina e pedindo indenização. Maradona voltou para a Argentina e, nas palavras de Havelange, "começou a descer a ladeira de forma cada vez mais violenta".

Por coincidência, todos os personagens daquele episódio que seria o mais dramático ocorrido fora dos campos da Copa de 1994 estavam em Dallas, na noite de 29 de junho. Maradona e o resto da delegação argentina, porque o time enfrentaria, no dia seguinte, no estádio Cotton Bowl, a seleção da Bulgária. Os jornalistas do mundo inteiro porque foi em Dallas, num antigo centro de convenções, que funcionou o centro de imprensa daquele Mundial. E os dirigentes da Fifa, porque foi para lá que os médicos encaminharam a prova e a contraprova do teste de *doping* de Maradona.

Ao lembrar os acontecimentos daquela noite, Havelange disse, em 2005, que, após a apresentação do resultado da contraprova, pediu a Julio Grondona que escrevesse uma carta à Fifa comunicando o desligamento de Maradona da delegação. O dirigente argentino quis saber a razão.

— Primeiro, porque o seu time pode ser desclassificado. Segundo, porque quem comanda o combate a entorpecentes aqui neste país é a DEA, a Drug Enforcement Agency. E se a DEA disser que vocês têm de ir embora não haverá o que fazer. Como ficam os jogos para os quais o público já comprou ingressos?

Onze anos depois, Havelange explicou que o que queria com a carta encomendada a Grondona era evitar a mais remota possibilidade de a autoridade da Fifa em relação à Copa ficar, de alguma maneira, por causa do *doping* de Maradona, sob custódia das autoridades americanas:

"O Grondona fez a carta. E não se tocava mais na Argentina. Como Maradona foi retirado da competição, ele não foi julgado. Julgado ele seria depois da Copa do Mundo, mas pelas instâncias da Fifa."

Pablo Porta, então presidente da Comissão Disciplinar da Fifa, a instância que tomaria as medidas contra Maradona depois da Copa, não apenas estava em Dallas naquela noite como dividiu, com o próprio Maradona, a mulher do craque, o presidente Julio Grondona e outros integrantes da delegação da Argentina, a mesa de um restaurante da cidade. Na lembrança de Pablo Porta, todos eles já sabiam do resultado da contraprova. E pareciam resignados:

"Eu estava ali porque sempre fui mais ligado aos latinos e brasileiros do que aos europeus. Nem por isso, no entanto, o Grondona e os outros fizeram qualquer pressão. Eles se portaram com uma correção maravilhosa porque sabiam que poderiam me comprometer. E não me disseram nada."

Maradona, na lembrança de Pablo Porta, estava surpreso e "já sabia o quanto aquilo o prejudicaria". E parecia resignado.

Parecia.

Nem mesmo a Fifa estava preparada para enfrentar as conseqüências de afastar da Copa a maior estrela do futebol mundial da época. A avaliação foi feita em 2005 por Keith Cooper, que trabalhou no setor de imprensa da Fifa em Los Angeles durante a Copa e disse poder sentir, mesmo a distância, que a preparação da entrevista coletiva pelos colegas de Dallas, na manhã de 30 de junho, foi "caótica".

A informação oficial foi a de que os exames constataram a presença de efedrina natural, um dos estimulantes mais usados nos casos de *doping* no esporte, e mais quatro derivados sintéticos, que agiam sobre o sistema nervoso central e circulatório, melhorando os reflexos, aumentando a oxigenação do sangue e diminuindo a sensação de fadiga. Ainda segundo o laudo da Fifa, Maradona tomou os estimulantes no dia do jogo contra a Nigéria e em uma dosagem entre cinco e dez vezes mais alta do que a usada como descongestionante.

O fato de o presidente da Comissão Médica da Fifa, o belga Michel D'Houge, ter acrescentado, durante a coletiva, a conclusão de que o exame era uma demonstração de que Maradona tinha preparado um "coquetel" de substâncias proibidas, geraria uma polêmica interminável. Mas a conclusão predominante entre médicos entrevistados e jornalistas, depois da entrevista, era a de que Maradona, muito provavelmente, fizera uso excessivo de algum tipo de descongestionante nasal ou inibidor de apetite que tinha efedrina em sua composição.

Em sua primeira entrevista, Maradona deu a pista de que estava magoado com a Fifa:

"Juro pelas minhas filhas que não me dopei. Houve um equívoco. Quando me droguei, me apresentei, fui à Justiça e perguntei qual a minha pena. Sinceramente, pensei que o rancor contra Maradona já havia passado, mas parece que não."

Era uma espécie de marco zero de uma guerra pesada que Maradona abriria contra Havelange, e a Fifa passaria a personificar, na opinião do jogador, não apenas todos os pecados do mundo do futebol, mas também toda a sorte de conspirações e manobras, incluindo a manipulação de resultados da Copa do Mundo. O que mereceu de Havelange, em 2005, um comentário que misturava perplexidade e tristeza:

"Eu vi o Maradona uma vez na vida. E nunca mais tive de vê-lo para nada, mas procurei protegê-lo. Mas era mais fácil se voltar contra mim porque atacar o presidente da Fifa sai no jornal. Você acha que eu fico satisfeito? Eu não fiz nada a ele! Tratei ele com carinho a distância. Suspenso, cheio de problemas, eu o coloquei na Espanha, fiz o que podia por ele e ele, você não pode imaginar, se portou pessimamente nos Estados Unidos."

Keir Radnedge, da revista *World Soccer*, disse, em 2005, que tendia a acreditar que não houve qualquer conspiração para atingir Maradona. O tempo que se passou desde a descoberta do *doping*, de acordo com Keir, só reforçou sua convicção:

"Se existisse uma conspiração, acho que agora, mais de dez anos depois, ela seria revelada por pessoas que estivessem envolvidas. Passaram-se dez anos, as pessoas trocaram de empregos, mudaram e ninguém falou em conspiração. Isso pra mim mostra que não foi deliberado."

Pelé, que atuou naquela Copa como comentarista da TV Globo, considerou a tese de perseguição de Havelange no episódio "uma coisa absurda". Richard Porret, do jornal *L'Équipe*, também disse não acreditar que Havelange fosse inimigo de Maradona. Keith Cooper "nem por um momento" considerou a tese de um exame de *doping* arranjado para prejudicar Maradona:

"Isso é nonsense, absoluto nonsense. Há um procedimento, há regras, os testes são feitos por profissionais da área médica. Médicos são médicos, às vezes mais confiáveis do que bispos e padres. O que a Fifa ganharia manipulando esse tipo de coisa? Era um nome no chapéu, acima de qualquer suspeita."

Mike Collett, editor de esportes da agência *Reuters*, primeiro brincou que, como inglês, ficou satisfeito de ver Maradona fora da Copa, como "vingança pelo gol de mão contra a Inglaterra em 1986". Depois, sério, disse não acreditar que o craque tenha sido escolhido, em vez de sorteado, para o exame:

"Você ouve críticas como essa o tempo todo no futebol. Gente dizendo que pessoas tentaram mudar os resultados, manipular os sorteios. Ninguém nunca prova. A pergunta é: por que fariam aquilo? Maradona era a grande estrela daquela Copa. E o futebol precisa de estrelas, o público quer estrelas. Eu não acredito que Maradona foi perseguido por Havelange ou por qualquer outra pessoa."

Aos poucos, Maradona se transformaria num ícone ao mesmo tempo maldito e idolatrado na mídia do final do século XX. Um perfil antológico do jornalista Gabriele Marcotti para o jornal inglês *The Times*, escrito sob o título "Sintonizando a voz surreal de Deus" e publicado em 9 de fevereiro de 2004, sintetizou o fenômeno como poucos. E começava com uma comparação entre ele e Pelé, dizendo que o brasileiro era provavelmente o atleta mais famoso do mundo, junto com Muhammad Ali e talvez Michael Jordan, mas ressalvando:

"Nenhum jogador de futebol gera o tipo de resposta visceral e apaixonada que Diego Maradona gera. E porque Maradona não passa seu tempo entre agradáveis patrocinadores, entregas de prêmios e venda de Viagra, quando ele aparece e fala as pessoas prestam atenção."

Para Marcotti, Maradona "se adaptou ao velho arquétipo do escravo que passa o seu senhor para trás", representando as "pobres massas desprovidas" contra o *establishment* ocidental, e encarnando "a figura de um Cristo crucificado pelos Herodes do futebol, Sepp Blatter e João Havelange". Marcotti escreveu ainda que Maradona não "andava sobre a água" nem fazia curas, "provavelmente por ser iniciante no mercado da salvação espiritual", mas era "uma Jezebel prostituta ao lado da casinha de bonecas de Pelé, absinto perto de adegas de vinho, um elemento de perigo, de rebelião e de iconoclastia que muitos desejamos no mundo cada vez mais asséptico e comercializado do futebol mundial".

No final do artigo, Marcotti informava que virtualmente todos os colegas de Maradona na seleção, com a notável exceção de Daniel Passarela, que o substituiu como capitão, o adoravam. E que mais de um deles, no entanto, disseram que Maradona estava "escorregando em direção à doença mental, ainda que estivesse se apresentando como o Che Guevara do futebol". Mas concluía:

"Não importa. Enquanto ele mantiver a boca no trombone, as pessoas vão parar para ouvir."

Nos anos que se seguiram àquela amarga despedida das Copas do Mundo, Maradona continuaria falando muito, a ponto de inspirar a fundação, por fãs argentinos, de uma "Igreja Maradoniana". Ao mesmo tempo, confirmando os temores dos colegas da seleção, continuaria escorregando feio na trilha da cocaína, chegando a sofrer um grave ataque cardíaco depois de uma overdose, em 18 de abril de 2004. Em janeiro de 2005, pesando mais de 100 quilos, internou-se em uma clínica de Cartagena das Índias, na Colômbia, para se tratar de obesidade mórbida e se submeter a uma cirurgia de redução de estômago. Havelange registrou:

"Veja este moço como está! Parece um Quasimodo! Meu Deus do céu! É um homem doente."

Meses depois, com cerca de 30 quilos a menos e exibindo uma surpreendente recuperação, estrearia um programa de TV, "A noite do Dez", que se transformou num fenômeno de audiência. Reconciliou-se com Pelé, fazendo com ele uma histórica tabelinha de cabeça no palco do programa, e deixou o então presidente da Fifa, Sepp Blatter, disposto a abrir as portas da entidade para uma reconciliação. E a surpresa maior: Maradona anunciaria, em 4 de outubro de 2005, que convidaria João Havelange para um encontro amigável diante das câmeras.

Havelange não levou a sério.

Peladas

A tradição precedeu a chegada de Havelange à Fifa, foi mantida por ele e tinha nome: "Gusti Cup", em homenagem a um ex-presidente da Uefa, Gustav Wiedecker. Acontecia, religiosamente, duas vezes ao ano, na primeira sexta-feira de maio e na primeira sexta-feira de setembro. O número de convidados costumava ficar em torno de cem pessoas, entre dirigentes do esporte, políticos suíços, banqueiros, empresários, alguns jornalistas e convidados do comando da Fifa. Participar dela era como ter um passaporte carimbado para entrar no mundo do poder do futebol.

Era uma pelada de confraternização durante a qual Havelange, alguns membros do Comitê Executivo e parte dos convidados trocavam os ternos por uniformes e chuteiras, para se divertir dentro das quatro linhas. Depois do racha, o encontro era encerrado com um banquete sempre espetacular, na mansão do banqueiro Max Köller, então detentor de 15% do capital do Credit Suisse.

Não era uma reunião de negócios, mas, na lembrança do empresário do setor financeiro Antonio Carlos Coelho, convidado por Ricardo Teixeira para uma das edições da "Gusti Cup" nos anos 1980, juntamente com Johnny Figueiredo, um dos filhos do então presidente brasileiro, nem precisava ser:

"O simples fato de participar daquele banquete, junto com cerca de cem convidados, levou Max a me convidar para um congresso mundial de *trading*. Quer dizer: sem abrir a boca, o Havelange criou uma oportunidade maravilhosa para mim."

Antonio Carlos Coelho, por sua amizade com Ricardo Teixeira, aproximaria do futebol um famoso empresário brasileiro, Mathias Machline, dono da Sharp. Machline, segundo Antonio Carlos, além de se tornar amigo de Teixeira, chegou a desenvolver um projeto de parceria com a ISL, com a participação da IBM e da ITT. Previa um sorteio internacional mensal acoplado ao futebol, chamado Fifa Club, e que desaguaria num grande evento paralelo à Copa do Mundo.

Em 12 de agosto de 1994, dias depois da assinatura do pré-contrato com a ISL em Nova York, Machline seguiu para Atlantic City e Antonio Carlos Coelho, também sócio e executivo do projeto, voltou para o Brasil. No caminho para Atlantic City, o helicóptero que levava Machline caiu e ele morreu. O projeto Fifa Club acabou não prosperando depois de sua morte.

Duelo de bilhões

Entrar no círculo de relações de João Havelange era tudo de que precisava Mark McCormack. O resto ele tinha, e muito. Advogado formado em Yale, pioneiro do *marketing* esportivo e considerado por muitos o homem que redefiniu os negócios nesta área, McCormack fundara e comandava a IMG, International Management Group, empresa que detinha uma poderosa coleção de contratos e que havia começado em 1960, com o patrocínio do golfista Arnold Palmer pela Wilson, empresa de material esportivo, estendendo-se ao longo dos anos para estrelas do rugby, do cricket, do automobilismo e do tênis, esporte no qual seu portfólio de clientes incluiu Björn Borg, John McEnroe, Ivan Lendl, Chris Evert, Martina Navratilova, Andre Agassi e Pete Sampras.

Considerado pela revista *Sports Illustrated* "o homem mais poderoso do esporte" por ter transformado a IMG na maior detentora mundial independente de direitos de imagem, McCormark não queria apenas entrar no negócio do futebol. Queria tomar conta dele, substituindo a ISL de Horst Dassler. Uma das estratégias de McCormack para se aproximar de Havelange foi conversar com o empresário Antonio Carlos de Almeida Braga, de quem se tornara amigo depois de sucessivos encontros nas quadras do *Grand Slam* ao redor do mundo.

McCormack pediu, durante a Copa dos Estados Unidos, por intermédio de Almeida Braga, que Havelange recebesse o vice-presidente da IMG, Eric Drossart. A conversa, de acordo com Almeida Braga, aconteceu, mas não foi boa para a IMG. Havelange, não era segredo para quem estava por perto, não tinha motivos para mudar de fornecedor. McCormack então resolveu investir num encontro pessoal com o presidente da Fifa e propôs, por telefone, uma reunião em Nova York. Uma década depois, Havelange deu a entender que a conversa também não foi boa:

"Ele queria entrar em contato com a Fifa e eu disse a ele que estaria à disposição dele na Suíça. Eu não sou menino de recados. Não iria a Nova York nem amarrado. E não fui. Se o que ele queria era bom ou se era ruim, não sei. Imagina se eu, brasileiro, me deslocasse para falar com 'A', 'B' ou 'C'! Inventariam um monte de coisas. Nunca recebi alguém sem que estivesse sentado, ao meu lado, um secretário ou chefe de serviço, para que não dissessem depois que eu estava fazendo negociata. Geralmente era o Blatter quem estava comigo."

Esgotadas as tentativas de conversas a portas fechadas, Mark McCormak partiu para uma ofensiva aberta, contando com o apoio de boa parte da imprensa européia. Publicamente, a IMG reclamava o direito de apresentar uma proposta alternativa à da ISL para a Copa de 2002, já que os direitos até o Mundial de 1998 estavam assegurados à empresa de Horst Dassler.

Paralelamente, em 18 de agosto de 1995, Eric Drossart tentou abalar a liderança de Havelange sobre o Comitê Executivo da Fifa, enviando para o presidente da Fifa e para cada um dos integrantes do Comitê cópias de uma proposta "estritamente confidencial" endereçada a Sepp Blatter, na qual oferecia 1 bilhão de dólares pelos direitos de TV e *marketing* do Mundial de 2002. O dobro do que a ISL pagaria pelos mesmos direitos na Copa de 1998.

Era o confronto.

Blatter respondeu com um protesto indignado contra a distribuição premeditada das cópias. E não demorou, como se esperava, para que a discussão dos contratos logo reacendesse a divisão política que se esboçara nas nervosas reuniões do Comitê Executivo, no Congresso de Chicago, em 1994. Os membros europeus que seguiam a liderança de Lennart Johansson, do sul-coreano Chung Moon Joon e do africano Issa Hayatou começaram a defender uma discussão maior das propostas.

Para Keir Radnege, da *World Soccer*, não se tratava apenas de uma decisão sobre cifras ou vantagens financeiras. Havia, segundo ele, outras duas razões importantes:

"A primeira era a lealdade. Se você trabalha com alguém por algum tempo, sim, você deve lealdade a esta pessoa. É como se dissesse: 'Tudo bem, você tem feito um bom trabalho aqui.' Nesse sentido, acho que havia um sentimento de que era melhor que os negócios ficassem como que em família. Além disso, sempre houve uma resistência, na Fifa, a deixar que companhias de estilo americano entrassem no negócio do futebol e na família do futebol."

A segunda:

"Havia também o sentimento de que a ISL conhecia aquele negócio, que é muito especializado e complexo. Em outras palavras, você não ganharia dólares a mais, mas também não ganharia incompetência."

A queda-de-braço entre Drossart e Blatter, por meio de uma troca de cartas cada vez mais contundentes, duraria quase um ano. E seria encerrada em uma reunião do Comitê Executivo da Fifa realizada em 5 de julho de 1996. Nela, Havelange propôs que a Fifa renovasse não apenas para a Copa de 2002, mas também para a de 2006, com a ISL e o consórcio alemão Leo Kirch, o parceiro providenciado pela empresa de Horst Dassler para fazer frente à proposta da IMG. E venceu mais uma.

Mark McCormack, que morreria aos 73 anos em novembro de 2003, após sofrer um derrame cerebral, recebeu mal a decisão e passou a usar suas poderosas ligações com a mídia européia para atacar o comando da Fifa e a lançar suspeitas de favorecimento sobre a sólida parceria da entidade com Horst Dassler. Para Jean-Marie Weber, o executivo da ISL encarregado de gerenciar o contrato da empresa com a Fifa, não foi surpresa:

"Toda vez que os contratos estavam para ser renovados, sempre alguém queria entrar. Só esqueciam que, quando você investe e arrisca seu dinheiro, você tem a opção de continuar no futuro. Nós estávamos lá no início, nós nos arriscamos no início e fizemos um bom trabalho. Por que não teríamos o direito de continuar no futuro?"

Enfrentar a proposta agressiva e milionária da IMG custaria caro à ISL. Em maio de 2001, já na primeira gestão de Sepp Blatter como presidente da Fifa, a empresa declararia falência. E em abril do ano seguinte, o grupo Kirch suspenderia os pagamentos à Fifa. De acordo com o livro *100 Years of Football – The FIFA Centennial Book*, a entidade escapou do incêndio criando sua própria agência de *marketing* e negociando contratos futuros para equilibrar as contas.

Dez anos depois daquele duelo milionário no qual pôs um ponto final em mais uma reunião do Comitê Executivo, Havelange ainda ficava inconformado com as insinuações feitas pelo dono da IMG:

"Onde há dinheiro alguém quer sempre inventar alguma coisa para ver se tem uma sujeira ou uma bandalheira. Isso não existe! Todos os contratos estão lá e quem decidiu foi o Comitê Executivo."

Decisão apertada.

A proposta de renovar com a ISL recebeu nove votos. Seis membros do Comitê votaram contra, outros três se abstiveram e dois, Henry Fok e Gerhard Mayer-Vorfelder, não estavam presentes.

Sinal dos novos tempos.

E de novos desafios que estavam para acontecer.

CAPÍTULO 16

Novas batalhas

Guerra da Coréia

A ducha fria no banheiro de mármore da suíte 409 do hotel Savoy, em Zurique, pouco antes de ir para a cama, por volta das 2h do dia 31 de maio de 1996, foi o marco solitário e silencioso do fim de uma época e do início de outra, na vida de João Havelange. Quando o dia amanhecesse na sede da Fifa, a poucos quilômetros dali, ele enfrentaria, pela primeira vez em 22 anos, não apenas um Comitê Executivo dividido, como já vinha acontecendo, mas também a possibilidade de ser derrotado na escolha de uma sede de Copa do Mundo.

Antes da ducha fria, ele passara horas contabilizando sinais, pressões de aliados, movimentos, defecções anunciadas e informações que indicavam que pelo menos parte dos votos com os quais contava lhe faltariam na manhã seguinte para fazer do Japão o país-sede da Copa de 2002. E diante da agressiva e eficiente candidatura da Coréia do Sul, liderada por Chung Moon-Joon, herdeiro do império industrial da Hyundai e integrante do Comitê Executivo, pusera-se a trabalhar no texto de uma mensagem a ser lida na reunião da instância máxima da Fifa, na manhã seguinte.

Não se tratava mais de escolher uma sede de Copa do Mundo. A disputa entre os dois tigres asiáticos, com o tempo, ficara contaminada pelas dores e ressentimentos da ocupação japonesa da Coréia por 35 anos, entre 1919 e 1945. O chinês Henry Fok, um insuspeito e fiel aliado de Havelange no futebol asiático, era um dos dirigentes que estavam preocupados com a possibilidade de a escolha da Fifa provocar um incêndio de conseqüências imprevisíveis no relacionamento entre os dois países. O filho, Timothy Fok, lembrou, em 2005, a tensão que precedeu a decisão da Fifa:

"Percebemos que a Ásia estava além da escolha da sede. Havia uma espécie de prêmio nacional envolvido."

Até no que dizia respeito ao cumprimento do rigoroso caderno de exigências da Fifa, de acordo com os relatórios dos inspetores da entidade, os dois países haviam chegado a Zurique empatados. E naquela noite de 30 de maio, o presidente da federação japonesa, Ken Naganuma, fora procurado por Lennart Johansson, presidente do comitê organizador da Fifa para a Copa 2002.

Johansson acabara de ter uma conversa com seu aliado Chung Moon-Joon e dissera que havia espaço para discutir o compartilhamento da Copa entre os dois países, uma solução que vinha sendo discutida informalmente na imprensa internacional e nos círculos do futebol como um caminho para resolver o impasse. Naganuma, apoiado no compromisso de Havelange com a candidatura japonesa, não quis conversa.

Havelange até tinha um laço especial com a Coréia. Em 1991, aproveitando-se das ótimas relações que sempre manteve com o governo de Pequim, única porta na época para Pyonyang, capital da Coréia do Norte, além de Moscou, ele convencera os governos das duas Coréias a disputarem o Mundial Sub 20, em Portugal, com uma seleção única, uniforme neutro e bandeira branca. Um pequeno e inesquecível milagre do futebol.

Mas os laços e compromissos de Havelange com os japoneses, leais e fiéis colaboradores de sua gestão, eram muito maiores. Fazer uma Copa do Mundo no Japão era um projeto que ele acalentava já havia alguns anos. E mais: de acordo com Keith Cooper, na época diretor de Comunicação da Fifa, o fato de a agência japonesa Dentsu ser uma importante parceira da ISL e o bom entrosamento político dos dirigentes do Japão com a Fifa também pesavam muito:

"Os japoneses jogavam o jogo político e sabiam a importância de ter o apoio do presidente Havelange. Apresentaram a candidatura mais cedo e fizeram tudo certo."

A surpresa foi Chung Moon-Joon, descrito por Havelange, em 2005, como "um moço que se elegeu, tinha um grande poder econômico e financeiro, porque a Hyundai era do pai dele":

"Ele achava que era o dono do mundo. Nunca dei satisfação a ele. Ele vinha com 50 jornalistas para fazer pressão."

Definido por Keir Radnedge, da *World Soccer*, como "um homem muito inteligente, autoconfiante e independente, cuja ambição era usar o futebol como veículo ou atalho para a política"; por Keith Cooper como "um dirigente completamente diferente dos outros integrantes do Comitê Executivo" e "uma lufada de vento fresco na Fifa"; e por Timothy Fok como "um cabeça-dura que lutou muito para ter a Copa na Coréia", Chung Moon-Joon tinha incluído, na sua ofensiva, até o longínquo Fluminense do Rio de Janeiro.

Sylvio Kelly, o dirigente tricolor historicamente mais identificado com Havelange, se surpreendeu, em 1994, ao ser procurado por executivos da Hyundai interessados em patrocinar o clube.

"Eu era convidado para tudo. E ninguém entendeu por que a Hyundai veio patrocinar o Fluminense."

E patrocinou. Por um ano.

Kelly disse que sabia que estava sendo usado pelas duas candidaturas à Copa de 2002. A diferença, para ele, era que os japoneses eram mais sutis, convidando-o para recepções na casa do cônsul e organizando jantares no Rio. Entre um e outro *lobby*, porém, Havelange confidenciava a Kelly:

— Eu não posso dizer isso para a imprensa, mas o Japão tem muito mais condições do que a Coréia do Sul.

Na reta final da disputa, no entanto, mesmo entre os aliados de Havelange predominava a opinião de que os japoneses tinham agido como se já tivessem vencido, só por terem o apoio do presidente da Fifa. Para o presidente da Confederação das Américas do Norte e Central, Jack Warner, por exemplo, "Havelange não considerou o dinamismo da candidatura sul-coreana e seus protegidos, os japoneses, não aprenderam a lição com ele". Warner tinha testemunhado o esforço derradeiro de Havelange para "construir pontes" entre os dirigentes que não estavam dispostos a votar na candidatura japonesa:

"Ele falou com os integrantes do Comitê separadamente. Pediu o voto pelo Japão, mas não conseguiu. Muitos, como eu, já estavam comprometidos com os coreanos. Os japoneses, afinal, não tinham falado comigo nem uma vez, em seis meses. O Japão, na verdade, nos empurrou para a Coréia. Eu disse isso ao Havelange e ele ficou muito desapontado."

E como não poderia deixar de ser, de acordo com Keir Radnedge, a Uefa de Johansson tomou a campanha coreana como uma forma de fazer política na Fifa. Johansson, de acordo com Radnedge, procurou se identificar com o ideal de reunificação da Coréia, enquanto, do outro lado, Havelange, coerente com sua proverbial lealdade aos aliados, mantinha o apoio aos japoneses:

"Havelange estava satisfeito com os japoneses. Os antigos patrocinadores da Fifa estavam lá. Era a lealdade de sempre. Mas, pela primeira vez, alguém estava se levantando contra ele."

Ao amanhecer o dia da decisão, à exceção de Anna Maria, na suíte 409 do Savoy, ninguém, incluindo Sepp Blatter, sabia exatamente como um homem acostumado ao poder absoluto durante mais de duas décadas enfrentaria a iminência de uma derrota no Comitê Executivo. Antes de seguir para a reunião, Havelange leu o texto para Anna Maria, que fez o comentário de sempre naquele tipo de ocasião:

— Se é o que você acha que tem de fazer, faça.

A poucos minutos do início da reunião do Comitê Executivo na sede da Fifa, havia no comando da entidade uma apreensão sobre o que poderia acontecer quando Chung Moon-Joon pedisse a palavra. Em reuniões anteriores, a tensão entre Havelange e ele tinha sido flagrante. Em uma delas, de acordo com Keith Cooper, um diálogo tenso iniciado em torno de uma discordância banal terminara com um protesto veemente do coreano pelo fato de Havelange não estar levando em conta suas intervenções.

Aconteceu exatamente o contrário. Ao chegar ao item 11 da agenda, um Havelange sereno começou a ler o texto que escrevera de madrugada. Era a proposta que ele havia se recusado a discutir e que muitos achavam que ele jamais se permitiria aceitar: a divisão da Copa de 2002 entre Coréia do Sul e Japão.

Cada país teria dez sedes. O jogo de abertura seria realizado na cidade de Seul, em 31 de maio de 2002. E a final seria jogada em Yokohama, a segunda maior cidade do Japão, em 30 de junho. A proposta foi apresentada, na lembrança de Keith Cooper, "de forma digna, fazendo com que a solução parecesse positiva e que a idéia parecesse ter sido dele":

"Todo mundo respirou aliviado e aplaudiu. Fiquei admirado com a maneira como Havelange conduziu a situação."

Passada a tensão, uma pergunta, na lembrança de Keith Cooper, pareceu tomar conta de todos os membros do Comitê, resumindo o gigantesco desafio logístico, político, financeiro e tecnológico que tinha sido aprovado naquele momento, por aclamação, para se evitar uma derrota japonesa:

— E agora?

A Copa de 2002, como muitos previram, custaria mais caro e seria mesmo, para a Fifa, um inédito desafio de conciliação entre dois países, duas moedas, duas culturas e dois povos que, afinal, acabaram não usando o Mundial para agravar suas tensões históricas. Ironicamente, a Copa 2002, vencida pelo Brasil de Ronaldo, Rivaldo e do técnico Luís Felipe Scolari, em final disputada contra a Alemanha em Yokohama, 2 a 0 no placar, mexeria muito com a vida dos coreanos e quase não seria notada no Japão.

Para Mike Collett, o desfecho patrocinado por Havelange foi muito mais do que uma batalha política na Fifa:

"Acima do desejo de Havelange estavam a história, a cultura, as diferenças entre Coréia e Japão e a imensa montanha-russa emocional entre os dois países. Se escolhessem um, o efeito seria devastador para a nação perdedora."

E Havelange embalou a lembrança do episódio com o pragmatismo de sempre:

"Eu sei perder, mas não gosto. E como não gosto, procuro não perder. Eu sentia que, se teimasse pelo Japão, o Japão perderia a Copa do Mundo. Presidente não perde. E eu não perdi."

De partida

Elias Zaccour, o amigo fundamental da conquista dos votos na África e no Oriente Médio em 1974, estava mobilizado pela efervescência política na Fifa no final de 1997. Mais do que nunca, em duas décadas da era Havelange, os dirigentes especulavam sobre como seria a sucessão dele e sobre a possível vitória dos europeus liderados por Lennart Johansson. Alguns aliados de Havelange, no entanto, achavam que ele poderia até continuar. Incluindo Zaccour:

— E então? Você sai candidato de novo?

Ninguém costumava acreditar muito, mas a decisão de Havelange, de certa forma, era antiga. E tinha sido anunciada formalmente, com a leitura de uma carta aos membros do Comitê Executivo da Fifa, em reunião realizada em Barcelona, em 1996. Na lembrança da secretária Marie-Madeleine Urlacher, "o chão pareceu sumir sob os pés" quando Havelange, recém-chegado do Rio, ditou as linhas gerais da carta, na sala da presidência, em Zurique:

— Vou deixar a Fifa. Estou em condições de tomar esta decisão por minha conta e quero fazer desta maneira. Não quero ficar esperando. Talvez em dois ou três anos eu não tenha essa capacidade de decidir.

Nove anos depois daquele dia, Marie-Madeleine disse que escreveu às lágrimas a carta encomendada por Havelange, perplexa e sem entender como ele tinha decidido sair ainda em condições de continuar no comando da Fifa por muitos anos. O amigo Peter Pullen também levou um susto. E nunca mais esqueceu a justificativa de Havelange para ir embora:

— Estou cansado. As coisas não são mais o que eram antigamente. O pessoal não é igual. Você não tem mais aquela boa gente que tinha. Antes você podia confiar. Hoje é tudo interesseiro.

Para Pullen, na raiz da decisão de Havelange estavam os europeus, que "em vez de votar individualmente, estavam votando em bloco, por influência de Johansson":

"O João perdeu a maioria. As coisas que ele queria fazer já não eram mais possíveis porque os europeus votavam sempre contra."

Na lembrança que Sepp Blatter guardou do momento da leitura da carta, na reunião de Barcelona, a novidade foi recebida com espanto e paralisia:

"Quando Havelange anunciou que não se apresentaria como candidato, os membros do Comitê não sabiam o que fazer, se choravam ou aplaudiam, fazendo um tributo a ele. E fui eu quem quebrou o gelo, propondo que todos o recompensassem por seus méritos. E todos aplaudiram."

Dois anos depois, porém, quando a luta política se acirrou em torno da traumática decisão sobre a sede da Copa de 2002 e fez surgirem especulações sobre uma eleição realmente disputada em 1998, a alternativa de mais um mandato de Havelange voltou a ser considerada. Daquela vez, no entanto, até mesmo Anna Maria resolveu intervir, dando ao marido o que ela considerou seu único conselho profissional importante em sessenta anos de casamento.

"Eu achava que o João estava cheio de inveja em torno dele, porque a Fifa estava muito rica e todo mundo queria estar lá dentro. Foi quando eu disse a ele: 'João, você já tem mais de vinte anos de Fifa. Você já tem idade. É melhor que você deixe agora bem, porque aqueles que querem o seu lugar vão ficar aliviados e você sai bem. É melhor sair bem do que sair mal.'"

— E então? Você sai candidato de novo?

Na resposta de Havelange ao amigo Elias Zaccour, no final de 1997, o conselho de Anna Maria pesou. Os tempos eram outros:

— Para que vou me candidatar para ser presidente e não poder fazer o que eu quero? Estou fora.

Daquela vez, era pra valer.

No contrapé

— E a separação do Ricardo?

Nenhuma das perguntas feitas ao longo das seis entrevistas gravadas durante o ano de 2005 mudou tanto o semblante, a voz e os gestos de João Havelange.

O orgulho solene das recordações dos embates políticos, a voz firme das respostas aos inimigos e o tom blasé da contabilidade dos adversários derrotados no caminho deram lugar, subitamente, a uma rara hesitação, um ligeiro descompasso do corpo com o encosto da cadeira e um olhar frágil que ficou perdido durante o mais longo dos seus silêncios antes de uma resposta:

"Há uma coisa que o senhor nunca se esqueça: o Ricardo é o pai dos meus netos. E eu não quero perder os meus netos. Lógico que dói, sobretudo porque, na família, meu pai, minha mãe, nunca isso tinha acontecido. É um problema do século."

Novo silêncio, a fragilidade ainda latente e a conclusão, com um discreto tempero de amargura:

"Então tenho é de tratá-lo bem."

Mais alguns segundos e o prazo de concessão à intimidade foi encerrado sem prorrogação:

"Acho que me fiz compreender, ora bolas!"

Para todos os entrevistados mais próximos de Havelange, o processo de separação de Ricardo Teixeira de sua filha Lúcia, ocorrido entre 1997 e 1998, foi a maior e mais dolorosa de suas decepções. Não apenas porque Havelange investira todo o seu patrimônio de prestígio político na construção da carreira do genro, assumindo com determinação o prejuízo causado pelo fogo cerrado dos que o criticaram por seu convicto nepotismo. Nas palavras do amigo Afonso Guimarães, Havelange também sofreu muito porque "sempre teve o espírito do patriarca":

"O patriarca é aquele que tem que tomar conta de todos os lances da vida, dos filhos. Ele preserva a família, preserva a mulher, preserva os filhos. Quer escolher a profissão dos filhos, quer escolher a mulher com quem o filho vai casar. Mas, em contrapartida, dá tudo para o filho. E a Lúcia, filha única, é o xodó da vida dele."

Afonso e a primeira mulher, Beth, amiga de Lúcia dos tempos do Colégio Teresiano, escola tradicional da Zona Sul do Rio, eram íntimos do casal. Foram testemunhas não só da conflituosa separação, mas também do envolvimento de Havelange, ora preocupado com a situação dos netos, ora tentando promover uma reconciliação.

Para Anna Maria, mais surpreendente e traumática do que a decisão da filha Lúcia de se separar foi a maneira como o casamento acabou. Em 2006, ao lembrar o litígio entre a filha e o genro a quem tratava "como um filho", ela disse que sofreu muito. Ao motorista da família, José Affonso, Anna Maria costumava resumir a decepção, a dela e a do marido, com uma frase:

— Minha família não merecia isso.

Ricardo Teixeira, em 2006, não concordou com a conclusão de que Havelange tenha se decepcionado com ele:

"Eu não acho que tenha decepcionado ele. Acho que, pura e simplesmente, acontece. Se você fizer uma enquete, a maioria dos meus amigos não está casada com a primeira mulher. O que houve não significou que eu não tivesse por ele o mesmo carinho que sempre tive."

Carinho mais que devido, de acordo com os íntimos.

Um exemplo de como Havelange tratava Ricardo Teixeira de forma paternal foi a atitude que ele tomou em 1986, quando a financeira do genro, a Minas Corretora, na qual Havelange entrara como sócio, começou a enfrentar dificuldades. Na época, Antonio José Carneiro, um corretor que se tornara amigo de Havelange a partir da

Copa de 1970, era dono da financeira Losango, detentora de 70% do mercado do crédito direto ao consumidor no Brasil, e recebeu um telefonema de Havelange. O Banco Central dera um prazo para que Teixeira fechasse ou capitalizasse a financeira:

— Tem como ajudar?

Tinha. Antonio José, conhecido pelo apelido de "Bode" no mercado financeiro, mandou então que os diretores de sua empresa fizessem um estudo da situação e acabou comprando a Minas Corretora, tendo Havelange como garantidor do negócio.

O entusiasmo com que Havelange apoiou a carreira de dirigente do genro criaria até uma situação desconfortável afetivamente para ele. A ida de Teixeira para o Comitê Executivo da Fifa, eleito pela Confederação Sul-Americana, o fez substituto de Abílio de Almeida, o braço direito de Havelange dos tempos da CBD, já então com 86 anos, na vice-presidência da Comissão de Arbitragem da Fifa. Abílio, que morreu em 2001, aos 91 anos de idade, não ficou muito satisfeito com o cargo de honra que recebeu na Confederação Sul-Americana.

O único sinal público da decepção de Havelange com Ricardo Teixeira teria como cenário um jantar de gala organizado pelo já ex-genro para 300 convidados do Brasil e do exterior, no Golden Room do Copacabana Palace, no Rio de Janeiro, meses depois da Copa de 1998. Havelange, recém-saído da presidência da Fifa, seria o grande homenageado e receberia o título de presidente de honra da CBF. O jornalista Carlos Lemos, então assessor de imprensa da CBF, lembrou, em 2005, que a festa era "uma tentativa do Ricardo de atenuar o trauma da separação". Mas Havelange não compareceu e a festa aconteceu sem a presença do principal convidado.

A pelo menos uma pessoa, a médica Mariana Jacob, Havelange tinha confessado, de véspera, o desejo de não comparecer à homenagem. E quando ela perguntou como seria a festa sem ele, a resposta deu a medida do efeito da tristeza no temperamento de um homem que tinha uma vida de devoção ao protocolo:

— Eu não me sentiria bem em ir lá.

Ricardo Teixeira, ao lembrar o episódio, em 2006, reconheceu:

"Eu convidei e ele resolveu não comparecer. Claro que foi chato e desagradabilíssimo. E é claro que foi por causa da separação."

Dez anos depois, o relacionamento entre Havelange e Teixeira estava longe de se parecer com o dos velhos tempos. No 51º Congresso da Fifa, realizado em Marrakech, no Marrocos, em setembro de 2005, por exemplo, eles chegaram separados e praticamente não se cruzaram. Na avaliação de Irene de Azevedo Lima, secretária de Havelange, no entanto, "a amargura atenuou e a relação foi reconstruída dentro do possível".

Havelange, em 2005, fazia questão de elogiar a condição financeira e os "quatro contratos importantes" conseguidos pela CBF presidida pelo ex-genro, lembrava o fato de Teixeira ter ocupado, durante oito anos, vários postos importantes na Fifa e negava, ainda que traído por um fiapo de mágoa, que houvesse qualquer divergência entre os dois no âmbito do futebol:

"Uma coisa é assunto familiar, outra é assunto esportivo e trabalho. Está tudo em ordem. Os filhos se dão com os dois. E há um respeito total. Paciência, ora bolas."

Da parte de Ricardo Teixeira, pelo menos um plano importante ele teve de adiar: o de se candidatar a presidente da Fifa a partir de 2007. Havelange, em 2006, coerente com seu religioso apego à discrição, não quis tocar no assunto, mas duas pessoas íntimas dele confirmaram a informação de que Teixeira fez uma sondagem com o ex-sogro, antes de contemplar seriamente a idéia de se candidatar à sucessão de Sepp Blatter. A resposta de Havelange, reproduzida por Antonio José Carneiro:

— Apóio o Blatter. Se você quiser meu apoio, vai ter que esperar a próxima eleição.

E no relato de Anna Maria:

"O João não quis abrir mão do Blatter."

A hora do sueco

"Eu tenho encontrado muitos reis e rainhas, presidentes e celebridades em minhas viagens ao redor do mundo. Mas nunca encontrei ninguém que se importasse com a honestidade e a transparência no esporte como meu amigo Johansson. Eu espero, do fundo do meu coração, que ele se torne o próximo presidente da Fifa."

O autor da frase era Pelé. E sua imagem sorridente, a poucos metros da cadeira onde Havelange estava sentado, ocupava um telão na grande sala de um hotel de Dublin, República da Irlanda, em 1º de maio de 1998, durante o 24º Congresso da Uefa. Àquela altura, Havelange, oficialmente convidado para receber a Ordem do Mérito em Diamante, maior comenda da confederação européia, já tinha assistido a mais de cinco horas do que o repórter Rob Hughes, do *Herald Tribune*, classificou de "fulminantes discursos sobre as qualidades de Johansson", enquanto seu secretário-geral, Sepp Blatter, muito criticado, era tratado, no máximo, como "o outro candidato europeu".

O ataque mais duro contra Havelange partira do camaronês Issa Hayatou, presidente da confederação africana, seu aliado que mudara de lado e passara a apoiar o sueco. Hayatou não apenas prometeu os votos do continente para Johansson. Criticou duramente o presidente da Fifa por ter transferido o Mundial Sub 20 da Nigéria para o Catar. Na lembrança de Havelange:

"Das seis páginas do discurso do Hayatou, quatro eram me atacando. Assisti a tudo e não disse nada."

O que acontecia naquela noite, em Dublin, era o primeiro ato público de uma disputa intensa que já vinha agitando os bastidores da Fifa desde o final de 1997, quando, diante da articulação da candidatura de Johansson, Blatter procurou o grupo de dirigentes que apoiavam o sueco. A idéia de Havelange, segundo Blatter, era evitar que sua sucessão fosse marcada por divisão e disputa na entidade. Em 2005, ao lembrar a conversa, Blatter disse que a única condição de Havelange para aceitar uma candidatura encabeçada por Johansson era a de que Blatter continuasse como secretário-geral:

"Eu fiz o contato com o *pool* europeu, mas eles disseram: 'Não, não! Nós queremos nos livrar da dupla Havelange e Blatter. Não há espaço para vocês, mas nós lhes daremos uma compensação.'"

O passo seguinte, segundo Blatter, foi o histórico compromisso de Havelange:

— Seja candidato e eu vou te apoiar.

Dois meses antes de Dublin, em março de 1998, a temperatura em Zurique tinha subido consideravelmente. Animado com as perspectivas de vitória, Johansson não concordava com a condição de "candidato não declarado" de Sepp Blatter, na época ainda pilotando a estrutura administrativa da Fifa de sua mesa na sede da entidade. Por seu lado, Havelange estava aborrecido com Johansson, que, na mesma época, faltara a uma reunião que tinha marcado com ele em Paris:

"Eu não disse nada, mas fiquei triste porque acho que não merecia aquilo. Nunca tiveram a delicadeza de vir me comunicar a candidatura, como eu fiz com Stanley Rous."

Da pressão do grupo europeu, de acordo com Blatter, resultara uma reunião no dia 13 de março. Johansson e seus aliados queriam a confirmação da candidatura de Blatter e, conseqüentemente, seu afastamento do cargo de secretário-geral. Uma inédita proposta de desincompatibilização, diante da também inédita candidatura de oposição. O encontro, marcado por uma tensa divisão entre os membros do Comitê Executivo, resultou em uma licença-afastamento de sessenta dias de Blatter e no anúncio oficial de sua candidatura, em Paris, com o apoio de Michel Platini.

A presença de Pelé no telão daquele congresso de europeus em Dublin fazia parte de uma ofensiva de relações-públicas da campanha de Johansson, sob o comando de Guido Tognoni, um dos altos funcionários da Fifa demitidos após o primeiro ensaio da candidatura oposicionista, nascido e desarticulado antes da Copa de 1994. Tognoni proclamava ter, além do apoio de Pelé, os de Franz Beckenbauer, de *sir* Bob Charlton, legenda do futebol inglês e, para enorme desgosto de Havelange, o de Juan Antonio Samaranch.

Pelé, então ministro de Esportes do governo de Fernando Henrique Cardoso, atirava contra Havelange porque, além de estar em conflito comercial com Ricardo Teixeira por causa dos contratos da CBF, patrocinara, naquele mesmo março de 1998, a promulgação da chamada Lei Pelé. Com o apoio maciço e entusiasmado da imprensa esportiva brasileira, o ex-craque anunciava que a lei permitiria o que chamou de "moralização" do futebol, pondo fim à eterna insolvência dos clubes. Havelange e os dirigentes das federações brasileiras, no entanto, diziam que a nova lei fragilizaria ainda mais as finanças dos clubes e a situação da maioria dos jogadores.

Não estava no telão de Dublin, mas, meses antes daquele congresso, a controvérsia doméstica em torno da lei empurrara Pelé e Havelange para um incêndio público de proporções semelhantes ao de Las Vegas em 1993, quando o ex-craque foi impedido de participar do sorteio dos grupos da Copa dos Estados Unidos. Em entrevista ao *Jornal do Brasil* na primeira semana de agosto de 1997, ao reagir à informação, errada, de que a Lei Pelé regularia a escalação de árbitros em jogos, modificaria a estrutura jurídica dos tribunais esportivos e obrigaria todos os clubes a se tornarem empresas, Havelange não pensou duas vezes: simplesmente ameaçou desfiliar o Brasil da Fifa, impedindo a seleção tetracampeã de participar da Copa da França, caso a lei fosse aprovada no Congresso Nacional.

A declaração, para muitos uma defesa radical e desnecessária da autonomia da Fifa num momento em que o projeto da Lei Pelé ainda estava sendo discutido, despertou a ira imediata da crônica esportiva, criou uma desconfortável saia justa política para Fernando Henrique Cardoso às vésperas de um ano eleitoral e ainda atiçou os brios dos deputados e senadores brasileiros que decidiriam sobre o projeto no Congresso.

Sete anos depois do incêndio, com a Lei Pelé em vigor, Havelange continuaria criticando:

"Liberdade quem cria para o jogador é o clube, que lhe dá nome. O jogador vai para um clube do interior da Amazônia, ninguém sabe dele, mas vai para o Flamengo e no dia seguinte já vira personalidade. Isso tem um preço, tem um valor. Você não pode tirar isso do clube. Hoje em dia, que liberdade tem o jogador? Nenhuma. Todos os jogadores estão na mão de dirigentes de clube."

Pelé, já reconciliado com Havelange, preferiria esquecer, em 2006, que o chamou de ditador na época, dizendo que suas divergências sempre foram com os dirigentes do futebol brasileiro, não com o presidente da Fifa. E o jornalista Paulo Cezar Vasconcellos daria a medida de que ainda havia muito que fazer no futebol brasileiro:

"O problema é que os clubes, cada vez mais endividados, não têm dinheiro pra pagar o que os empresários dos jogadores bancam. E tem gente que está dentro de clube há vinte anos e que se associa a empresário de jogador pra ganhar dinheiro. A culpa é da lei? Claro que não."

O congresso de Dublin, polêmicas brasileiras à parte, na lembrança de Keir Radnedge, da *World Soccer*, foi "um atestado da impaciência européia". Para o dirigente escocês David Will, "não era necessariamente um evento contra Havelange", mas havia, em suas palavras, "uma atmosfera pró-Johansson" e "uma situação de eleição, de Johansson contra Blatter":

"Algumas coisas foram ditas e algumas coisas foram feitas. E as pessoas devem estar arrependidas."

Parte dos delegados europeus se arrependeu naquela noite mesmo, a julgar pela descrição que Havelange fez, em 2005, do comportamento que tiveram com ele, no jantar de encerramento do Congresso da Uefa:

"Naturalmente, como eu era o presidente, muitos vieram me abraçar na hora do jantar. E aproveitaram para dizer que não estavam de acordo com o que tinha acontecido no congresso e que eu poderia contar com o voto deles."

Nas contas de Havelange, 27 dos 52 votos da Uefa lhe foram prometidos naquela noite. De acordo com o jornalista Rob Hughes e suas fontes na candidatura Johansson, naquele mesmo momento, apenas a Dinamarca, entre todos os países da Uefa, não tinha assinado um manifesto de apoio ao sueco à presidência da Fifa. Uma discrepância colossal e decisiva para a eleição que aconteceria em menos de dois meses, no dia 8 de junho, em Paris.

Os afagos europeus do jantar de Dublin, no entanto, não fizeram o presidente da Fifa baixar a guarda. O discurso contundente do ex-aliado Issa Hayatou, durante o congresso, indicava que Havelange teria que repetir a receita que lhe dera a vitória na Fifa em 1974:

"Eu vi aquilo e pensei: vou ter que partir ao meio os votos da África."

CAPÍTULO 17

Últimas lições

Patrimônio

A oposição a Havelange e Blatter também tinha uma pedreira pela frente naquela campanha. O volume e a altura dela tinham sido detalhados no início de dezembro de 1997, em Zurique, quando a Fifa divulgou os valores dos contratos aprovados pelo Comitê Executivo da entidade.

Uma montanha de dinheiro.

Só o contrato de *marketing* assinado com a ISL Worldwide para as Copas de 2002 e 2006 previa uma arrecadação mínima de 636 milhões de dólares. Os direitos de televisão renderiam à Fifa 930 milhões em 2002 e 1,15 bilhão em 2006. E ainda havia o contrato de patrocínio e fornecimento de equipamento esportivo com a parceira Adidas, no valor de 85 milhões de dólares. Total da receita em oito anos: 2,8 bilhões de dólares.

Orgulhoso, Blatter comemorou:

"A Fifa vai viver tranqüilamente até o ano 2010."

Havelange, ao lado dele, referiu-se a outros números:

"Quando eu cheguei à Fifa, havia uma Copa do Mundo disputada por 16 times. Hoje temos dez competições internacionais e uma Copa do Mundo com 32 seleções."

Não seriam oito anos tão tranqüilos como Blatter previu. Mas nem o tropeço milionário provocado pela falência da ISL em 2001, ou a intensa luta interna que precedeu a eleição de 2002, expondo intimidades da vida financeira e administrativa da Fifa, seriam suficientes para desfazer o legado do qual Havelange mais se orgulharia:

o de transformar a entidade quase amadora e eminentemente européia que recebeu em 1974 em uma grande corporação mundial do futebol, com um impacto anual de 260 bilhões de dólares na economia do planeta, de acordo com estudos da entidade.

Vinte e quatro anos depois da surpresa brasileira em Frankfurt, os países periféricos, que muitos apostavam que seriam esquecidos depois de catapultarem Havelange à presidência da Fifa, participavam de Copas em um número e com uma qualidade técnica impensáveis na época de Stanley Rous, venciam potências tradicionais do futebol e recebiam, regularmente, verbas que, embora às vezes mal-administradas ou desviadas, como comprovam as instâncias de controle da própria Fifa, contribuíram para a evolução do futebol nas áreas técnica, de administração, de medicina esportiva e de arbitragem.

De acordo com um levantamento publicado no livro *100 Years of Football – The FIFA Centennial Book*, 136 programas desse tipo foram levados aos países-membros, entre 1975 e 1997. Na definição do jornalista Mário Magalhães, autor de um caderno especial sobre a era Havelange, publicado pela *Folha de S. Paulo* em 1994, os cursos foram "uma forma, mesmo simbólica, de distribuição de riqueza no futebol, antes eurocentrista". Nas palavras de Lennart Johansson, ditas em 2005, sete anos depois da batalha eleitoral de 1998, Havelange foi um "visionário":

"A melhor coisa de Havelange, e que ele sempre teve, foi a visão global, saber o que era bom para o futebol no mundo. Esta visão o guiou o tempo todo, em suas táticas políticas. Ele se preparava extremamente bem. Previa as intervenções que iam acontecer, as questões que poderiam surgir. Na época em que ele foi eleito, eu era tão regionalista quanto os outros. Com o tempo, aprendi que não fui eleito para proteger a Suécia. E que não estava lá para proteger só o futebol europeu."

Caberia a Blatter, de acordo com Keir Radnedge, apenas dar à Fifa um olhar mais aberto à ação comunitária, atendendo a uma preocupação semelhante à que as grandes corporações passaram a ter, no final do século XX, de "suavizar sua imagem e o lado duro dos negócios".

Ao recordar, em 2005, o patrimônio que apresentou em 1998 para sustentar a campanha e a eleição de Blatter como sucessor e herdeiro político, Havelange deu a medida do poder que teve nas mãos:

"Quando eu deixei a Fifa, cada federação nacional recebia, a cada quatro anos, 1 milhão de dólares. E as confederações recebiam, também a cada quatro anos, 10 milhões de dólares cada uma, para os cursos e outras atividades."

Depois, revelou o tipo de reconhecimento que esperava do futuro:

"Quero ser lembrado apenas como um administrador."

Mão no ombro

O Oriente Médio, por incrível que pudesse parecer, não era um problema em 1998. Pelo menos no que dizia respeito à política do futebol. Havelange não tinha a menor dúvida sobre a lealdade política dos dirigentes dos oito países árabes com voto na Fifa. Ao longo de 24 anos, eles sempre tinham estado ao lado dele, em todas as votações e decisões importantes da entidade. E da parte de Havelange:

"Nunca faltei aos árabes, dentro do programa e daquilo que havia sido comprometido."

No *front* asiático, outra base sólida de Havelange no xadrez político da Fifa, o dirigente e magnata chinês Henry Fok era uma garantia de que as federações sob sua influência, entre elas as de Hong Kong, Macau, China e Coréia do Norte, seguiriam a orientação de votar em Blatter, por maior que fosse o esforço do bilionário e dirigente sul-coreano Chung Moon-Joon, aliado de Johansson, de mudar o eixo do poder no futebol da região.

As dúvidas e palpites proliferavam mesmo era em relação a como se comportariam os dirigentes africanos, decisivos na eleição de Havelange em 1974 e agora orientados pelo presidente de sua própria confederação, o camaronês Issa Hayatou, a votar em Lennart Johansson.

Para acabar com as dúvidas e palpites, Havelange fez uma série de viagens, reeditando não apenas o itinerário, mas também o estilo da campanha vitoriosa de 1974. Nas palavras do amigo Paulo Godoy, "o João não brigou com ninguém":

"Com sua habilidade política, o João fazia com que os adversários que encontrava pelo caminho, aos poucos, fossem mostrando a ambição que tinham e os dividendos políticos que queriam ter em seus países."

Telefone, nem pensar.

Havelange fez questão, mesmo aos 82 anos de idade, dos contatos pessoais, de terno e gravata, pontualidade suíça, olho no olho, no país dos dirigentes, na sede das federações ou em hotéis cinco estrelas, mantendo a liturgia e a cerimônia com que sempre emoldurou o exercício de seu mandato na Fifa. E depois dos encontros, ditou cartas para a secretária Marie-Madeleine Urlacher, agradecendo a cada um de seus interlocutores pela recepção e reiterando, no final, quase como se fosse um detalhe a mais, o pedido de apoio a Sepp Blatter.

"Eu trabalhei de novo a África porque o presidente da confederação africana ficou com o Johansson. Fui a cada um de novo, escrevi a cada um de novo, pessoa por pessoa. E dizia para eles que o Blatter seria a continuidade do meu programa. Lembrava a eles que eles tinham evoluído em função do meu programa. E pedia que continuassem no mesmo pensamento e dentro da minha filosofia."

Nas palavras de Zaccour, que também repetiu a dose de 1974, correndo o mundo em campanha, "os dois candidatos fizeram promessas, mas o que fez a diferença foram relações pessoais e de confiança":

"Mais uma vez os europeus não esperavam que a gente vencesse. Mas fizemos mais de vinte votos na África. E foi trabalho de base, convicção, aproximação e amizade. Amanhã eles te pedem um favor e você atende. Eleição é assim, não tem segredo. Ninguém pode ir cantar vitória na esquina."

Blatter, cuidadoso com o patrimônio político que estava herdando, fez campanha oferecendo aos dirigentes uma continuidade segura, em contraposição a uma mudança completa e imprevisível da Fifa, se ela passasse a ser presidida por Johansson. E também já vinha repetindo, desde 1997, o estilo de Havelange de assumir compromissos importantes.

Na visita que fez à Libéria acompanhado de Michel Platini, por exemplo, Blatter prometeu ajuda financeira ao projeto "Gol!" para a construção de um estádio de futebol com grama sintética. E fez do presidente da federação local, Edwin Snowe, e do jogador liberiano George Weah, seus aliados. A promessa, de acordo com o livro *Football in Africa*, de Gary Armstrong e Richard Giulianotti, seria cumprida e acrescida de mais verbas para assistência técnica, apoio a jovens atletas e à seleção do país.

Por este e outros movimentos, a campanha sucessória da Fifa em 1998 fez renascer, principalmente depois de os votos da África terem se mostrado novamente decisivos, uma antiga polêmica sobre o poder de representação das federações afiliadas à entidade. Para os críticos do sistema, o critério de "cada país, um voto" sempre foi uma porta aberta a todo tipo de manipulação. Brian Glanville, por exemplo, condenava o fato de o voto de "países obscuros" no mundo do futebol ter o mesmo peso do voto das grandes potências do esporte.

Para Keir Radnedge, conterrâneo e colega de Glanville na revista *World Soccer*, no entanto, o sistema da Fifa, embora não fosse "perfeito", era "transparente, muito claro e facilmente compreendido". Em 2005, ao lembrar o renascimento da polêmica durante a campanha à sucessão na Fifa, Keir até ironizou:

"Se o critério fosse a população, por exemplo, os Estados Unidos teriam de ser considerados, embora com um número insignificante de jogadores de futebol. Ou teríamos de transferir a Fifa para a China."

Keir apontou uma outra grande vantagem do sistema de representação adotado pela Fifa:

"Significa que os dirigentes da Fifa têm de trabalhar mais para conseguir o apoio dos que votam. É parte do processo democrático."

A diferença, naquela eleição, é que havia um líder africano importante, Issa Hayatou, trabalhando e também viajando com Johansson pelo continente e pelo resto do mundo. E ele o fazia porque Havelange, em 1989, acatando as recomendações feitas pela Organização Mundial de Saúde sobre surtos de cólera e meningite na Nigéria, não hesitara em transferir daquele país para o Catar o Mundial Sub 20 da Fifa, cinco meses antes do início da competição. Dezesseis anos depois, ao lembrar a crise com o Hayatou, Havelange disse que não tinha saída:

"A Organização Mundial de Saúde recomendou que todas as pessoas que fossem participar do campeonato deveriam fazer seis vacinas. Isso era delicado. Imagine se um jogador ou outra pessoa não fizesse a vacina e viesse a morrer. O pai, a mãe e a família jamais me perdoariam. A federação não me perdoaria."

Hayatou, pressionado pela federação nigeriana, não aceitou a transferência da competição e passou a hostilizar o presidente da Fifa. Em 2005, já reconciliado com Havelange, Hayatou ainda insistia que a OMS "estava errada" e que o presidente da Fifa não tinha sido "justo" naquela decisão. Já Keith Cooper, que acompanhou a última inspeção da Fifa à Nigéria, antes do cancelamento, disse que a Nigéria não tinha mesmo a menor condição de sediar uma competição da Fifa:

"Não havia infra-estrutura, os estádios não estavam e nem ficariam prontos a tempo, havia uma grande incerteza política espalhada pelo país. E não foi apenas em 1989. Eles se candidataram de novo em 1995 e ainda não tinham condições de sediar o evento."

Na lembrança de Cooper, Havelange aplicou, na África, o mesmo critério que adotaria no cancelamento do Mundial Sub 17 no Equador, em 1997:

"Eu era diretor de comunicações da Fifa e fiz um relato ao Havelange sobre a situação no aeroporto de Lisboa, quando eu fazia uma conexão para Zurique e ele estava embarcando num vôo da Varig para o Brasil. E a resposta dele foi simples, direta e muito séria: 'Cuidem de tomar a decisão correta. Não quero um único jovem doente.'"

Se a decisão de Havelange de evitar o risco de expor milhares de pessoas ao risco da cólera e da meningite, em 1989, lhe rendeu a hostilidade de Hayatou, a determinação com que ele confirmou o compromisso assumido com os nigerianos de realizar a mesma competição no país, oito anos depois, em 1997, foi um exemplo vigoroso e, no caso, controvertido, da força de sua palavra no mundo do futebol.

Havelange manteve a realização do Mundial Sub 20 na Nigéria no auge de uma campanha internacional contra o enforcamento do dissidente político Saro-Wiwa, por ordem do general Sani Abacha, chefe do governo ditatorial nigeriano. Os artigos veementes da imprensa européia e a condenação que Havelange sofreu, antes e depois do enforcamento de Saro-Wiwa, de entidades de defesa dos direitos humanos, não abalaram o velho pragmatismo. Nem o tipo de resposta:

"Não vou deixar a política afetar meu compromisso de premiar a Nigéria com o Mundial Sub 20. Não devemos misturar esporte com política."

Que peso teve, então, a palavra de Havelange naquela nova campanha pela África? No balanço resignado feito por Issa Hayatou em 2005, metade dos seus supostos liderados:

"A África ficou dividida por causa de Havelange. Mesmo com a ordem da confederação africana para que todos votassem em Johansson, alguns ficaram com Blatter. E Havelange fez a diferença."

Nas contas de Havelange, não foram "alguns":

"A questão era a Europa e a África. Os continentes tinham, cada um, 52 votos. Dava 104, praticamente a eleição feita. Eu tinha a América do Sul, a Concacaf toda e uma grande parte da Ásia. Consegui cortar a Europa e cortar a África ao meio. Consegui 25 de um continente e 24 do outro."

No "corte" dos votos da Europa, quem diria, a federação da Inglaterra, inconformada com o apoio da Uefa de Johansson à candidatura da Alemanha à Copa de 2006, foi uma das entidades que terminaram apoiando Havelange e Blatter. Na crônica escrita em 28 de fevereiro para o site da *ESPN*, Andrew Jennings, incentivador declarado do grupo europeu, lamentou:

"A Europa, que inicialmente estava 100% com Johansson, foi descascada como uma cebola."

Porta da frente

"Matarezzi, diz a ele para que se retire da votação. Ele vai perder e não vai ser bom porque vai perder por muito mais."

Era Havelange para o colega da federação italiana, no Equinox Centre, no sul de Paris, em 8 de junho de 1998, dois dias antes do jogo inaugural da Copa da França, logo após a votação para a eleição de seu sucessor na presidência da Fifa.

"Ele" era Lennart Johansson, ainda desconcertado e sem entender muito a derrota ainda parcial de 111 votos a 80 que Sepp Blatter lhe impusera momentos antes. Para que Blatter fosse efetivamente eleito, seriam necessários 128 votos, maioria de dois terços, mas o resultado fora devastador demais para que Johansson insistisse num segundo turno. Ele fora convencido, pelos colegas da Uefa, de que teria em torno de 150 votos.

Até aquele momento, o congresso da Fifa em Paris, diferentemente do que acontecera nos anos em que Havelange era reeleito por aclamação, fora cenário de muita discussão, alguns boatos sobre traições de última hora e suspeitas de aliciamento em vários níveis. Blatter também se movimentara, acenando com a realização de uma Copa na África do Sul e retirando, com o compromisso, apoios prometidos a Johansson no continente. Dois presidentes de confederações, Johansson e Hayatou, tinham descoberto o que Havelange e Blatter já sabiam: que nem todas as federações da Europa e da África estavam com eles.

Na lembrança de Havelange, quando Johansson já estava aceitando a sugestão de desistir de um segundo turno ainda mais decepcionante, agora por maioria absoluta, Jean Claude Ganga, dirigente do Congo, aliado de Johansson, levantou-se e propôs que os presidentes de confederações acompanhassem os delegados até a cabine de votação na segunda votação. E terminou sua surpreendente intervenção com um desafio que beirou a ofensa:

— Presidente João Havelange, eu espero que o senhor deixe a presidência da Fifa pela grande porta da frente.

Havelange preferiu responder, primeiro, à proposta:

— A votação se faz como sempre se fez e como aprendi no meu país. O delegado entra na cabine, deposita o voto e depois as urnas são abertas na frente de todo mundo, e uma comissão de membros de todos os continentes faz a contagem.

Não foi necessário. Johansson acabou desistindo de ir para uma segunda votação e aceitou oficialmente a derrota. Antes de encerrar a votação oficialmente, no entanto, Havelange fez questão de acertar uma conta. Chamou Jean Claude Ganga, que já estava deixando o salão:

— Senhor Jean Claude Ganga, faça o favor de vir aqui ao pódio que eu vou encerrar. E quero que o senhor diga se vou sair pela grande porta da frente.

A resposta de Ganga acabaria desencadeando uma grande salva de palmas:

— Sim, doutor Havelange, o senhor está saindo pela grande porta da frente.

Sete anos depois do momento em que deu por encerrada aquela campanha tensa e trabalhosa, Havelange se permitiu uma ironia:

"No Brasil, dizem que a gente não sabe fazer política, não é? Como eu não sabia, fui para fora do país para aprender."

Efeito retroativo

Quatro anos depois da vitória de Blatter, a divisão política no comando do futebol mundial que se seguiu à saída de Havelange faria com que os adversários seus e de Blatter retomassem, como arma eleitoral, na campanha ainda mais disputada de 2002, o que tinha sido uma onda de boatos na eleição de 1998.

Coincidindo com o momento em que o camaronês Issa Hayatou instalava um escritório em Paris para sua candidatura à sucessão de Blatter, logo depois de a África do Sul perder a disputa com a Alemanha para sediar a Copa de 2006, o então presidente da federação da Somália e vice de Hayatou na confederação africana, Farah Addo, viraria manchete com uma denúncia sobre o congresso em Paris.

Sem citar nomes, Addo disse que recebeu uma proposta financeira para abandonar Johansson, o candidato de Hayatou, e votar em Blatter. E que a mesma abordagem teria sido feita a 18 delegados africanos cujos nomes Addo também não revelou. As acusações apontavam para o milionário saudita Bin Hammam, aliado de Blatter e membro do Comitê Executivo da Fifa, como um financiador que providenciou, além do jato executivo para uma viagem do candidato, passagens aéreas, hotéis, pagamento de anuidades atrasadas na Fifa e dinheiro para despesas de alguns delegados supostamente cooptados.

Os adversários de Blatter não fizeram muita questão, na época, de separar aquelas denúncias do dinheiro distribuído normalmente, de acordo com o estatuto, às entidades, na época da eleição. As 32 seleções que participaram da Copa da França tinham recebido da Fifa, cada uma, 500 mil dólares para preparação, 325 dólares de diária para cada um dos 40 membros e 700 mil dólares por partida. Para a oposição, fora aliciamento. Para Havelange e Blatter, era demonstração de saúde financeira, prestação de contas e certificado de compromisso cumprido de uma administração competente.

A mídia internacional, em sua maioria, tratou as acusações contra a campanha de Blatter com cuidado. A revista *Time* registrou as denúncias de Farah Addo na edição de maio daquele ano, mas ressalvou que não havia qualquer evidência do envolvimento de Blatter. O jornal inglês *The Observer* também publicou a denúncia na mesma época, acrescentando:

"A explicação oficial é a de que os únicos pagamentos foram adiantamentos de um subsídio anual da Fifa para as federações pobres, no valor de 250 mil dólares, e que não havia nada de anormal em distribuir recursos da Fifa para serem usados nas causas legítimas do futebol."

O jornalista inglês Rob Hughes desconfiou da sinceridade de Farah Addo:

"Ele esperou quase quatro anos para quebrar seu silêncio, mas agora *sabe* que 18 colegas africanos venderam seus votos."

Mike Collett, que acompanhou a eleição de 1998 pela agência *Reuters*, encarou com reserva e naturalidade o surgimento das acusações *a posteriori*:

"Foi uma campanha extremamente intensa. Mas se você quer mesmo presidir uma organização como a Fifa, as emoções, a intensidade e a controvérsia vão estar sempre muito perto de você, num nível muito alto."

Para o jornalista alemão Ralph Durry, executivo da Sid, a maior agência de notícias de esportes em língua alemã, "a imprensa britânica foi forçada pela Uefa na ocasião":

"Eles queriam levar Johansson para o comando da Fifa e, na minha opinião, escreveram coisas diferentes sobre essa eleição e não tinham provas. Se você não tem provas, você tem que aceitar a decisão do congresso."

Para Keith Cooper, que seria demitido por Blatter do cargo de diretor de Comunicações da Fifa logo depois da eleição de 2002, o que aconteceu era inevitável, em uma situação tão "altamente exposta" como aquela:

"O que sei é que, depois de tudo, Lennart Johansson disse para todos esquecerem, serem amigos e trabalharem para o bem do futebol."

Em 2005, Issa Hayatou não demonstrou muito conforto ao ser instado a comentar a denúncia apresentada por seu vice-presidente e a alegação, feita por Jack Warner e outros dirigentes, de que Farah Addo foi usado politicamente. Hayatou limitou-se a dizer que não era corrupto e que em 1998 não foi abordado por ninguém com propostas para mudar o voto. Addo acabaria processado por Blatter e, em 2004, suspenso da Fifa por dez anos, por desvio de dinheiro dos programas da entidade.

Blatter fez questão de dizer, em 2005, que ficou "longe dos hotéis da Fifa", no congresso de 1998, em Paris:

"Fiquei com minha filha, em outro hotel. Portanto, eu não sei de nada e não quero saber de nada."

Lennart Johansson deixou claro, em 2005, que embora tenha sido informado sobre as denúncias, não tinha intenção de fazer das histórias ressuscitadas em 2002 um motivo para rediscutir o que aconteceu no congresso de Paris:

"E eu tomei uma decisão, na época, de não intervir. O que você poderia fazer depois do resultado, além de destruir a reputação do futebol, este jardim-de-infância onde jogamos uns contra os outros? Eu perdi. Outros que provem o que aconteceu. Não vou me envolver com isso. Não fiz isso em 1998, não escrevi um livro sobre isso. Não dei entrevistas sobre isso. Não especulo. Só sei o que eu ouvi. Portanto, você não vai conseguir nada de mim sobre isso."

Saideira

Havelange sempre fez de seus convidados para as Copas ao mesmo tempo uma poderosa arma de relações-públicas para a Fifa e uma forma de cultivar seus amigos de todas as idades, épocas e áreas profissionais. Na França, Afonso Guimarães, então com 48 anos, e o filho Gustavo, com 10, foram dois deles. Empresário, representante comercial e filho do almirante Pinto Guimarães, este também um grande amigo de Havelange, Afonso foi uma prova viva da capacidade que o presidente da Fifa tinha de realizar os sonhos das pessoas de quem ele gostava.

Além de ganhar um convite especial para assistir, com a mulher e o filho, ao concerto dos três tenores realizado na véspera da final,

Afonso viu Gustavo ser levado por Havelange para sentar com ele na tribuna de honra, na decisão entre Brasil e França. O argumento do presidente da Fifa, assumindo a postura de avô, ao puxar Gustavo pela mão, deixou Afonso emocionado:

— O meu neto tem que aprender a gostar das coisas bonitas.

Para Afonso, o gesto de Havelange era também uma forma de sobreviver à solidão dos que vivem muito tempo:

"O João já perdeu muita gente querida, mas ganhou duas gerações de novos amigos. Os filhos e os netos dos amigos que se foram. Isso é fundamental na vida dele. Isso é que eu acho que o deixa com vontade de viver."

Mariana Jacob, a médica geriatra que ajudou Havelange a se manter como um exemplo de lucidez e boa saúde depois dos 80 anos, foi outra convidada de sua última Copa como presidente da Fifa. E a forma de convidar foi também uma provocação carinhosa com o fato de a médica ter consultório no prédio da encardida e barulhenta Galeria Menescal, no coração de Copacabana:

— Sai daquele buraco da Menescal e vamos para a Copa. Você trabalha demais e a vida é bela.

Em seu último Mundial como presidente, Havelange, como sempre, se impôs o compromisso de visitar, usando um avião fretado pela Fifa, cada uma das sedes da competição. E a assistir pelo menos a uma partida de cada uma das 32 seleções que foram à França.

Depois da eleição de Sepp Blatter.

Crise no vestiário

Havelange, de acordo com várias fontes, de dentro e de fora da delegação brasileira, não teve qualquer envolvimento com a crise que sacudiu a seleção no dia da final contra a França. No impresso que ele recebeu, na tribuna de honra do Stade de France, no dia 12 de junho, estava escrito que quem ia jogar era o atacante Edmundo. Só após a partida ele teve informações sobre o que aconteceu no vestiário, minutos antes do início da partida, quando o craque Ronaldo voltou de uma clínica informado de que as convulsões que sofrera horas antes não eram coisa séria. E disposto a jogar.

"Eu soube que houve uma imprudência dentro do vestiário. E foi o que se viu: perdemos. E a verdade é que o time se dividiu antes de jogar e dentro de campo, entre Ronaldo e Edmundo. Uma metade era a favor de o Ronaldo entrar e a outra era contra. E eles não se entrosaram. É só ver o videoteipe da partida."

Com um ataque eficiente formado por Leonardo, Rivaldo, Bebeto e Ronaldo, e um comando técnico às vezes confuso de Zagallo, sem Carlos Alberto Parreira por perto, o Brasil tinha passado pela primeira fase e pelo Chile, nas oitavas-de-final, e vencido jogos difíceis contra a Dinamarca, por 3 a 2, e a Holanda, 4 a 3 nos pênaltis, após 1 a 1 no tempo normal e 0 a 0 na prorrogação. Na decisão contra os franceses, porém, o time esteve irreconhecível e perdeu o jogo por 3 a 0.

Sete anos depois daquela final, Havelange não parecia especialmente incomodado com a ironia de seu último ato oficial como presidente da Fifa ter sido o ritual de passar a taça de campeão do mundo ao presidente Jacques Chirac para que ele a entregasse ao capitão do time francês, Zinedine Zidane:

"Paciência. Fomos vice-campeões. Mas ser vice no Brasil é como ser último, lamentavelmente."

Coisas de família

Pelé nem acreditou direito.

Num rápido encontro com Havelange em Paris, ainda durante a Copa e já depois da eleição de Blatter, Havelange deu o recado:

— O Blatter quer falar contigo. Ele te admira muito e quer que você trabalhe com a gente.

Quarenta dias antes, Pelé fora a estrela de um *show* político da Uefa contra Blatter e, por tabela, contra Havelange. E menos de uma semana antes daquele encontro dos dois brasileiros mais poderosos do futebol, correligionários de Havelange e Blatter, de um lado, e de Lennart Johansson, do outro, se digladiavam abertamente nas reuniões do congresso no Equinox Centre, ou se articulavam uns contra os outros nos corredores dos hotéis de luxo de Paris.

À exceção de alguns aliados mais radicais de Johansson, que perderiam posições ou não seriam mantidos em comissões importantes da Fifa, no entanto, não haveria nenhum expurgo sério ou retaliação política que abalasse os alicerces da entidade. O próprio Pelé iniciaria, ali mesmo, em Paris, um lento processo de reaproximação que culminaria na reconciliação oficial com Blatter, Ricardo Teixeira e Havelange em março de 2004, durante uma exposição sobre a vida do ex-craque no Masp, em São Paulo.

Para entender a natureza das relações entre os integrantes da confraria multinacional e poderosa que Havelange comandou por vinte e quatro anos, o escocês David Will, um dos veteranos da entidade, sugeria, em 2005, a analogia com o próprio futebol:

"É parte da ética do jogo de futebol. Você tem uma grande luta por 90 minutos. E no 95º minuto você pode tomar uma cerveja com o seu adversário. E seguir em frente."

Para o alemão Ralph Durry, da agência Sid, "às vezes parecia mágica":

"Eles ficavam durante duas horas brigando como moleques de rua. Logo depois, eram os melhores amigos."

Na opinião de Keir Radnedge, os congressos da Fifa sempre foram "locais maravilhosos para as pessoas verem inimigos lado a lado, sendo os melhores dos amigos":

"É uma sociedade de duas faces, como os dois lados do espelho. E o que os une são os interesses relacionados à Copa, o grande símbolo do mundo dos esportes. Basicamente, tudo acaba no fato de que, acima de quase tudo, está a Copa do Mundo. A Fifa está abaixo, mas você só pode tocar a Copa indo pela escada da Fifa. É a Copa que mantém esses homens unidos."

Como diria Havelange, em 2005:

"O dono da festa, quer queiram ou não, é a Fifa".

Mike Collett, outro veterano da cobertura dos congressos da Fifa pela agência Reuters, concordou com o colega Radnedge, mas disse que sempre acreditou "mesmo" quando os dirigentes da entidade, de Havelange a Johansson, se autodenominavam uma "família":

"Todos eles têm egos enormes. Muitos deles são homens riquíssimos e poderosos. Mas eu os vejo também como parte de uma família. E porque eles são parte de uma família eles podem aprontar uns com os outros e se acertar, como os reis medievais que trocavam suas alianças, no passado. Às vezes, irmãos ficam sem se falar durante vinte anos. Mas, no principal, quando o problema é solúvel, eles se acertam, se beijam e seguem em frente. Como uma família."

A Fifa que Havelange deixou aos sucessores, no entanto, se revelaria uma família bem mais briguenta do que a dos seus tempos de presidente. Quatro anos depois de Paris, no congresso que coincidiu com a Copa Coréia-Japão, o mesmo Issa Hayatou, com o apoio de Johansson e do então secretário-geral da Fifa, Michael Zen-Ruffinen, travaria nova batalha contra Blatter.

Hayatou adicionaria às acusações de Farah Addo sobre o congresso de Paris um dossiê de Zen-Ruffinen sobre o primeiro mandato de Blatter, com denúncias de corrupção, nepotismo e ineficiência administrativa relacionada à falência da ISL. Perderia mais uma vez, feio. Cento e trinta e nove votos a 56. A luta política dentro do Comitê Executivo, no entanto, chegaria a um patamar inimaginável na era de poder absoluto de Havelange: os tribunais suíços, onde cinco vice-presidentes entraram com uma ação contra Blatter, com base no dossiê de Zen-Ruffinen.

No tiroteio político ora surdo ora aberto que marcou os dois primeiros mandatos de Sepp Blatter, Havelange foi poupado do fogo pesado e, como um presidente de honra ainda influente na Fifa, continuou trafegando sem grandes problemas entre as confederações e lideranças do futebol e os membros do COI. O próprio Hayatou de tantas dissidências ficaria devendo a Havelange sua posição de delegado da entidade olímpica.

Em 2005, ao lembrar sua eleição para o COI, juntamente com outro indicado de Havelange, Timothy Fok, filho do velho aliado Henry Fok, Hayatou, aparentemente resignado com seu teto político depois de duas campanhas malsucedidas à presidência da Fifa, confirmou que sua indicação ao COI se deveu a Havelange e, quem diria, a Sepp Blatter:

"Eu nunca poderia brigar com Havelange. Até hoje Havelange é o número um para mim no futebol. Havelange é meu pai."

Ao que Havelange, traído por um certo enfado diante da ciclotimia política do africano, acrescentou:

"O Hayatou desejava ser membro do COI, como muitos membros da África, e veio me pedir. Foi eleito. Acho que não faltei com a minha palavra e com o meu desejo de servir aos amigos."

Foi da família do COI, mais especificamente do presidente Juan Antonio Samaranch, que Havelange não recebeu a contrapartida de apoio político que esperava naquela eleição da Fifa. A postura de Samaranch em relação à disputa entre Blatter e Johansson, uma eqüidistância interpretada como um mal-disfarçado apoio ao sueco pelos meios esportivos, não foi assimilada facilmente por Havelange.

Principalmente porque Samaranch só pudera ser reeleito presidente, um ano antes, depois que Havelange e Primo Nebiolo, o poderoso presidente da Federação Internacional de Atletismo, articularam, em uma reunião do COI em Budapeste, em 1995, para que o limite de idade para o cargo fosse mudado de 75 para 80 anos. Em 2005, em Barcelona, o assunto causou desconforto a Samaranch, mas ele insistiu que fez visitas aos dois candidatos da Fifa e que "pouco poderia fazer para influir".

Samaranch pouco tinha influído, também, em março de 1997, para evitar um inesperado dissabor olímpico de Havelange, em quase quatro décadas de poder no COI: a derrota precoce do Rio de Janeiro na semifinal das cidades candidatas a sediar as Olimpíadas de 2004, decidida em Lausanne em favor de Atenas, Buenos Aires, Cidade do Cabo, Roma e Estocolmo.

Em 2005, Havelange não demonstrava muito interesse em recordar a mágoa com Samaranch, mas amigos chegados como Almeida Braga, Antonio José Carneiro e até o cuidadoso Carlos Arthur Nuzman, presidente do COB, confirmavam que foi necessário algum tempo para que os dois velhos amigos se reconciliassem. Em 2005, em Barcelona, ao lembrar o reencontro, Samaranch proclamou, satisfeito:

"Na vida sempre há momentos mais ou menos difíceis. Mas o que impera é uma história, não um dia, uma semana ou um mês. Não houve uma separação entre nós. Apenas um pouco de frieza. Mas eu te asseguro que Havelange não me faltará nunca."

A dúvida não era exatamente essa.

Despedidas

— Eu queria te dizer que você nunca vai ser tão bom presidente como eu.

O susto de Sepp Blatter com as palavras de Havelange, na conversa particular que os dois tiveram em Paris, dois dias depois da final da Copa da França, foi muito grande. E emendado com uma resposta diplomática que tentava esconder o espanto:

— Claro que não! Você é um monumento do esporte, um homem que marcou uma época.

Havelange, então, fez da perplexidade um momento inesquecível da vida de seu sucessor:

— Não é nada disso, Blatter. Você nunca vai ser tão bom presidente como eu porque jamais terá um secretário-geral como eu tive.

Sete anos depois daquele susto e do longo e afetuoso abraço que se seguiu, Blatter não tinha dúvidas:

"Foi o maior elogio que já recebi na vida."

Cerca de 2 mil pessoas tinham presenciado, dias antes, ainda no Equinox Centre, em Paris, o adeus de Havelange e sua nomeação imediata como presidente de honra da Fifa, proposta por Issa Hayatou, o dirigente que ele acabara de derrotar na eleição. Mas foi o próprio Havelange quem fez questão, em 2005, de relativizar o tamanho da platéia da cerimônia:

"Era tanta gente assim primeiro porque era um congresso da Fifa. Em segundo lugar, porque era em Paris. E em terceiro, por ser a minha despedida."

O momento que mais emocionou, na lembrança de Havelange, foi o beijo do grande aliado da Arábia Saudita:

"Eu desci de onde estava, na parte alta do pódio, e fui cumprimentar o príncipe Faisal, irmão do rei Fahd. Dei um abraço e um beijo nele, e ele me beijou. Para muita gente aquilo foi uma surpresa, porque o árabe é geralmente muito fechado. Aquilo me emocionou porque foi uma demonstração pública de amizade."

Meses depois do adeus oficial, Blatter escreveria uma carta a Havelange, com uma proposta inusitada:

— Vou fazer com que o Comitê Executivo tenha você presente a todas as reuniões.

Havelange optou pelo cargo honorífico. E suas razões, como sempre, foram de ordem pragmática:

— Eu teria voz, mas não teria voto. Eu teria de me intrometer na administração. Vamos deixar como está.

O adeus lembrado com mais carinho por Havelange foi o da homenagem prestada a ele em 21 de maio de 2004, durante as celebrações do centenário da Fifa, no Museu do Louvre, mais uma vez em Paris. Um aplauso de cinco longos minutos se seguiu a um discurso em que o presidente Blatter detalhou a transformação empreendida por Havelange na entidade. Naquele dia, na lembrança de Havelange, Blatter conseguiria a façanha de arrancar algumas lágrimas daqueles olhos poderosos e implacáveis:

"Foi o momento em que eu mais me emocionei. Senti que o congresso e os continentes não tinham esquecido de mim."

Cerimônias à parte, o velho adversário Lennart Johansson, depois de cruzar com Havelange nos salões do congresso realizado pela Fifa em Marrakech, em setembro de 2005, rendeu-lhe uma homenagem definitiva:

"Quando Havelange foi embora, eu senti sua falta, mas vi que havia um novo presidente, com novas idéias. Mas fico feliz de saber que a Fifa está tratando ele de forma apropriada e correta, cuidando dele. É assim que se faz História. Há muitos episódios e coisas que você pode discutir, mas há outros que trouxeram benefícios no tempo dele. A gente se agarrava no nosso osso e pensava que não precisava de ninguém e ele tinha uma visão mais global. Eu o aceito como talvez o melhor presidente que já tivemos."

Aquele balanço de Johansson era, de certa forma, uma confirmação de que Havelange se aposentou do jeito que queria. Em suas palavras:

"Na hora de ir embora, a gente tem que deixar é saudade, e não pena."

EPÍLOGO

Camarada Godefroid

His majesty Tuanku Ja'Afar Ibni Al-Marhuy Tuanku Abdul Rahman.

O nome do autor da homenagem estava gravado no gongo chinês que ocupava uma posição de destaque na estante envidraçada, entre pequenas caravelas de ouro, globos de cristal, taças, pinhas, livros de arte de todos os tamanhos, troféus, medalhas e porta-retratos, perto da uma secretária em mogno e de uma poltrona em capitonê de couro.

O gongo era uma das centenas de objetos, de minúsculas réplicas douradas de Copas do Mundo a grandes vasos chineses e ânforas de prata, que decoravam a sala principal do escritório do sexto andar do edifício Manhattan, na tarde de 18 de janeiro de 2005, dia da primeira de uma série de entrevistas. À pergunta sobre quem era aquele admirador de nome quilométrico que assinava o vistoso gongo chinês, a primeira surpresa:

— Não faço a menor idéia.

Aos 88 anos, à vontade dentro de um terno cinza completado por uma discreta gravata azul, Havelange tinha uma agenda de presidente de honra da Fifa a cumprir e não parecia ter tempo para degustar o sucesso que cintilava naquelas prateleiras. Nem aparentava dar muita importância para o bem-cuidado museu de mais de mil peças em que aquele conjunto de salas tinha sido transformado, ao longo dos anos, por iniciativa da secretária Edy Sarmento Borges.

Além das estantes das salas e corredores, dezenas de gavetas e arquivos guardavam milhares de fotografias e uma quantidade de condecorações, títulos, diplomas e placas cuja lista, impressa, media mais de 5 metros. Não estava ali, no entanto, entre os títulos e homenagens, para sua contida decepção, o Prêmio Nobel da Paz, indicação articulada por um grupo de amigos suíços em 1987 e não atendida. Aquela tristeza só não era maior do que a que ele tinha com a longa história de ciúmes dos diplomatas do Itamaraty que, na opinião de um deles, o embaixador Paulo Tarso Flecha de Lima, "não se deram conta da importância de Havelange para o Brasil no exterior".

Sete anos depois da despedida da presidência da Fifa, Havelange não era uma peça daquele museu precoce. Continuava dando vida àquelas salas, isoladas do calor e do barulho do centro do Rio por um sistema perfeito e silencioso de ar condicionado. Com a disciplina e o protocolo de sempre, e o relógio ainda acertado pelo fuso horário de Zurique, levava religiosamente a sério todos os convites e missões que recebia como presidente de honra da Fifa.

Não esquecia de cuidar pessoalmente da correspondência, toda ela em papel timbrado da entidade, e dos telefonemas de aniversário para os mais chegados. E ainda separava um tempo para receber pessoas de todas as origens, amigos, ou amigos de amigos, com pedidos de ajuda de toda natureza.

Não era mais a correria da época em que ele ganhava tempo em vôos supersônicos de Concorde, para não perder algumas horas preciosas no eixo Rio-Paris-Zurique. Não era, também, o ritmo de trabalho que levara o jornalista Ney Bianchi a não entender como seu dia podia ter apenas 24 horas.

Ele agora tinha mais tempo para pedir um camarão com chuchu, "caprichado no chuchu", no tradicional restaurante Mosteiro, centro do Rio, acompanhado quase sempre pelo assessor Sérgio Martins e pelos amigos Afonso Guimarães, Fernando Carvalho e Manoel Espezim. Ou para um chá no subúrbio de Cordovil, em companhia de Anna Maria, na casa de José Affonso, o motorista da família.

À casa de Angra e ao peixe insubstituível do amigo Luís Rosa, ele ia de vez em quando, menos do que no passado. Badalação, nem pensar. A seu pedido, a família Havelange fora retirada do livro *Sociedade brasileira*, considerado a "bíblia" dos socialites. Os netos, passado o trauma da separação dos pais, continuavam por perto, aquecendo o velho coração. E garantindo, graças a uma troca oficializada por Ricardo Teixeira em cartório, em 1997, a permanência do sobrenome Havelange nas gerações futuras.

O sonho declarado era chegar aos 94 anos com saúde e lucidez para estar na tribuna de honra mais uma vez e participar da abertura da Copa do Mundo de 2010, na África do Sul, emblema definitivo da transformação que ele promoveu no futebol. Com a disciplina de sempre, demonstrava entusiasmo com uma das missões que Sepp Blatter lhe dera, como presidente de honra da Fifa: cuidar da parceria que ele próprio, Havelange, concebeu e viabilizou, a partir de 1994, com as Aldeias Infantis SOS, organização não-governamental fundada na Áustria e que, em junho de 2004, acolhia 45 mil crianças carentes em 132 países e era a principal beneficiária dos milhões de dólares do Fundo da Juventude da Fifa.

Ele também não escondia o orgulho por dois legados do tipo de administração que implantou na Fifa: a parceria da entidade com a Universidade de Neuchâtel, na Suíça, para oferecer cursos regulares de pós-graduação internacional em administração, direito e ética do esporte, e o Fundo de Pesquisa João Havelange, voltado para os aspectos legais, econômicos, sociológicos, médicos e históricos do esporte.

Que não se pensasse, no entanto, que ele estava longe da política do esporte. Ele continuava profundamente ligado ao futebol, mantinha contatos regulares com Sepp Blatter e ainda era muito influente nas grandes decisões do esporte. E não fora por outro motivo que, dois meses antes, em novembro de 2004, Vyacheslav Fetisov, ex-astro do hóquei, chefe da Agência Federal para a Cultura Física e Esportes da Rússia, protegido político de Vladimir Putin e integrante da comitiva do presidente russo na visita oficial ao Brasil, abandonou as solenidades para pedir um encontro com Havelange no edifício Manhattan.

Fetisov queria aproveitar um momento de fraqueza política do compatriota Yacheslav Koloskov, então presidente da Federação de Futebol da Rússia, membro do Comitê Executivo da Fifa e, por mais de vinte anos, principal avalista do apoio e dos votos que Havelange recebera das entidades esportivas da chamada área de influência soviética.

Mesmo com o aval do presidente Putin, Fetisov não vinha conseguindo colocar o futebol e sua federação sob controle da agência que comandava. E a derrota humilhante da seleção da Rússia para Portugal por 7 a 1, pelas eliminatórias para a Copa de 2006, dias antes da viagem de Putin ao Brasil, era mais uma oportunidade de enfraquecer o outrora poderoso czar do futebol soviético.

Durante o encontro, Fetisov, auxiliado por um tradutor, criticou Koloskov de forma que Havelange considerou "violenta", referindo-se à derrota da seleção russa como um "desastre nacional". Depois, defendeu a substituição de Koloskov, insinuando um pedido de apoio.

Ao que o presidente de honra da Fifa respondeu, ditando cuidadosamente cada palavra ao tradutor:

— Eu queria lhe dizer que o presidente Koloskov é meu amigo, foi um homem excepcional dentro da minha administração, como membro do Comitê Executivo e vice-presidente da Fifa. E sempre deu o melhor de si para a seleção da Rússia.

Surpreso com a resposta, Fetisov ainda buscava uma frase para se recompor quando Havelange se aproximou um pouco mais, olhar siberiano, voz ainda mais pausada e emendou:

— O senhor sabe o que está faltando ao mundo hoje?

Fetisov fez que não e Havelange continuou:

— A União Soviética.

Tradução feita, nova surpresa. E o arremate:

— Quando havia a União Soviética, existia equilíbrio no mundo. Havia duas grandes colunas, uma chamada União Soviética e a outra, Estados Unidos. Hoje, a Rússia não representa mais o que a União Soviética representava. E o mundo está capenga.

Ao lembrar o semblante de surpresa que precedeu a rápida despedida do dirigente russo, Jean-Marie Faustin Godefroid Havelange, seis décadas depois de sua iniciação naquele tipo de conversa, se permitiu um leve sorriso. E ensinou:

"No fundo, todo mundo quer mesmo é sentar na cadeira."

ENTREVISTADOS

Afonso Guimarães
Alberto Murray
Alexandre Rego
André Midani
André Richer
Angel Villar
Anna Maria Havelange
Antonio Carlos Coelho
Antonio Carlos de Almeida Braga
Antonio José Carneiro
Ariel Palacios
Armando Marques
Arnaldo Cezar Coelho
Bernie Ecclestone
Carlos Alberto Parreira
Carlos Alberto Torres
Carlos Arthur Nuzman
Carlos Caetano Bledorn Verri (Dunga)
Carlos Leonam
Carlos Tavares
Cláudio Hermanny Mamede
David Will
Décio Lopes
Denise Frossard
Eduardo Bueno
Edy Sarmento Borges
Elias Zaccour
Emílio Nacarato
Eurico Miranda
Felipe Mascioli
Fernando Carvalho
Franz Beckenbauer
Fernando Collor
Fernando Sandoval
Françoise Zweifel
Gerson
Glorinha Paranaguá
Guillermo White Cañedo
Hans Henningsen
Hélio Fernandes
Hélio Viana
Henry Kissinger
Irene de Azevedo Lima
Ismail Bhamjee
Issa Hayatou
Iury Kler
Ivan Comodaro
Jack Warner
Jarbas Passarinho
Jean-Marie Weber
João Havelange
João Ramalho
João Rodrigues
Johnny Figueiredo
José Affonso
José Antônio Gerheim
José Antonio Nascimento Brito
José Bonifácio de Oliveira Sobrinho (Boni)
José Ricardo Mello

José Roberto Haddock Lobo
José Roberto Wright
Joseph Blatter
Juan Antonio Samaranch
Juca Kfouri
Keir Radnedge
Keith Cooper
Lennart Johansson
Lídio Toledo
Luciano do Valle
Luis Felipe Tavares
Luís Mendes
Luiza Braga
Manoel Agueda
Manolo Epelbaum
Marcel Citherlet
Marcos Amatuzi
Maria Lenk
Mariana Jacob
Marie-Madeleine Urlacher
Mario Amato
Mauro Diegues
Medrado Dias
Mike Collett
Nelson Guimarães Guitti
Pablo Porta
Paulo Cezar Vasconcellos
Paulo Godoy
Paulo Machado de Carvalho Filho
Paulo Roberto Falcão
Paulo Tarso Flecha de Lima
Pedro Pinciroli Júnior
Pelé
Peter Pullen
Ralph Durry
Raphael de Almeida Magalhães
Richard Porret
Roberto Médici
Rodolfo Landim
Roland Zorn
Rudolf Hermanny
Sérgio Cabral
Sérgio Noronha
Sílvio Luiz
Sylvio Kelly
Telmo Zanini
Thereza Boulhões
Timothy Fok
Tonico Duarte
Valed Perry
Vicente Senna
Victorio Filellini
Walter Huber
Yacheslav Koloskov
Zagallo
Zico

AQUINO, Rubim Santos Leão de. *Futebol: Uma paixão nacional.* Rio de Janeiro: Jorge Zahar Editor, 2002.

ARMSTRONG, Gary; GIULIANOTTI, Richard. *Football in África.* Hampshire (Inglaterra): Palgrave Macmillan, 2004.

ASSUMPÇÃO, João Carlos. A criação de Pelé (Especial). *Folha de S. Paulo*, São Paulo, 7 nov. 1999.

BELLOS, Alex. *O Brasil em campo.* Rio de Janeiro: Jorge Zahar Editor, 2002.

BIAL, Pedro. *Roberto Marinho.* Rio de Janeiro: Jorge Zahar Editor, 2004.

BOJUNGA, Cláudio. *JK, o artista do impossível.* Rio de Janeiro: Objetiva, 2001.

CARDOSO, Tom; ROCKMANN, Roberto. *O marechal da vitória.* São Paulo: A Girafa, 2005.

COMITÊ OLÍMPICO BRASILEIRO. *Sonho e conquista: o Brasil nos Jogos Olímpicos do século XX.* Rio de Janeiro: Ouro Sobre Azul, 2004.

FUNDAÇÃO GETÚLIO VARGAS. *Dicionário Histórico Biográfico Brasileiro.* Rio de Janeiro: FGV, 2001.

GANHITO, Renato; SPLIATTI, Solange. *Tietê: O rio de São Paulo.* São Paulo: Abooks, 2004.

GASPARI, Elio. *A ditadura escancarada (As ilusões armadas).* Rio de Janeiro: Companhia das Letras, 2002.

HARRIS, Harry. *Pelé: His Life and Times.* Nova York: Welcome Rain, 2003.

KASZNAR, Istvan K.; GRAÇA FILHO, Ary S. *Estratégia vitoriosa de empresa: segundo seus personagens.* São Paulo: M. Books do Brasil, 2006.

LANFANCHI, Pierre; EISENBERG, Christiane; MASON, Tony; WAHL, Alfred. *100 Years of Football – The FIFA Centennial Book.* Londres: Weidenfeld & Nicolson, 2004.

LENK, Maria. *Braçadas & abraços.* Rio de Janeiro: Atlântica Boavista, 1982.

MAGALHÃES, Mário. Era Havelange (Especial). *Folha de S. Paulo*, São Paulo, 8 jun. 1994.

MÁXIMO, João. *João Saldanha: sobre nuvens de fantasia.* Rio de Janeiro: Relume Dumará, 1996.

MILAN, Betty. *O país da bola*. Rio de Janeiro: Record, 1998.

MILLIET, Raul (org.). *Vida que segue – João Saldanha e as Copas de 1966 e 1970*. Rio de Janeiro: Nova Fronteira, 2006.

RADNEDGE, Keir. *The Complete Encyclopedia of Football*. Londres: Carlton Books, 2004.

SOARES, Edgard & BAKLANOS, Sérgio. *Jovem Havelange*. São Paulo: Margraf, 1995.

YALLOP, David. *Como eles roubaram o jogo*. Rio de Janeiro: Record, 2002.

Jornais e revistas

A Notícia
Ansa
AP
Boston Globe
Correio Braziliense
Daily Mail
Diário de Notícias
Edmonton Sun
El Comercio
El Nacional
El Tiempo
Extra
Folha da Tarde
Folha de S. Paulo
Forbes
Gazeta Esportiva
Guardian
Herald Tribune
Imprensa
Interview
IstoÉ
IstoÉ Dinheiro
Jornal de Brasília
Jornal do Brasil
L'Humanité
La Nación
Manchete
O Estado de S. Paulo
O Globo
O Jornal
Playboy
Reuters
Semana
Sports Illustrated
St. Petersburg Times
The Economist
The Independent
The Moscow Times
The Observer
Time
Tribuna da Imprensa
Veja
Washington Post
World Soccer

Sites

an.uol.com.br
arkivperu.com
asiaweek.com
bbc.co.uk
busesintl.com
businessweek.com
cbcm.com.br
cbf.com.br
china.org.cn
cnn.com
cpc.fgv.br
cybersports.com.br
cypnet.com
discoverychannel.co.uk
economist.com
educacional.com.br
elcolombiano.terra.com.co
elpais.com
elysee.fr
englandfootballonline.com
english.prav.ru
esportes.terra.com.br
estadao.com.br
fclm.ru
fifa.com
folha.uol.com.br
forbes.com
fpa.org.br
fraros.it
futebolcia.net
futebolnews.com
garnal.org
gazetaesportiva.net
geocities.com
globo.com
hatemonitor.csusb.edu
historico.notitar.com
i-cias.com
iglesiamaradoniana.com
iht.com
internacional.com.br
ipcdigital.com
japantimes.com
jbonline.terra.com.br
jet.com.br
jovempan.uol.com.br
kiat.net
kingfahdbinabdulaziz.com
kochtavares.com.br
laopinion.com
lboro.ac.uk
legui.be
lequipe.fr
loscuentos.net
mail-archive.com
members.fortunecity.es
menschenrechte.org
milbus.com.br
museudapessoa.net
museudosesportes.com.br
netvasco.com.br
novomilenio.inf.br
nuevasion.com.ar
observatoriodaimprensa.com.br
olympic.org
papodebola.com.br
pbs.org
placar.abril.com.br
planetworldcup.com
playthegame.org
polo.ufsc.br
poloaquatico.com.br

prensalibre.com
primetimecrime.com
profile-books.com
projetomemoria.art.br
pt.uefa.com
robertodinamite.com.br
saopaulofc.net
securityarms.com
senado.gov.br
soccerhut.net
soccernet.com
solo-futbol.com
sportsillustrated.cnn.com
standardliege.be
telehistoria.com.br
terra.com.br
todoslosmundiales.com.ar
uefa.com
uol.com.br
viacao.cometa.com.br
vivario.org.br
web.ksl.com
webliga.com.br
wikipedia.org
xapuri@armandonogueira.com.br

ÍNDICE REMISSIVO

O AUTOR

Ernesto Rodrigues, 53 anos, publicou em 2004 *Ayrton, o herói revelado*, uma biografia do piloto Ayrton Senna. Formado em Jornalismo pela PUC de Belo Horizonte, Ernesto trabalhou como repórter do jornal *O Globo* nas editorias de Política e Cidade, e na sucursal de Brasília do *Jornal do Brasil*, cobrindo a Presidência da República e o Congresso Nacional. Depois, foi editor-assistente da revista *IstoÉ* em São Paulo e editor-assistente da suc sal da revista *Veja* no Rio. Em 1986, iniciou uma carreira de 14 anos na Globo. Foi editor do Jornal da Globo e do Jornal Nacional, diretor de pr gramas do Globo Repórter, chefe da sucursal da TV Globo Londres, d tor-executivo do Fantástico e chefe de redação da emissora em São Pau É professor de Jornalismo da PUC-Rio e autor-organizador do livro *próximo bloco – O jornalismo brasileiro na TV e na Internet*, uma coletânea de 14 autores publicada pela editora da universidade.

Este livro foi composto na tipologia Minion, em corpo 12/16,
e impresso em papel off-white 90g/m²
no Sistema Cameron da Divisão Gráfica da Distribuidora Record